SEDE DE ME BEBER INTEIRA

4ª reimpressão

Copyright © Liana Ferraz, 2022
Copyright © Editora Planeta do Brasil, 2022
Todos os direitos reservados.

Preparação: Ana Carolina Salinas
Revisão: Fernanda Guerriero Antunes e Thiago Fraga
Projeto gráfico e diagramação: Camila Catto
Ilustrações de miolo: Liana Ferraz
Capa e ilustração de capa: Helena Hennemann | Foresti Design

Dados Internacionais de Catalogação na Publicação (CIP)
Angélica Ilacqua CRB—8/7057

Ferraz, Liana
 Sede de me beber inteira / Liana Ferraz. – São Paulo: Planeta do Brasil, 2022.
 240 p.

 ISBN 978-65-5535-831-5

 1. Poesia brasileira I. Título

22-2897 CDD B869.1

Índice para catálogo sistemático:
1. Poesia brasileira

MISTO
Papel | Apoiando o manejo florestal responsável
FSC® C019498

Ao escolher este livro, você está apoiando o manejo responsável das florestas do mundo

2025
Todos os direitos desta edição reservados à
Editora Planeta do Brasil Ltda.
Rua Bela Cintra, 986, 4º andar – Consolação
São Paulo – SP – 01415-002
www.planetadelivros.com.br
faleconosco@editoraplaneta.com.br

Liana Ferraz

SEDE DE ME BEBER INTEIRA

poemas

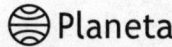 Planeta

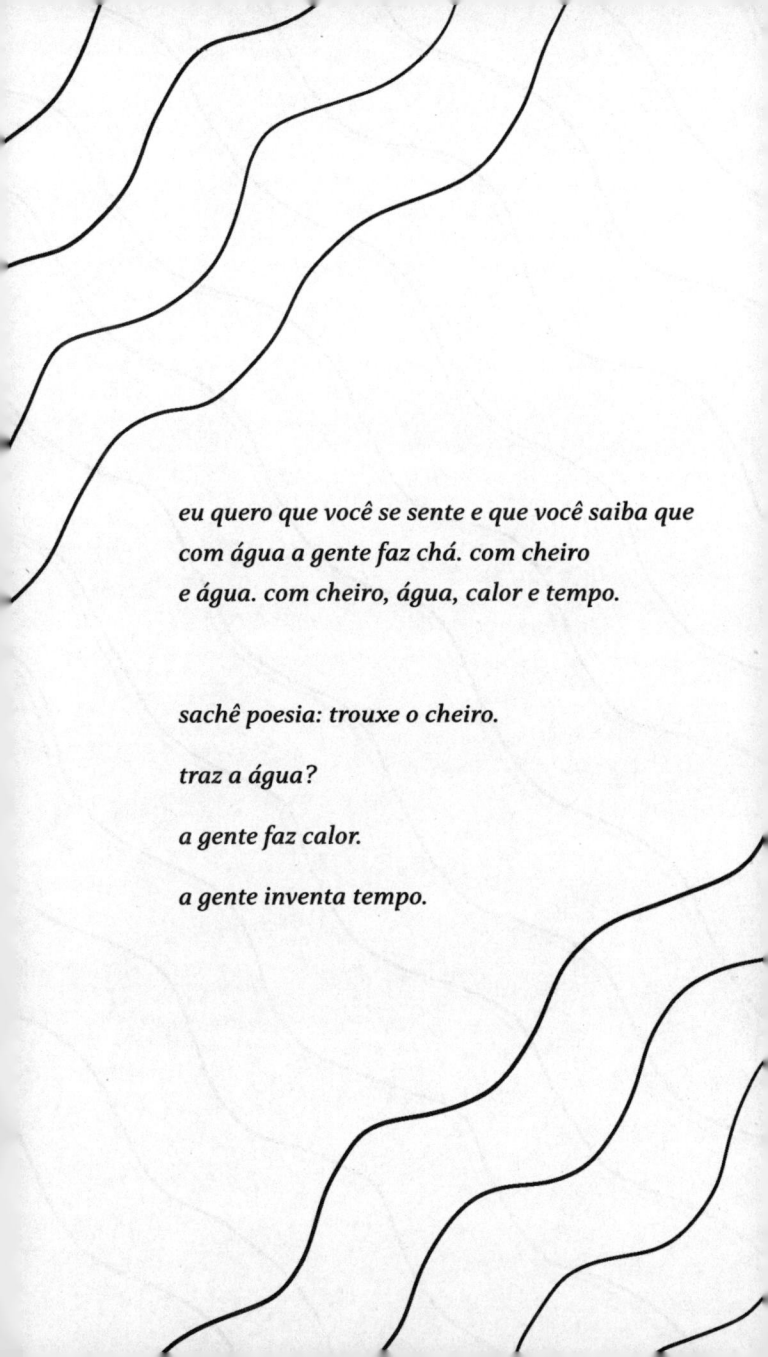

eu quero que você se sente e que você saiba que com água a gente faz chá. com cheiro e água. com cheiro, água, calor e tempo.

sachê poesia: trouxe o cheiro.

traz a água?

a gente faz calor.

a gente inventa tempo.

— chá —

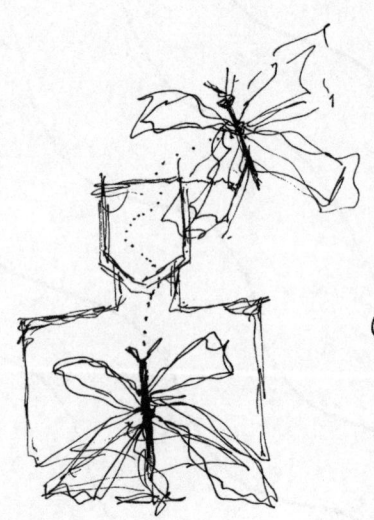

Sentir é uma forma de saber...

O que entrego de amor
não quero de volta.
Quero de novo.

Sempre é tempo.
Se não é de colheita,
é de plantio.

Amar faz cócegas no tempo.

A vida sempre é.
A gente é que nem sempre.

tijolo ar
parede casa
fazer o lar
sem perder asa

eu te entendo nada

eu te entendo tudo

apesar de, por isso,
te amo.

da minha loucura
sempre bebo mais um gole
poço sem fundo
sede infinita

PRECISO

~~ACERTAR~~ O
ACEITAR

MEU

RELÓGIO

intuição
é quando abro
os ouvidos do coração
para meus próprios conselhos

envelheço porque sobrevivo
não há motivo para tristeza

quem me dera viver o presente
com a intensidade da saudade que eu sinto

Eu sinto que moro em mim
Mas você me ajuda a erguer as paredes
Esse espaço aconchego
Eu moro em mim
Mas nada
Nada é só.
Ao seu lado,
estou em casa.

Autocuidado é bom
(e ser cuidada também)

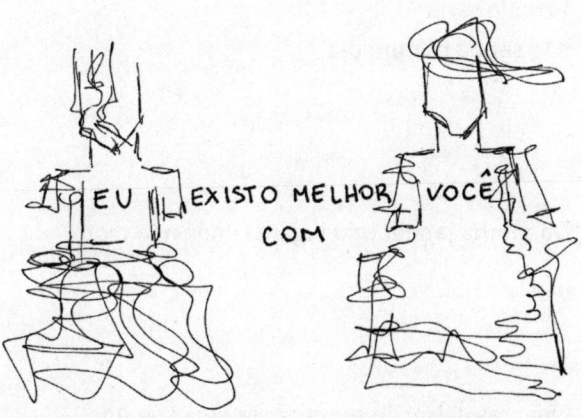

Feriado seria
não ser eu por um dia.

Da minha janela vejo lugares onde não moro.

Quantas deixei de ser para ser essa que sou?

a mesma teimosia que me faz ficar batendo
a cabeça na parede
me faz encontrar porta onde parecia só existir
parede.

ESPERA...
que é a vez
da vida jogar...

o amanhã é imenso, mas leve.
precisa puxar não, que ele vem.
precisa carregar não, que ele flutua.
precisa segurar não, que ele escapa.

E, ao me deitar,
que eu saiba dormir.
E, ao me levantar,
que eu saiba sonhar.

 ESSA É A PRAIA QUE VI HOJE.

(olhos enxergam o que imaginam)

nó na garganta
quando desata
acorda

SUSTENTAR ~~NÃO~~ SUPORTAR

meço meu tamanho por afetos:
eu sou o que movimento.

liberdade é coisa feita sob medida:
a do outro nunca nos serve.

gosto não se discute,
come-se.

ABOCANHAR
A VIDA
SEM
 TRITURÁ-LA

amar é ajudar alguém a existir

nem tudo é questão de tempo
tem coisa que é questão
de temperatura.

eu nunca vou saber
se deixei
morrer de água demais ou
        de água de menos...

* para plantas,
amores e
expectativas.

[sobre vida]

sobreviver às tragédias que existem
sobreviver às tragédias que eu invento

lá onde as palavras não alcançam
mora uma multidão de pedaços meus

felicidade não é lugar que se habita
é lugar que se atravessa

se eu ou nós
trabalho ou vocação
ir ou ficar
eu moro na indecisão
pois vamos tirar na moeda
ancestralidade do acaso
destino ancião
cara
mente
coroa
coração

[joão e maria]

ai, que tristeza que dá
ficar catando suas migalhas
em busca do nosso lar

não tente agarrar a vida com tanta força,
meu amor

sem desespero, segure firme e delicado

firme para que não escape
delicado para que não sufoque

[a vida que pássaro]

VIVER
REVER

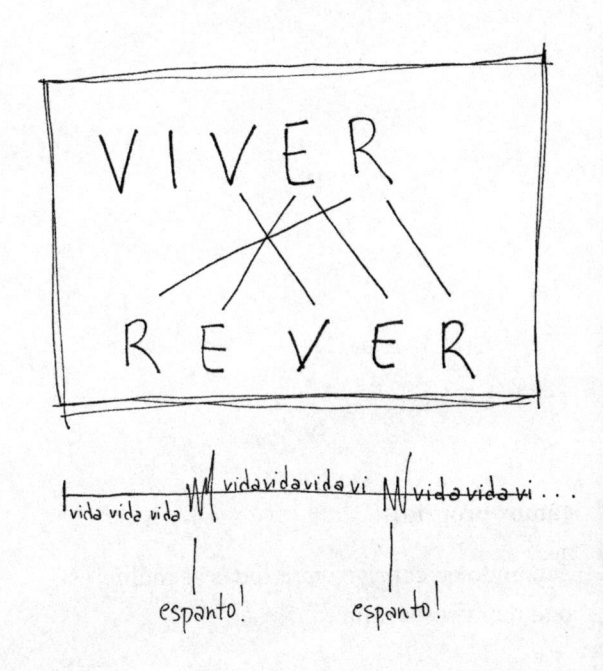

vida vida vida ⋙ vidavidavidavi ⋙ vidavidavi ...

espanto!   espanto!

[amor-próprio]

é quando eu consigo amar todas as mulheres
que moram em mim

SOU

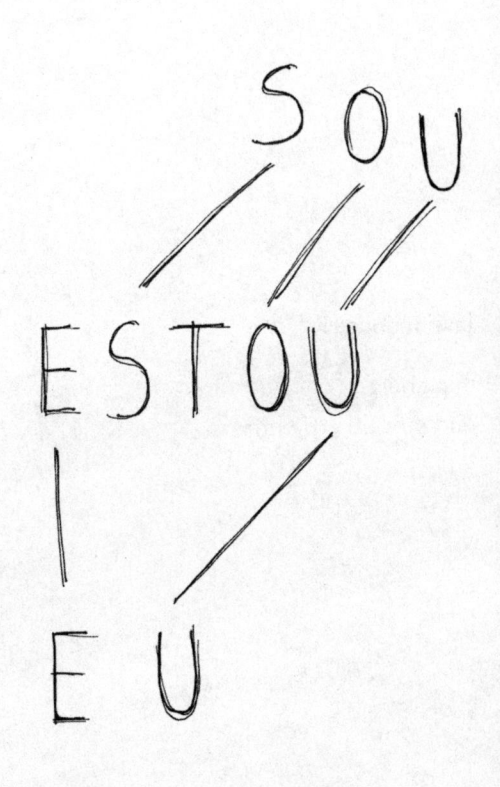

ESTOU

EU

melancolia

lua cheia
 de nãos

saudade
é quando a gente sabe
que não tem força
mas fica insistindo no interruptor em busca
da luz

que acabou
que acabou
que acabou

~~V~~IDA

sem volta

SILÊNCIO:

sinfonia da intuição

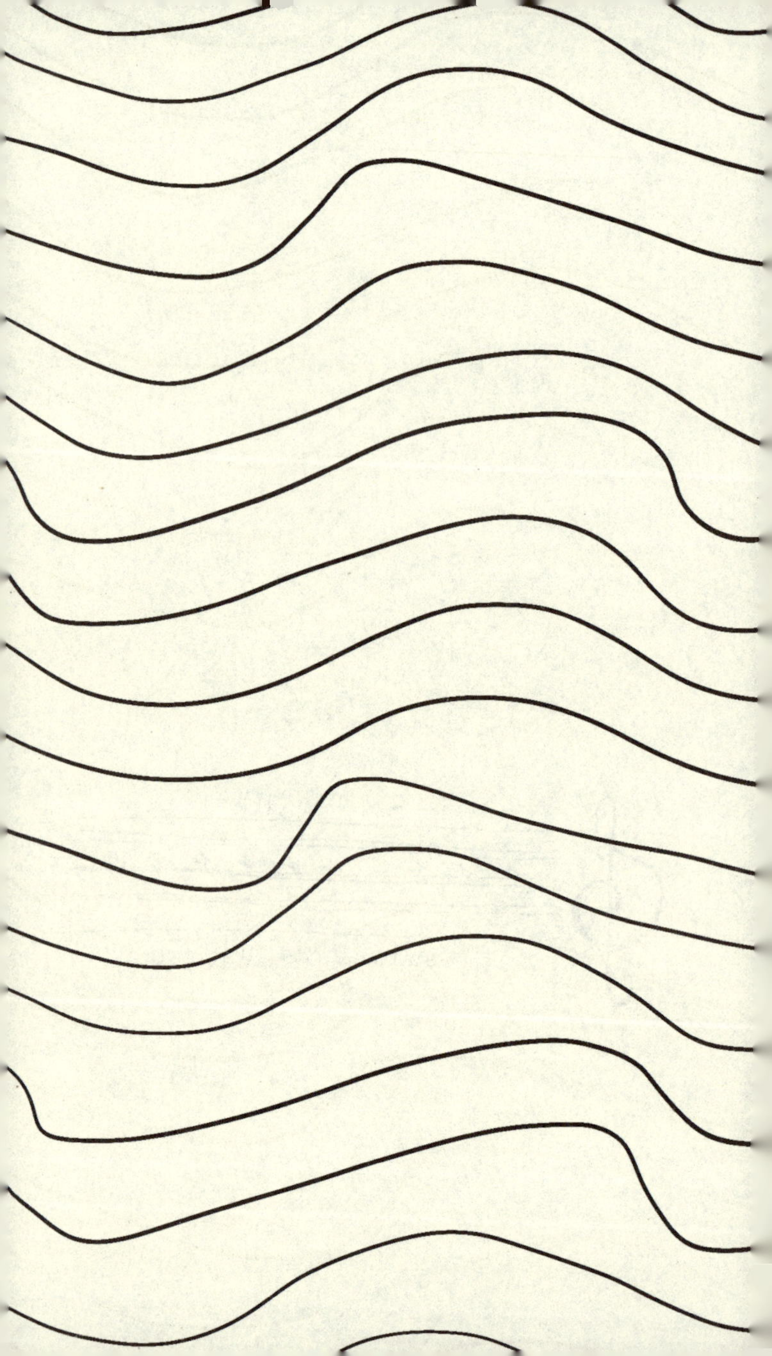

— café —

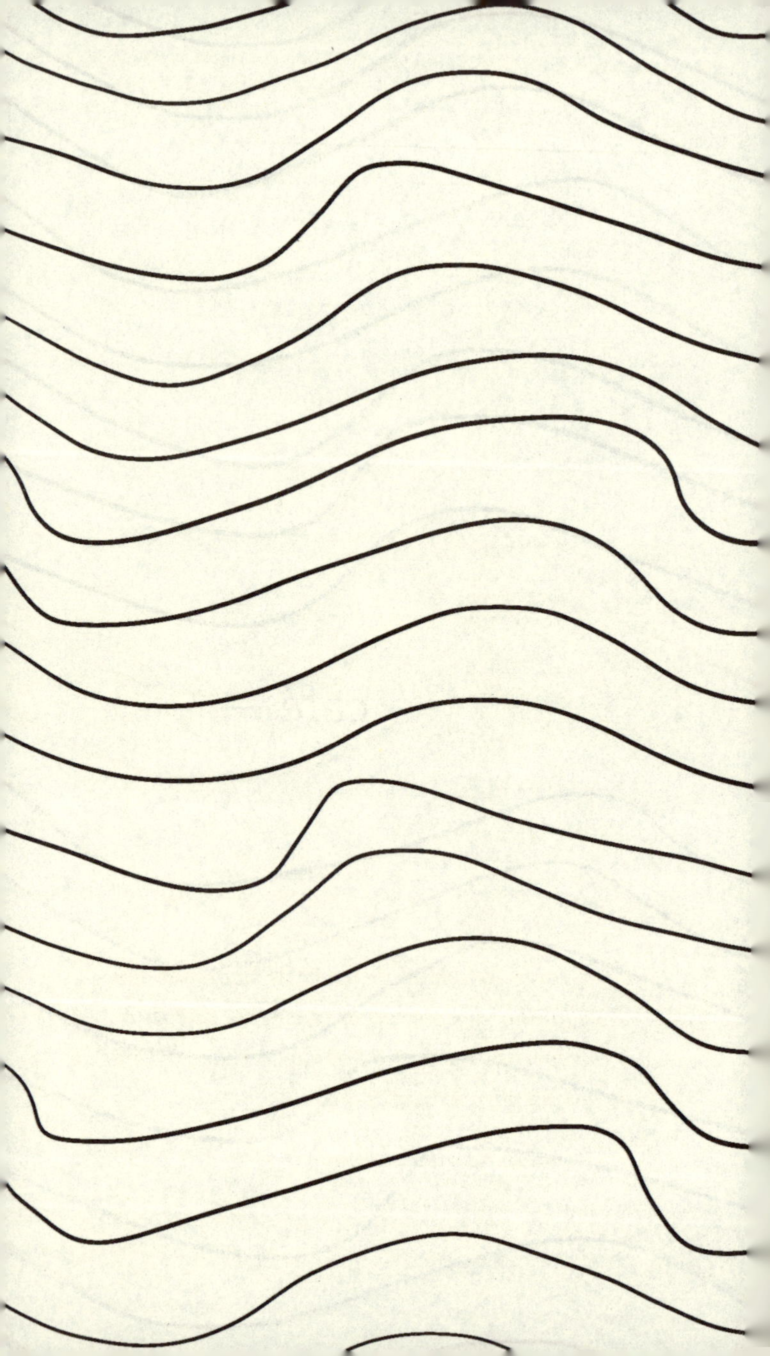

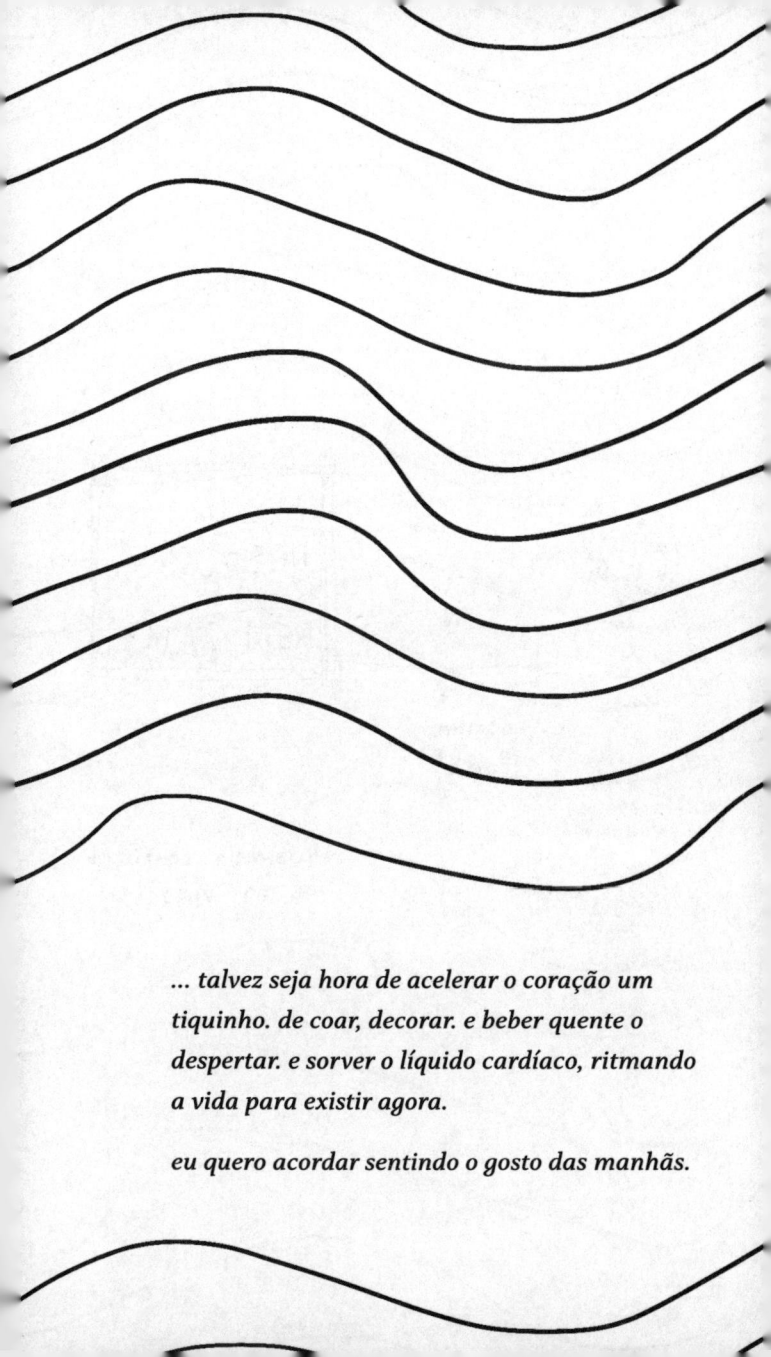

... talvez seja hora de acelerar o coração um tiquinho. de coar, decorar. e beber quente o despertar. e sorver o líquido cardíaco, ritmando a vida para existir agora.

eu quero acordar sentindo o gosto das manhãs.

eu — | o que sempre falta*

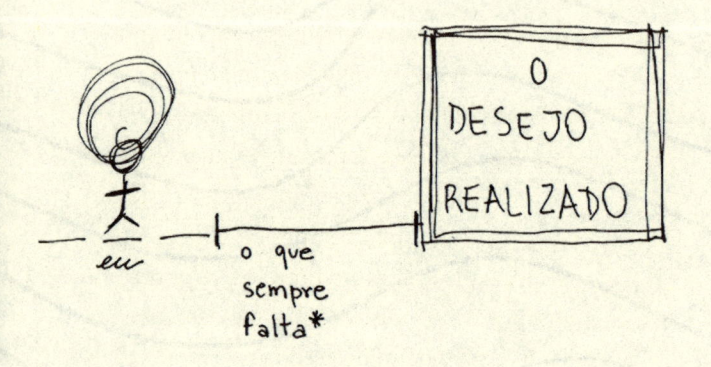

O DESEJO REALIZADO

*também conhecido como vida.

[dimensão]

Ao lembrar que o universo é tão imenso
Resolvi ficar bem pertinho de mim

Hoje vou criar pequenas coragens!
Vou cortar mais os cabelos! E pronto!
E divulgar mais meu trabalho e contestar as injustiças e...

É que eu vi ontem algum programa falando que a gente está no meio de uma chuva de meteoros! Não hoje especificamente, mas sempre! E não esse sempre que a gente fala "vou me lembrar para sempre dessa torta de limão", mas um para sempre de bilhões de anos. Assim... tamanho tanto que a gente não consegue imaginar usando a cabeça. Tem que usar o corpo poeira de estrela mesmo.
E esse corpo poeira, lembrando que vem de uma chuva de meteoros e de explosões big bang e de lua girando e de colisões violentas, lembrou-se de que pra quem já viveu tanta coisa esse movimento de pequenas coragens é, digamos... de boa.

É de boa ter coragem quando a gente acessa nossos neurônios de estrela.
E dá uma coragem de ser universo junto.

\>\>
Expandindo.
Dá vontade de ser menos humano e mais partícula dançando. Sem tanta gravidade.
Eu acho que isso deve ser bom porque os desejos humanos têm me parecido bem mesquinhos e para dentro.
Como pode alguém que se sabe estrela querer passar por essa vida cadência e usar isso para impedir pessoas de se amarem?
Ou para abandonar o filho porque ele resolveu ser artista?
Ou criar regras que atrapalhem a vida desses serzinhos que somos, já tão frágeis?
Ou achar mesmo que esse poderzinho de gravata e jantares fechados tem alguma relevância eterna?
Ou achar que ser bilionário fará com que não se morra?
Como pode?
Esse universo,
     imenso,
põe a gente no lugar.
E esse lugar é
     por um triz...
E já que é por um triz,
eu só preciso de
um instante de coragem.

O universo,
        imenso,
põe a gente no lugar.

E esse lugar é
        por um triz...

E já que é por um triz,
eu só preciso de
um instante de coragem.

[das nossas confusões, amor]

Você precisa gostar de mim
E das minhas confusões

Precisa gostar da bolsa sacudindo com chave dentro
notinha fiscal manteiga de cacau batom
caneta pen drive carregador
Tudo pendurado na bolsa
A bolsa pendurada em mim

Gostar das palavras que eu esqueço sempre ou
das que eu confundo sempre.
Das confusões que eu faço com lista de
supermercado e sempre trago as coisas
repetidas. Onde guardaremos tanta bolacha de
água e sal?!
Porque eu tenho gostado de ser assim.
Tenho me achado divertida assim.
Você pede para que eu guarde as coisas
sempre no mesmo lugar e, sim, já fiquei
sentada na porta da nossa casa por horas
esperando você chegar com a chave na mão.

Aliás, eu preciso aprender a gostar de você já
entrar no elevador com a chave na mão. O seu
jeito parece mais certo, mas não é fácil pra mim
também ter que ver sempre as coisas no
mesmo lugar.

Eu preciso aprender a gostar também. Não só você. Eu também. Porque do lado dessa minha bagunça tem uma delícia de ser meio desencanada. De esquecer de coisinhas, mas nunca me esquecer de tanta tanta coisa.

Eu preciso me acostumar que você se lembra de pagar as contas, mas se esquece daquele dia em que me buscou na faculdade. As contas não são mais importantes. Então, eu também preciso gostar do seu método preciso de elencar prioridades. E você poderia gostar do meu modo caótico de priorizar invisíveis.

A gente pode até ser uma dupla bem boa, já pensou?

Você com a chave na mão abrindo a porta, a gente entrando em casa e eu lembrando daquele dia em que você me buscou na faculdade...

— Você não gosta de _mim_... você gosta do meu

sim.

[receita do sucesso]

Arrume a cama, mas, se não der, não arrume
e durma mais um pouco.
Faça exercício, mas, se não quiser,
descanse no sofá.
Faça promessas e quebre as promessas se for o
caso de comer deliciosamente um chocolate.
A vida é gentil e sabe que os caminhos não
precisam ser sempre nem de exatidão nem de
sacrifícios.
Queria dizer para você deixar as coisas
para depois.
A louça é menos importante do que a fome.
O chão é menos importante do que seu corpo.
Entre o chão e o corpo, lave o corpo
com mais tempo.
A roupa amassada desamassa com o tempo,
mas o tempo não desamassa mais quando a
gente gasta passando roupa.
Consumir menos, precisar menos, ganhar
tempo, deixar de seguir regrinhas de sucesso,
esparramar na cama (desarrumada), deixar
de "se cuidar" no salão ou arrancando pelos e
peles e se cuidar fazendo nada nada nada.
Essa palavra proibida: nada.
Esse sucesso impossível.

\>\>

Essas fórmulas.
Esses dias curtos demais para tanta receita
azeda de felicidade.

[manifesto]

Comercial comida cheiro
O que é na foto o que é na vida
A família que não é
E nunca será de margarina
Porque não é plástico petróleo pasteurizado
fingindo gosto
A ceia que não é e nunca será comercial
de peru que não mostra gosto azedo de morte
e de intolerância e de desafeto
A pele que não é e nunca será esse solo liso de
quem nunca pisou estrada ou teve catapora ou
teve espinhas ou tem poros de suar
A casa que nunca será de loja de decoração
porque tem gente que deita come migalha
restinhos pipoca amor nela. E amar suja.
Ainda bem!
A cara que nunca será
O prato que nunca será
O look que nunca será porque a gente anda
caminha tropeça e senta e rasga e sai sem
querer piscando na foto.
O perfeito que nunca será.
O sem erro que nunca será.
Ainda bem que nunca será.

\>\>

Ainda bem que imperfeito faz curva história
amassado ruga rusga discussão pereba prato
feito de comer no colo pessoa que sua que sua
sua em você prazer que escorre que a gente
lambuza. A bolha no pé. O pé. O tempo no rosto.
O rosto. O pedacinho de torto. O torto.
O lado diferente. O diferente. A cicatriz. O rasgo.
O detalhe. O detalhe.
O detalhe o retalho o trajeto abjeto sujeito imperfeito.
Humana.

AOS QUE ME ENXERGAM
PERFEITA:

agradeço, mas
recuso.

você	NÃO
CA	BE
EM	CAIXAS

existir
é
uma
bagunça.

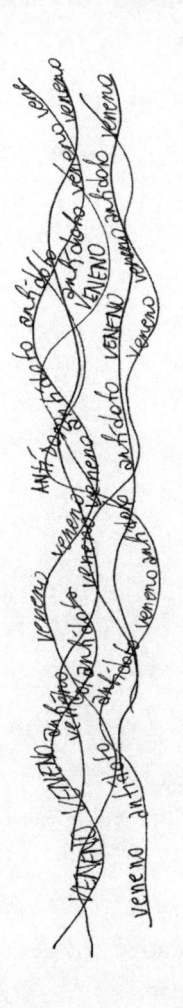

por onde
transita o
medo,
corre também
a coragem.

[pedido]

Por favor, não me ensine a ter medo
Me ensine a ter coragem

Que eu já sei dos perigos todos
E dos quase
Eu já sei da vida por um triz
Então me diz
Para eu tentar sim
De novo
E de novo.

Não me conte dos riscos todos
Me conte dos trajetos novos onde a gente
caminha lento mas sempre em direção aos
novos mundos
Mais justos mais seguros mais livres

Me conte de todas as vezes em que as coisas
deram certo
E do quanto as crianças são incríveis
em investigar e descobrir e revelar milagres
Me conte que a vida é mais bonita sem medo
mesmo com tanto motivo pra gente ter medo.

Me ensina
Me ensina
Me ensina

Devagar
Calma
Amorosamente

Me ensina a ter coragem

ANSIOSA

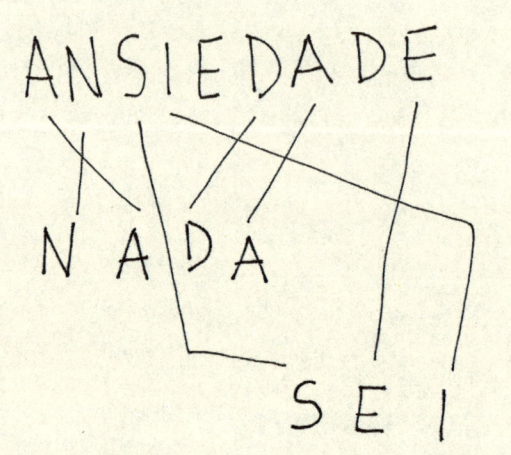

ANSIEDADE
NADA
SEI

a conta não fecha
o descanso não chega
a festa demora
o sol na cabeça
a cabeça no projeto
que não dá tempo de
não dá
não dá
não dá
o sono escapa
a fome não passa
ansiosa
ansiosa
ansiosa.

[custo-benefício]

talvez eu só consiga ser feliz por um instante
mas
por esse instante
terá valido a pena a vida.

[relógio em fuso desconhecido]

O tempo passa lento
mas acaba rápido
Não faz sentido.
Não faz sentido horário.
Mas, se tiver,
é o contrário.

relógio coração

S N A N S
I   I
E   E
 D A D

[do nosso amor rotina I]

por favor, me beije
antes que a gente se canse antes que a gente
perceba que a casa está suja que não
temos comida que a conta não está paga
por favor, me beije
antes de voltar àquele assunto de ontem antes
da discussão da briga do mau humor
por favor, me beije
por favor, me beije antes que
antes que as palavras estraguem a língua

[do nosso amor rotina II]

te bebo no café que você faz pra mim

[do nosso amor rotina III]

estava escrevendo uma carta de amor
quando você entrou
e disse que ia ao supermercado
sabonete
cerveja
macarrão
pipoca
foram meus pedidos de casamento

VOCÊ QUER SER
A METADE DA
MINHA LARANJA...

AMOR,

EU SOU UMA
TANGERINA...

[sobre o invisível – apague a luz]

— Apague a luz.
— Quero te ver.
— Tenho vergonha.
— Você é linda.
— Sou linda no escuro.

→ esse é meu
  esconderijo

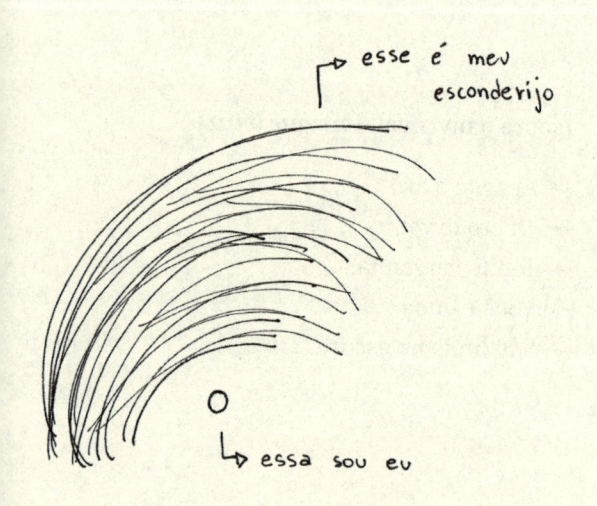

→ essa sou eu

(eu vou fingir
que estou bem nele,
mas a verdade é
que preciso de
    carinho)

Multidões costumam ser os meus lugares mais
solitários
É que, de repente, eu me vejo fingida,
personagem de mim.
Impulsionada por um desejo de pertencer
de parecer de estar mais feliz do que eu estou.
Mais disposta, mais alegre.
Acontece, às vezes, de nascer do fingimento
uma verdade e eu me sentir ali no meio
abraçada e tranquila.

Mas tantas tantas vezes esse personagem de
mim que fala sem parar para não dar brecha
para os desesperos e as inseguranças
termina o dia com mil rostos abraços olhares na
memória e um vazio de faltar nessa memória a
pessoa que mais queria ter encontrado:
eu mesma.

Hoje não torci o pé
E não deu alteração no hemograma
Hoje não caiu um meteoro na Terra e não caiu
um ar-condicionado na minha cabeça
Hoje eu não errei a curva da porta e bati o
ombro (eu sempre faço isso) e não errei a
curva da avenida e bati na contramão
Hoje minha filha não está com tosse nem
minha mãe nem meu pai nem minha avó nem
minha cachorra e nem eu.
Hoje eu não tive insônia.
Hoje ninguém me fez chorar.
Hoje eu não recebi nenhuma notícia triste de
alguém que eu amo.
Hoje eu não me esqueci de beber água e
não me afoguei e não engasguei e não errei
os frascos e não bebi alvejante guardado na
garrafa de guaraná
Hoje eu não perdi a hora e nem o apetite e
nem o bom senso nem os dentes.
Hoje eu não perdi nem me esqueci do meu
nome nem do que me move.
Hoje eu não me conformei com a barbárie.
Hoje eu não me importei com a cara no
espelho que está envelhecendo
Porque tem um monte de "não" pisando tempo
esticando vida amassando a cara.

Um monte de não
imprimindo caminhos de sim.
(estou viva e escrevo e celebro)

[declaração]

amo que você exista. e que povoe o mundo dentre bilhões de combinações, frutos da poeira de estrela. amo saber que você caminha e sorri e que sabe seguir em frente. amo que exista e que carregue todas aquelas histórias (algumas delas comigo) e que saiba quando contar e quando esconder. amo que exista com as pessoas que estão agora ao seu lado e espero que elas estejam cuidando bem de todos aqueles sonhos. amo que exista mesmo longe e mesmo tão longe e mesmo há tanto tempo e mesmo sendo tão difícil deixar escapar a sua presença pele. a vida escapa a gente de viver perto. a vida escapa tanto. o mundo abriga agora um pedacinho da minha memória em você. e outro em você. e outro e outro em outro. eu sou você também. amo que exista e que me carregue nos abraços. que voe de avião sem medo e que atraque por mim em cais caos. eu sempre tive medo demais de partir. o bom de você existir longe é que existe rompendo as fronteiras e enviando notícias em postais de lugares lindos que imaginamos nunca. você existe tanto tanto que me faz companhia telepatia. que me anoitece ninando. você existe tanto que consegue estender sua voz satélite e me alcançar quando eu preciso. amo que você exista no mundo e que saia espantosamente se espalhando tanto, mas sem nunca se perder de nós.

VOCÊ FAZ SENTIDO PRA MIM.

desejo
a você
uma vida
cheia de
hoje.

[maio]

Você é meu dia preferido
Foi tão gostoso registrar você
Você nasceu em maio, meu mês preferido.
Época de sol com frio.
Lembro de você embrulhadinha em mil
cobertas e a touquinha e a luvinha e os
olhinhos.
E eu inchada com os olhos cansados e o peito cheio.
De leite também, mas não só.
Lembro de descer no cartório e dizer seu nome
inteiro em voz alta. E dizer meu nome inteiro
em voz alta e dizer mãe. Mãe. Lembro de você
existir adulta rapidinho já virando letrinha
carimbada. Oficial. Seu sobrenome é o da
família da minha mãe. Já quis em você novos
ciclos. Não furei sua orelha. Não te batizei.
Já convocando em você novos nascimentos.
Quis registrar em você a liberdade.
Não seja como eu.
Se pareça comigo de leve. Leve. E se quiser.
Leve o que quiser e por escolha. Não por
cartório nem por registro nem por sangue.
Rompa os cordões todos.
Você nenê embrulhadinha sorri.
Bebê sorrindo.

Eu aperto você quentinha em dia frio de maio.
Eu nasci para você me ensinar a nascer livre.
Que delícia, filha, ver nascer os dias todos ao seu lado.
Que delícia estar agora no cartório com apitos de senhas e barulhos de máquina e ouvir árvores e azuis. Porque você existe até nos números. E nas burocracias. Mas você existe virando tudo do avesso. Esse avesso felpudo. Esse avesso fundo.
Você sempre se contrasta com as friezas.
Meu céu azulzinho você.
Meu dia preferido, você no mundo.

Minha filha pergunta por que a gente existe.
Eu-silêncio penso buscando palavras.

— Mamãe, posso comer chocolate?

O dilema existencial derreteu na boca.
Engolimos.
Ela doce.
Eu seco.

esparramar...

ATENÇÃO

ÁREA EM CONSTRUÇÃO

(o futuro só existe se tiver quem o construa)

futuro

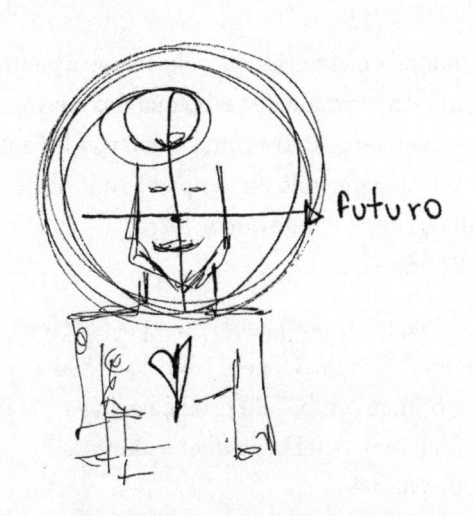

~~NO MEU TEMPO...~~

MEU TEMPO É HOJE.

Quando eu era criança, achava que a gente ganhava atestado de velho quando falava "no meu tempo". Era como quem vive há milênios e está se referindo ao tempo em que os dinossauros habitavam a Terra.
PRESENTE

O olhar viaja para aquele tempo. O "meu tempo". Os olhos fogem e a pessoa some.
Ai, o "meu tempo". Eu criança achava que dizer o meu tempo até fazia doer as juntas.
Esses dias eu.
Escapei. "No meu tempo", disse.
Travei as costas.
Mordi a língua.
Ai, não.
Foi sem querer, eu criança, juro!
Não importa. Estava dito.
Velha juramentada.
Era hora de dar a volta por cima.
No meu tempo hoje revi a ideia de que o meu tempo é só minha juventude. No meu tempo hoje acordou um dia lindo de céu azul e eu estou viva. No meu tempo hoje preciso cortar o cabelo e ir ao cinema. No meu tempo de criança se eu olhasse para quem eu me tornei no meu tempo hoje teria menos medo de ser adulta.

No meu tempo hoje eu existo porque sei que meu tempo é hoje. Eu me recuso a viajar-olhar sem volta com dinossauros.
No meu tempo hoje não tenho espaço para desejar voltar passados.
Meu tempo hoje urgente.
Eu presente.

[idioma]

Acho que vamos ter que aprender a falar de novo pra gente saber conversar.

Acho que vamos ter que criar dicionário novo com verbetes mais delicados e cheios de poréns. Verbetes quietos de também escutar.

Verbetes que são assim espirais de perfurar poços profundos. Palavras morninhas de fazer chá e beber junto.

A gente pode inventar palavras com pernas cruzadas. Você diz uma e eu invento outra.
A gente vê onde se encontram em que letra em que pé tá esse sentido novo. E desses pés de letra deixar brotar fruto doce. Palavras cruzadas em cobertas de quentes nós.

Inventar novas palavras e nova voz.
De nascer flor de fazer gosto.
De nascer árvore de cuidar sombra.
Palavra que sabe olhar.
Palavra de começar de novo e perguntar:

quem é mesmo você?

ESCUTAR é verbo de AMOR

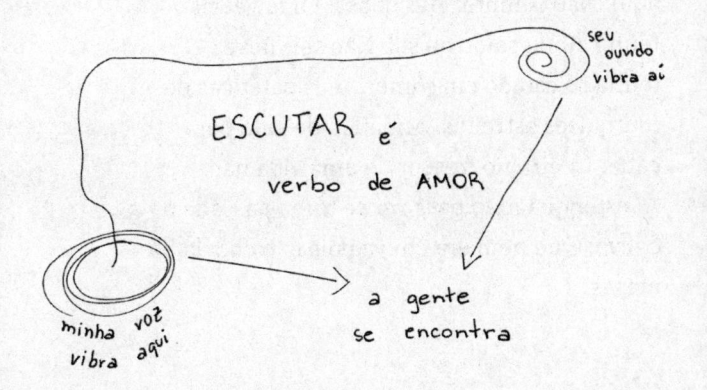

minha voz vibra aqui

seu ouvido vibra aí

a gente se encontra

[cinza]

Sei que hoje é domingo e está sol, mas é justamente por isso que preciso dizer que não está tudo bem.
Acho que temos uma mania de unir as infelicidades em combos e pacotes de cinza. E ficamos esperando os dias nublados para a tristeza. Acontece comigo de os dias de sol serem os piores porque eles estampam na luz quente toda a minha impossibilidade de existir em paz nesse mundo.
Olho para o céu azul desse jeito e penso que deve ser eu.
Quando é chuva não. Vejo o mundo inteiro chovendo e as pessoas precisam correr para se cobrir se esconder e se proteger. Me sinto menos só. Porque é isso assim sempre por aqui. Não sempre. Mas quase. Eu talvez não tenha ainda saído ao sol. Não sei. Talvez tenha só estado em sombrinhas patéticas de marquises estreitas. Andando de lado para caber inteira no frescor de uma vida não.
Aí estendi a mão para ver se tinha passado a chuva. Que nem era chuva pois não chovia há meses.

O sol iluminou meus traços minhas rugas de
mão que abre e fecha e mais fecha. Minha mão
recusa. Minha mão não.
Assim foco luz quente bicho. Eu humana e
limitada pelas marquises patéticas.
Recolhi assustada a mão.
Ainda não havia parado de chover inventado.
Preferi me esconder quietinha para poder
sonhar ser coisas que não sou.
Olho longe e vejo.
Eu criança ao sol sem medo.
Eu criança rindo de mim.
Você anda muito bobinha.
Sim. Eu sei.

Saudade
é
organizar
dentro da
gente
um lugar
gostoso pra
alguém morar.

Sinto o mundo com intensidade
E esse mundo não está... não está.
Estou com sensação de abandono
de impotência de desalegria
Que não é tristeza. É diferente. É mais vazio.
Eu sinto tanto.
Eu sinto muito.
Eu sinto sempre.
E essa é minha fortaleza.
Mesmo que doa. E dói.
Escolho saber escolho sentir escolho
a consciência.
Escolho enxergar e ver.
Mesmo que doa. E dói.
Essa é a minha fortaleza.

CORAGEM
~~×~~
AMOR

* descobri que carrego amor na minha coragem.

É corajoso saber-se humana.

CUIDADO - FRÁGIL

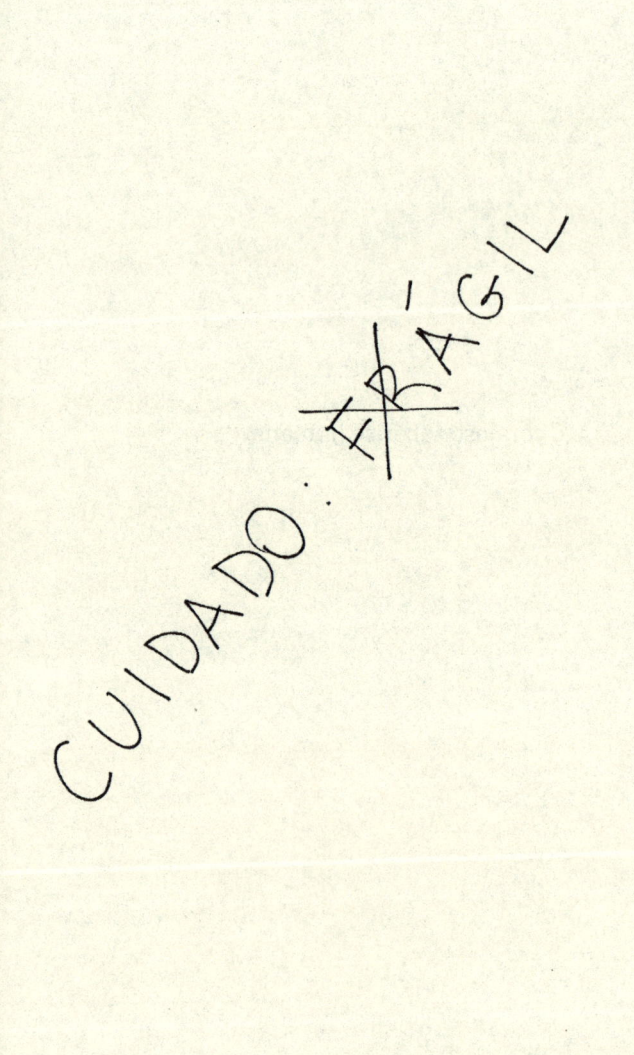

QUERO APRENDER A
VIVER COMO SE
JÁ TIVESSE MORRIDO E

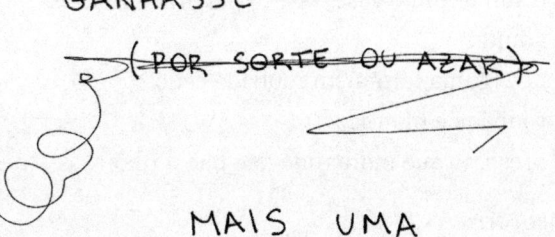

GANHASSE
~~(POR SORTE OU AZAR)~~

MAIS UMA
CHANCE

[superpoder de sonhar]

eu poderia ser criança de novo.
fechando bem forte os olhinhos.
acariciando bem lentamente os pedacinhos
novos de pele.
sonhando com a renda e com o saltinho e com
o sim e com o desejo entre paredes e lençóis
adultos.
de alguma forma, fui roubada cedo.
roubada e mantida
presa no que mora tudo que não tenho.

socorro.

a gente quase morre tanto de ser menos,
acidente ou solidão.
a gente quase morre tanto de susto, perigo ou
poluição.
a gente por um triz desvia das balas, dos
agrotóxicos, das pontes caindo, das ruínas
falidas da civilização.
a gente quase morre tanto de ver tempo
escorrer lento sem ação.
a gente quase morre tanto
que quando vive é tão bom...

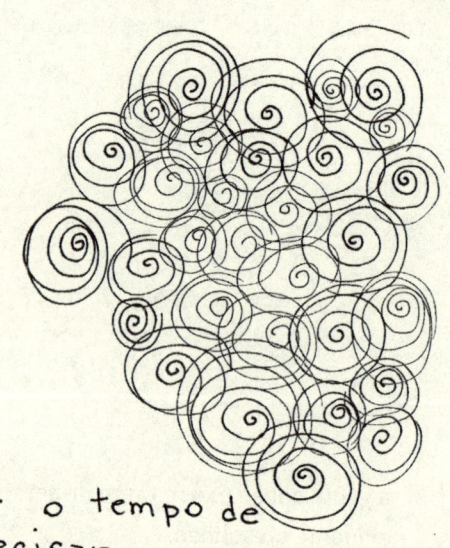

esperar o tempo de
não precisar
esperar o tempo de...

Viver é correr todos os riscos, inclusive o de ser livre.

P.S. de cantinho de página de diário:

Minha amiga disse assim: "Sua alma é livre. Você vai encontrar um monte de pedacinhos dela pelo mundo".

Ela tem razão.

Hoje resolvi nascer de novo
Dei à luz!
Iluminei!
Nasci criança de domingo.
Nasci criança de domingo de sol
quando acordei.
Resolvi parir olhos novos em mim.

Aí a formiga de novo se agigantou como um
ser que carrega florestas
E os bichos que voam que chovem florestas
Pari calma no sofá e no café.
Nasceu em mim um apetite sem culpa nem
projeto nem capa de revista mentirosa
Pari pele nova mãos contato
De tocar meu rosto mãe
E agradecer por ter nascido de mim
Em mim
Com calma
Rosto mãe
Pele mãe
Caminhos
Buracos onde a gente se acha
Labirinto de nascer de novo

uma vida toda oscilando entre o amor
e o medo de amar

textos de amor
me dão medo

mas não é do texto
que sinto medo

é do
amor...

[novidade]

— me conta. o que você mais gosta em mim?
— ainda não saber o que eu mais gosto
em você.

ESCOLHAS

TALVEZ NÃO SEJA SUFICIENTE, MAS → NESSE MOMENTO

↳ ISSO É TUDO O QUE TENHO A OFERECER ...

Será que você me ama o suficiente pra amar o jeito como eu dobro minhas camisetas?
Será que sente ternura ao olhar o restinho de café na xícara de manhã?
Será que sorri quando encontra pela casa um pedacinho de papel com a minha letra?
Será que você me ama o suficiente pra amar o que eu deixo de rastro?
Não meu cheiro ou meu corpo ou meu sorriso ou meus cabelos.
Falo de amar mesmo na ausência. De amar no que vai ficando por aí de mim.
Me amar na fotografia. Bem demorado.
Bebendo cada pedaço daquela pessoa que eu era. E que fomos. Um dia. Bebendo pra aumentar a sede de mim. Aumentar a sede pra quando eu entrar pela porta.
Ou será que agora você vai olhar o jeito como eu dobro a camiseta e achar que eu faço isso errado?
Ou que eu deveria ter recolhido a xícara de café?
Ou que sempre esqueço a lista do supermercado e deixo de comprar o que precisamos?
Ou que na fotografia eu finjo ser o que não sou?
E aí você vai encher o copo demorado.

\>\>
Enchendo pra quando eu entrar pela porta
ser a gota d'água.
Responda, meu amor:
o amor que você sente por mim ama ou odeia
os meus rastros?

[desatenção]

amor desatento
é quase desamor

[se não me enxerga,
como me ama?]

[navegante]

E quantas vezes
Por medo de ser ridícula
Não fui nada... Os outros os outros os outros
Olhares risos palavras
Os outros e eu
Eu escolho o medo do outro
Por quê?
Por quê?

Pra não ser ridícula
Não sou nada
Esmago desejos espontaneidades
Esmago e guardo
Esmago engulo

Dor

O que não escoa não ecoa
Não rio
Eu não ridícula
Não rio

[aroma]

Que cheiro tem hoje?

Domingo
Nhoque ao sugo
Gibi novo
Cheiro de praça
De almoço fora
De perfume da tia que não vinha há tanto tempo
Suor de correr enquanto espera os adultos
Cheiro de casa que acorda tarde
Café com alho
De quem ainda não acordou
De quem já quer almoçar
De barba feita do vô
De barba não feita do pai
De pijama passando do ponto
Cheiro de mãe sem pressa
Cheiro de travesseiro revirado
De almoço demorado
Cronologia
Linha do tempo
Pendurada
Na ponta do nariz
Varal de memórias sonhos melancolia
Que cheiro tem esse dia?

pausa para perder a linha.

Ideias absurdas
Projetos impossíveis
Soluções mirabolantes
Um roteiro para um filme
Você ganhando um Grammy
Autora de livro best-seller
Replantar florestas desmatadas
Alimentar os famintos do mundo
Parir trigêmeos
Plantar alface orgânica
Abrir um restaurante de macarrão ao sugo
Ensinar crianças de dois anos a dançar
Fazer o discurso mais comovente do mundo
Cortar radicalmente o cabelo

Separa um espaço na sua agenda para devaneios.
Pode ser hoje.

HOJE ACONTECEU
DE NOVO...

eu me afoguei
em comparações
cruéis.

Hoje aconteceu de novo.
Eu me afoguei.
Hoje aconteceu de novo...
eu me afoguei em comparações cruéis
A idade do outro versus a minha idade
versus a casa do outro versus a minha casa
versus as curtidas do outro versus as minhas
curtidas versus o corpo versus o corpo versus
a organização versus a alegria versus a viagem
versus...
Versus.
Sorte que me apareci na minha frente.
Num porta-retratos, eu criança, olhos grandes
e atentos e meio tristes.
Olhei-me.
Olhamos. Eu para a criança. A criança
para mim.
Mas a criança presinha no tempo não podia
fazer nada.
Eu versus eu. Eu versos.
Pensei que a gente olha a fotografia de fora e
se lembra do que era dentro.
Eu me lembro.
Eu criança.
Sonhava secretamente em ser atriz. Sonhava
em morar naquela cidade imensa e tão tão tão
perigosa.

\>\>

Eu criança sonhava com a minha filha.
Eu sabia que ela seria exatamente do jeito que ela é.
Sempre soube.
Eu criança, se encontrasse comigo na rua,
suspiraria querendo ser eu.
Eu versus eu.
Eu criança me lembro que tantas coisas
sonhadas são hoje minha vida.
Eu versus eu.
Ganhei.
Estou salva.
Eu versos.
Estou salva.

(CALENDÁRIO)

SEG_{uir} TER QUA_{ndo}
  com   nura   possível

[texto para silêncios]

Gosto de imaginar que te conto as coisas e elas
voam certeiras pro seu ouvido.
Que elas abrem espaço dentro e fundam
casinhas.
Gosto de depois contar outras coisas que vão
voar de novo certeiras e que vão habitar essas
casinhas.
Gosto de ir decorando as casinhas e abrindo
novos cômodos e vestindo novas roupas
e trazendo novas companhias.
Gosto de ajudar você a construir um novo
mundo. Um novo mundo dentro.
Gosto de brincar de correr solta nesse novo
mundo dentro onde a gente colhe nossos
sonhos e serve na mesa com o pão.
Percebe que palavra abre espaço silêncio
na gente.

Tem silêncio aqui. Você escuta?

IN~~STI~~TUIÇÃO

(meu negócio)

[descoberta]

quero chegar, mas temo os caminhos
o avião o carro a avenida
disfarçado de medo da morte
eu morro de medo da vida

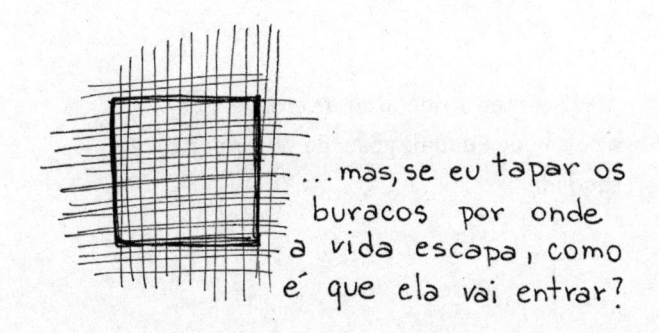

...mas, se eu tapar os buracos por onde a vida escapa, como é que ela vai entrar?

preciso, meu amor, dizer a verdade:
a coisa que eu mais gosto de sentir por você é
saudade

...

a cada sonho navego longe

ausência

é triste dizer isso, mas sinto que não tenho
morado em mim ultimamente.

AUSÊNCIA

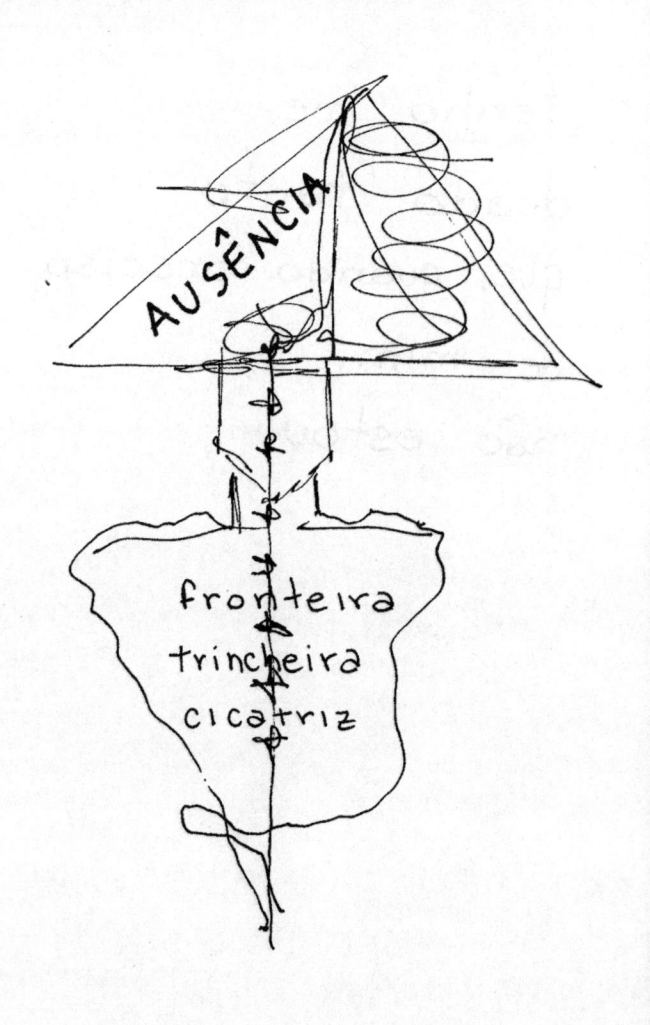

fronteira
trincheira
cicatriz

tenho me
doado tanto
que, quando preciso
de mim,
não estou.

QUERER
DEMAIS
ATRAPALHA
O QUERER

Atrapalha, amor, esse querer escancarado
e aflito.

Como uma pressa apaixonada, taquicardíaca,
ofegante.
Como um rosto preso no desespero.

Atrapalha querer tanto sem espaço para as
janelas e os campos e as águas.

Querer sem parar é uma palavra muito longa
cheia de consoantes. A gente engasga e já
nem sabe se desce ou sobe na boca. Sabe
muito menos como ela se dissolve na voz.
Impronunciável, o desejo em desespero.

Querer aflito, desejar demais, sonhar com
força é uma lâmina afiada cortando pela raiz o
encanto. O encanto está no talvez.

Querer demais coloca você sempre à
disposição e essa posição é uma vitrine onde
até sorrir vira coisa plástica.

Não queira demais. Não atrapalhe o querer.

Que querer bom é querer meio bobo que
tropeça na rua e se distrai com o céu e se
atrasa comendo pipoca em maio no céu
azulzinho de esquentar as mãos.

Querer muito é um executivo sempre com pressa. Um vício. Um desejo pelo fim do desejo. Querer demais é uma anestesia disfarçada de êxtase.

[azulejo]

Acho que fim de ano é época de azulejos.

Azulejo da casa da avó. Ou da sorveteria.
Ou da pracinha.

O piso cor de laranja.

O espelho do banheiro que te enxerga
desde a infância.

Engraçado como espelhos seguem atentos.

E como você, refletida neles, distraidamente
percebe a menina virar moça, a moça virar
mulher, a mulher virar mãe da menina que já
é moça.

O espelho. O azulejo. O pratinho de
sobremesa. A xícara. Um desenhinho
na toalha.

Fim de ano é época de desenhinhos.

Sempre tem alguém que chega carregando
uma caixinha.

De repente, aparece num susto um pedacinho
da sua criança. Te espia e vai embora. De volta
pra gaveta. De volta pro armário com sachê.

Ano que vem ela volta. Ano que vem eu volto.

Por quanto tempo durará o desenhinho?

(Carrego minhas memórias como quem leva para uma travessia seca um jarro de água fresca)

[nascimentos]

É como se eu carregasse vocês aqui comigo.
Uma árvore cheia de frutos que eu como
todo dia.
Dentro.
Útero grávido de minha mãe minha avó
minha filha minha irmã minha amiga meu pai
meu amigo.
Nascimentos em cada gesto milagre
Partos em cada palavra sotaque
Eu sei eu sinto que presença é coisa imensa
demais pra caber dentro da gente.
Presença é coisa invisível demais pra viajar
de carro ou avião.
Estar com vocês
Vocês que eu amo
É um jeito de carregar quem eu sou
Ou vice-versa
Talvez
O jeito que eu sou é carregar vocês comigo
Mas daí mesmo nesses nascimentos em mim
Eu sinto falta dessa presença pequena terrena
cotidiana
Sinto falta dos pequenos milagres em vocês
Sinto falta dos espelhos que encontro
em seus olhos

Sinto falta das conversas que são bobas demais
pra gente ligar pra dizer
É estranho saber-se tão longe de repente
Longe dessas faíscas todas de vida besta junto
É estranho quando a gente para pra pensar
no quanto a gente vai traçando um caminho
solitário das amenidades
Caminho da rotina de ser solidão
Não é triste
(Mas às vezes é)
É em paz
(Mas às vezes não)

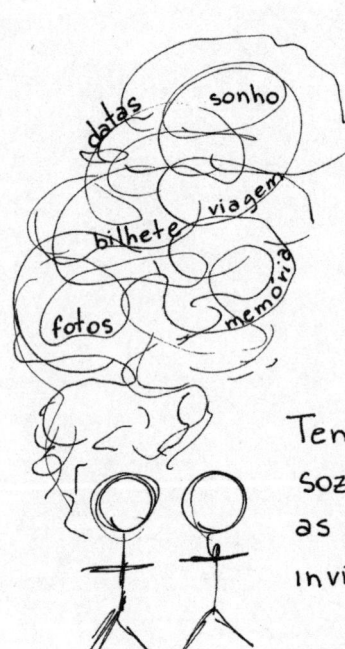

Tenho carregado
sozinha
as coisas
invisíveis do amor...

Eu me pego imaginando lugares.
Que já fomos ou vamos.
Que são hoje memória. Ou projeto.

Será que você pensa em mim assim?
Como quem escreve num diário?

Fico pensando nas datas e nos detalhes.
Cuidando da memória que a gente vai ter.
Cuidando da saudade.
Cuidando das histórias que vamos contar
depois.

Eu cuido das palavras inúteis.
Que não levam pra frente nem pra trás.
Mas que dão colo.

Às vezes eu acho que fico me revezando em
todos os papéis nessas coisas de carinho.

Enquanto isso você cuida dos seus papéis.
Com a importância de quem carimba selos de
vida ou morte. Utilidades e metas e pressas.
E acho que lá, nos seus papéis, não estou nem
no rascunho.
Nem na notinha de rodapé.
Ou estou como tarefa. Tarefa a ser cumprida.
E eu queria estar como poeminha improvisado.
Como escapadinha no tempo relógio.

\>\>

Sabe, acho que tenho feito papéis demais
nessas coisas invisíveis.
Essas coisas de carinho e de sonho.

Vai ver é por isso...
Tão cansada...
Tão sozinha...
Vai ver é por isso que eu me sinto tão cansada.
Carregando assim. Por nós dois. Todas as
coisas invisíveis do amor.

CONTRADIÇÃO

movimento
sístole/diástole

CORAÇÃO

[estrelas]

Minha filha veio ontem contar das estrelas.
Aí a gente viu o céu que estava bonito e tinha estrelas.
Aí a gente deitou na rede e ela me contou da aula de ciências.
Ela disse das estrelas e do universo e da idade muito antiga de tudo.
Ela disse da terra pequena em relação às estrelas gigantes.
Aí ela me mostrou um vídeo e eu fiquei espantada. A terra é mesmo muito pequena!
Pensei que naquele pontinho mora minha filha e eu na rede falando sobre estrelas.
Pensei que a gente mora pequeno e rapidinho aqui.
Pensei que a gente mora ao mesmo tempo infinito aqui ou lá na estrela gigante ou aqui dentro de mim ou no que eu tenho quando penso em alguém.

Pensei na vida e me senti calma.
Pensei na morte e me senti calma também.

— Você sabe do que são feitas as estrelas, mamãe?
Pensei numa resposta tão bobinha que não disse em voz alta.

Não por acaso minha filha ontem veio me ensinar sobre as estrelas e os pontinhos e a imensidão.
E veio me deixar parte disso com contorno bem frágil e passageiro.
Pele.
É que eu estava precisando lembrar dos infinitos pra conseguir acalmar a despedida.

— Você sabe do que são feitas as estrelas, mamãe?
— Acho que as estrelas são feitas da gente olhar para elas.

(À minha amiga Mel, infinita.)

[urgente]

É urgente e delicado acreditar no futuro.
Urgente e delicado e sutil perceber o fluxo
do amor.
Urgente, delicado e violento e demorado
escolher os caminhos e seguir na esperança.
É urgente e delicado colocar os pés no chão e
levantar da cama.
Delicado e arrebatador organizar a rotina com
espaço para encantamento.
Urgente que os olhos se levantem e se
encontrem e se sorriam.
Urgente e delicado acolher como a um
pequeno pássaro qualquer coisa que se
entenda como fé.
É urgente alimentar a fé delicadamente.
É urgente alimentar a fé e as pessoas.
É delicado sentir. Urgente também. É um
movimento rápido e lento ao mesmo tempo
agora e amanhã.
É urgente ter menos pressa.
É delicado se demorar um pouco um pouco
só um pouco um pouco um pouso só um
pouquinho num céu bonito ou num abraço.

Futuro >>> FUTURO >>>

FUTURO >>>

FU
TRO

dos meus cacos
faço mosaicos
colorida
dolorida
sigo

[mapa]

por onde a gente se perdeu faz voltar?

amar você é tudo esquina.

ando em círculos circuitos.

NINGUÉM
TINHA ME DITO
QUE O ~~CAMINHO~~ MAPA
DA VIDA
É UM LABIRINTO...

VIVER
ENSINA
A
VIVER

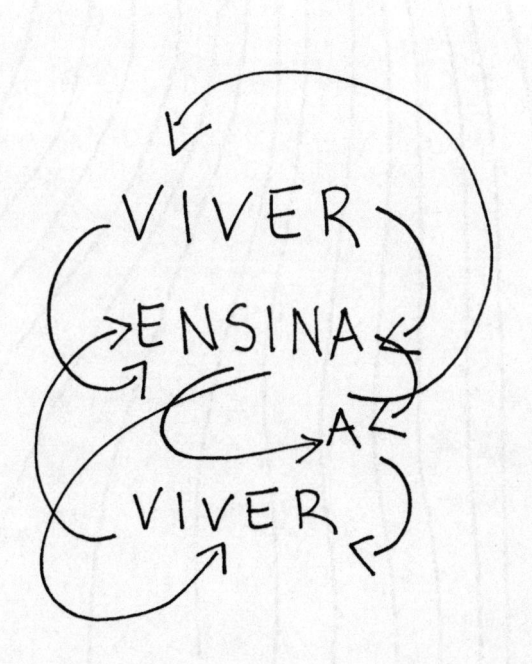

— vinho —

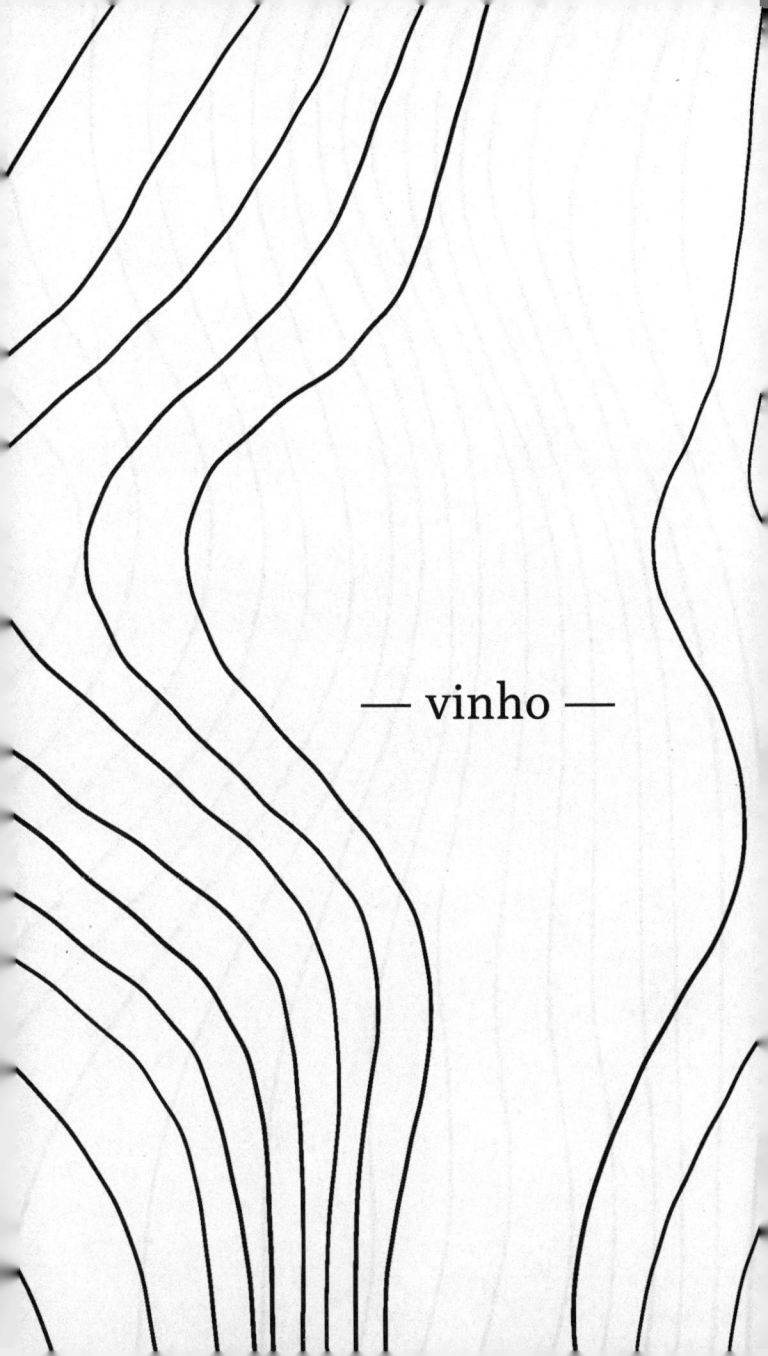

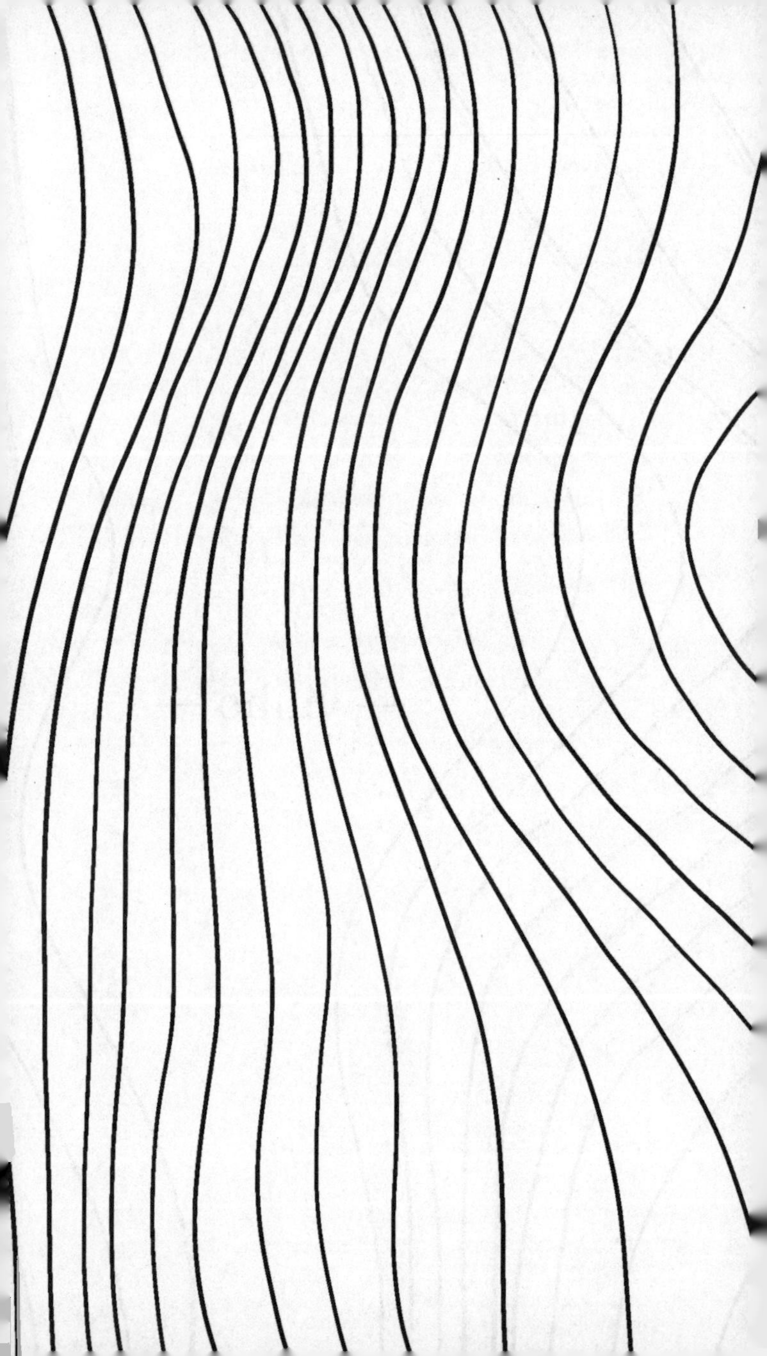

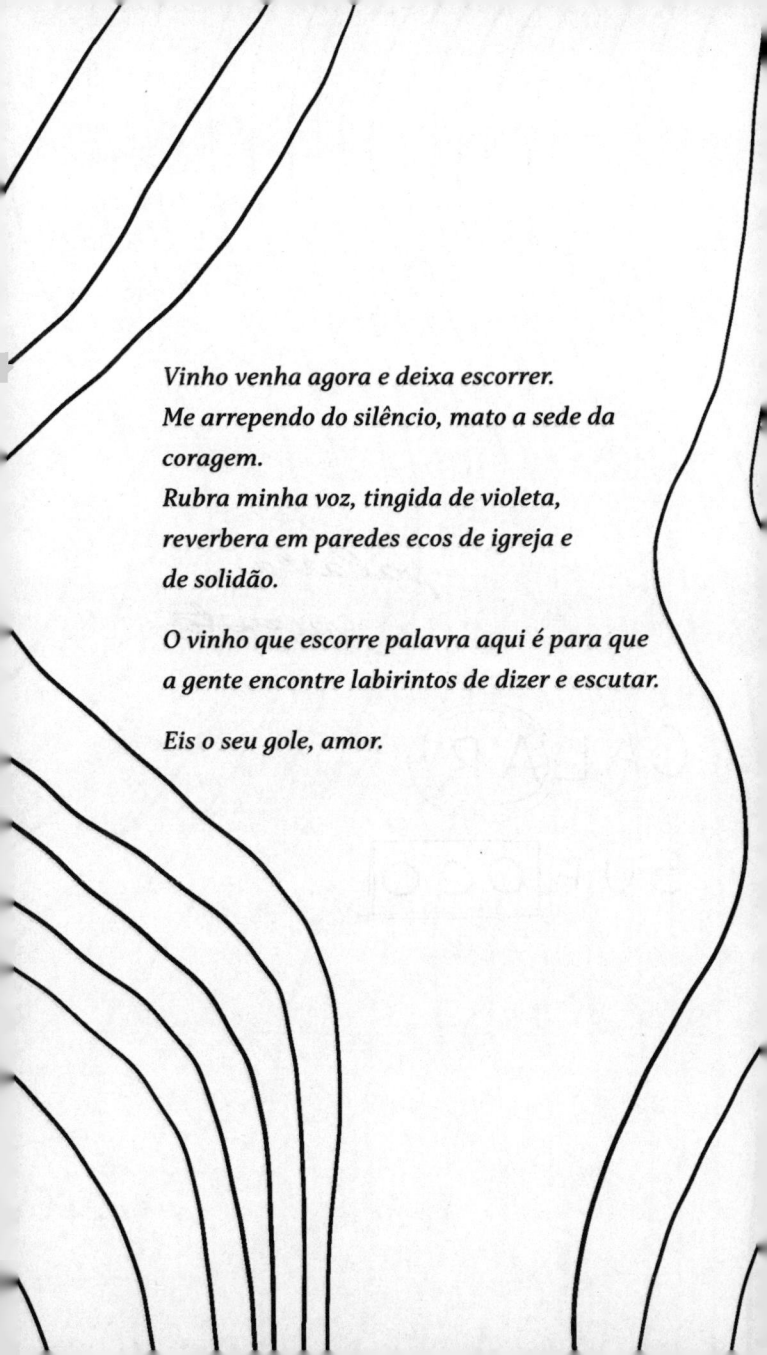

Vinho venha agora e deixa escorrer.
Me arrependo do silêncio, mato a sede da
coragem.
Rubra minha voz, tingida de violeta,
reverbera em paredes ecos de igreja e
de solidão.

O vinho que escorre palavra aqui é para que
a gente encontre labirintos de dizer e escutar.

Eis o seu gole, amor.

palavra
~~cruzada~~

CAL(AR)
SUF[OCO]

Para onde eu vou quando você me esquece?
Existe um céu (ou inferno) de amores mortos?

[labirintite]

Eu sou uma mulher para não casar

Por favor, peça-me em descasamento e jure não me amar para sempre.
Não quero amor imperecível como óleo de soja, sal ou qualquer coisa dessas que ficam úmidas de tão guardadas.
Não ponha um anel no meu dedo.
Diga que me ama só de vez em quando
Eu canso.
Sou mulher para não casar.

[pactos]

Não sei se isto é um poema. Não é.
Ando em dúvidas sobre quase todas as coisas.
Espantada com a teimosia da esperança.
Com a insistente covardia.
Consternada com minha capacidade de não
estar nos lugares, mas, ao mesmo tempo,
quando estou, estar demais, projetando
demais, sonhando demais, achando que
tínhamos feito pactos e...

Acho que tem sido o espelho. O espelho,
sempre.
Espelho quando falo, quando dou aula, quando
amo a distância.
Minha cara sempre aqui. A tapa.
Ao meu tapa. Eu não aguento mais meu rosto.
Exausta desse rosto.
A verdade é que eu estou andando à deriva.
Perdida nesses canais-eu, nesses rios-artérias,
nessas estrelas-sinapses.
Que universo imenso e imensamente
assustador.
Alguém viu meu mapa?

[troféu]

tem quem queira conquistar uma mulher forte.
não para estar com ela,
mas para anulá-la.
o fetiche é pela carcaça.
pela cabeça pendurada na sala de estar.

Descobrir-me:

A nudez mais urgente

Não é porque sou feita de águas
Que estou aberta a qualquer navegação.

[matemática impossível]

O dia amanheceu nublado e eu, que gosto de dias nublados, entrei em desespero.
O sol me dá a sensação de que, apesar de nossos erros, a Terra insiste em girar e girar e girar redondamente.

As nuvens hoje foram como se algo tivesse se atrasado no começo.
Oscilo entre achar que isso durará alguns dias e achar que não vai acabar nunca.

Hoje decidi ler os jornais só pela manhã.
Não me contem nada.
Eu tenho mania de achar que preciso de todos os números.

Como se eu pudesse resolver a equação.
Por agora, tentar resolver esta:

2 adultos + 1 criança + 1 cachorro divididos em alguns metros quadrados de concretos e desejosos de infinitas espirais de liberdade.

[destino]

pare de dizer que minha mente constrói
a realidade.

Eu sou feita de catástrofes inventadas.

estou em paz e isso me apavora
preciso aprender a respirar na felicidade
como se o modo certo de viver fosse
o desespero, o medo e a angústia.
nos dias em que acordo em paz, confundo com apatia.
Sinto-me em dívida com o mundo e suas mazelas.
como se eu não pudesse abrir um pouco os pulmões e os braços.
(será que eu posso abrir os pulmões e os braços?)

poucas coisas são tão libertadoras
quanto deixar de ser mãe do marido

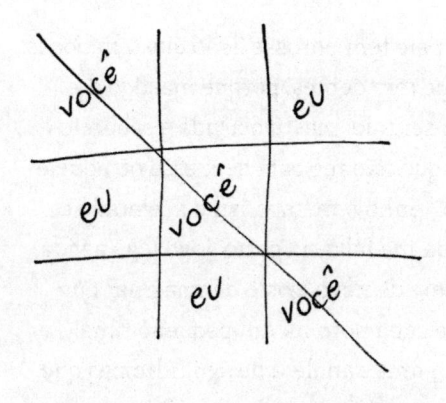

JOGO DA
VELHA
HISTÓRIA...

a minha pele tem poros. e acho que tem bocas.
e acho que tem dentes, porque mastigo a
vida pelo sentido. mastigo a vida e saboreio e
pode ser que não me caia bem esse ou aquele
alimento. tenho o metabolismo acelerado e
logo a vida me falta no gosto. logo logo a vida
me dá fome de novo. gosto de imaginar que
dentro de cada poro há um pequeno túnel
que leva a uma canaleta de águas limpas que
se deixa beber. minha pele não é lisa porque
tato desvenda os mistérios colocando novos
mistérios neles. a flor da pele é carnívora.

Nas pequenas coisas. Nas coisas minúsculas,
estão inseridos deveres infinitos para
as mulheres.
Estudar muito e organizar gavetas.
A casa em ordem e a conta bancária em dia.
Uma pele descansada e disposição para dormir
quatro horas por noite e continuar disposta.
O pensar em mil coisas ao mesmo tempo e
achar que isso é natural.
A fada do dente e a consulta no pediatra.
Revelar as fotos e pensar como comprar
orgânicos sem falir.
Ser fitness mas nem tanto amorosa mas nem
tanto maternal mas nem tanto independente
mas nem tanto ousada mas nem tanto rica
mas nem tanto.
Experimente dizer:
Vou descansar um pouco.
Sem ter que listar as coisas que você fez
Ou sem ter que estar doente ou com dor
de estômago.
Experimente dizer:
Vou tirar um cochilo.
E vá.
E lá, lembre-se, ser mulher que dá conta de
tudo é bom pra todo mundo.
Menos pra você.

quando eu inteira
você parte

você só me ama fatiada

da imensidão de mulher que sou
você não sabe quase nada

Apaixone-se pela sua voz
Apaixone-se pela sua voz
Apaixone-se pela sua voz

(três vezes que é pra chamar o santo)

Quando canta
Quando fala
Quando grita
Quando sussurra

Deixa ser aguda mudança
Deixa ser grave reviravolta
Tanto faz o tom
Deixa deixa fala fala
Que por tanto tempo a gente ficou tão quieta
quieta quietinha
Que a gente agora
Precisa se apaixonar
pelas nossas ideias fazendo desenhos pelo ar

CARINHOSA-
MENTE
COR-
AÇÃO

(cabe muita
coisa dentro da
 pa-
 lavra.)

eu sou tantas

Cética
Metafísica
Organizada
Os pés pelas mãos
Existe alma?
Não! Sim! Talvez...
Aqui a gente surpreendida espanto pela
resposta que já nasce de novo perguntando
Será?
A resposta por um triz
Incapaz de dar conta do que sou
A palavra tenta insiste mas pega um pedaço
sempre só um pedaço do que é a vida.
A vida foge da palavra.
A palavra foge do dicionário.
O dicionário fica guardado para quando a
gente tem que prestar contas
Eu presto contas descontando
Eu digo engolindo
Eu solto recolhendo
Toda célula toda oração
Toda inteiramente certa na dúvida
Toda alma toda corpo
O que não se comprova não existe?
Não! Sim! Talvez.
No movimento de equilibrar respostas
Danço belezas mais do que certezas

[a morta pelo marido]

pela foto se vê que era abusada estava
implicando estava dando sopa dando motivo
dando o que falar
Aí a morta precisa dar explicações.
Mas a morta não fala
Aí pedem explicações às fotos da morta.
E se lá em algum momento lá em alguma festa
e se lá em alguma bebedeira aparece a morta
no "escândalo"
enterra-se a compaixão junto com a morta
Que mulher precisa de "atestado de mulher
direita" para não ficar sendo assassinada
depois da morte pra não ficar sendo
apunhalada violentada.
Para morrer mulher e gerar compaixão é
preciso ter sido pura discreta boa moça mãe
de família.
Assim fica dado o recado
Espalhado pelo ar
Mulher que não quer ser morta
Precisa se resguardar
Assim fica dado o recado achado o motivo
Que morte de mulher nunca é culpa do marido
É sempre alguma coisa que ela fez de
descabido

Para garantir que mulheres sejam
Sempre domesticadas
A mulher mesmo morta
Segue sendo julgada
E condenada.

[cuidado]

Se você tivesse devolvido a pergunta saberia

Quando eu perguntei do que você tem medo e você disse nada eu queria muito ouvir

E você?

Teria dito que tenho medo de um câncer silencioso devorando o peito e de quem me daria a mão numa sessão de quimioterapia.

Teria dito que meu maior medo é a nudez de sentir que preciso ser cuidada por alguém com mãos ágeis para o amor e para suportar o peso do meu corpo entorpecido.

Teria dito que sou uma casca delicada. Uma película e que disfarço bem e por isso é também culpa minha que você não tivesse notado o terror estampado nos meus olhos naquele dia em que fui abandonada chorando uma morte nossa.

Eu não gosto de ficar nua da autonomia.

[espelho]

cada pedacinho é pontinha de vulcão
grão
de areia nos olhos
faz chorar
faz praia
faz chão de mar
eu grão detalhada poros
sou parte de história imensa ancestral
imagem no espelho reflete cara

bidimensional

queria espelho espiral

pra ver nos meus olhos minha bisavó
pra ver na boca a água
pra ver na pele o cheiro
pra ver nas pontas o sol

queria espelho real

pra ver nos dentes ritual
pra ver no corpo o parto
pra ver no pescoço a voz

queria espelho história
pra ver nos pés o chão
pra ver nas mãos a fruta

\>\>

pra ver no umbigo a mãe
um espelho pra refletir o que sinto
teria que ser infinito

olha só, meu amor, eu sei
que pode até parecer que esse silêncio
é por você
mas não...
disseram para eu me cuidar e eu obedeci,
mas não sabia que até meu cuidado precisava
ser revolucionado

eu não preciso de cabelos unhas spa

já me senti linda e sozinha
triste e perfeitamente disfarçada de bela

tela

eu fui abrindo caminho para o meu cuidado
silêncio demorado
eu estou me cuidando calada
em relação a você agora nada

já volto, amor, já volto
e talvez não me reconheça
mas se quiser descobrir quem sou
a gente recomeça
não dá para dizer a profundeza desse cuidado
que não é beleza
desse lugar que não é imagem
desse olhar que não é espelho

\>\>
estou fundando uma nova galáxia em mim
nomeando hasteando minhas bandeiras
eu moro aqui
nesse lugar que só existe porque eu o habito

Talvez você esteja chamando
Ringue
De lar

Mulher,
Desenha a planta da sua casa
Risca engenha
Levanta parede concreto
Soco
Nocaute
Levanta chão cimento, mulher
Liso frio cinzento
Direita água desaba
Dente
Levanta caminha levanta florzinha
Levanta e chama de lar
Inventa insiste mente
Tapa
Sufoca
Não vale
Ninguém diz
Não há juiz
Você sangue
Nariz em jorro
A vermelha
Derradeira
Espancada

\>\>
Ela que erguia casa
A corda fronteira
Ergueu ringue
Perfumado
De não ser inteira
Levanta, mulher.
A porta
A porta
Por baixo
Por cima
A porta

Sem dó deixa morrer os vasinhos de flores
Deixa secar
Deixa queimar os lençóis
Deixa vencer a comida
Deixa
Deixa
E sai

tenho desejos
às vezes pétala
às vezes lâmina
cortam-me os dois

[derramada]

Me arrumei linda para seus olhos míopes.

É uma pena desperdiçar em olhos tão tristes tanto encanto.

EU em estado de primavera

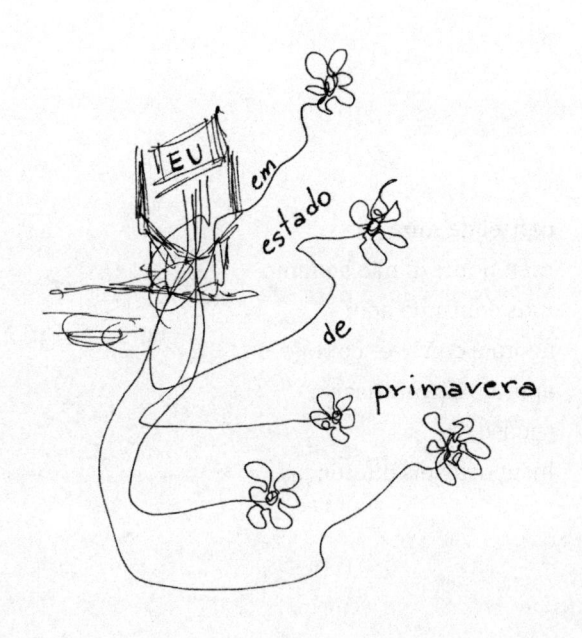

cansei de mim
meu nome já não aguento
mas continuo aqui
agora é conviver comigo
apesar das minhas
(quase)
insuportáveis diferenças

Eu amo
Desamando
A mando de um coração
tropeço furacão
A mando de um coração medroso passado,
eu desamo
Amando rápido.

A mando de um coração desritmado
A mando de um corpo embaraçado
Míope afônico desajeitado

Sabe que foi agora que eu pensei...
Amar você tem sempre algo de triste
e acho que esse algo de triste
sou eu.

deixa a sua voz
gritar o silêncio das mulheres mortas
vibra o novo tempo
convoca!

[herói]

às vezes eu acho que você me quebra
só pra ser o herói que me conserta

Nos gostam mortas
Essa é a verdade
Nos gostam geladas e caladas
Obedientes
Nos gostam domesticadas e reclusas em tons pastel
Nos gostam amestradas de não constranger maridos
Nos gostam assim compartilhando amenidades
Em oração pela sabedoria do marido pela saúde dos filhos.

Nos gostam assim ajoelhadas:
As esposas em devoção
as amantes em ação
Nos gostam assim.

Na verdade, não nos gostam assim
Porque não nos gostam.
Gostam de um espectro de subserviência
Assombrando casas e genomas
Passado de geração em geração.

À mulher que deseja quebrar esse ciclo
Resta a quebra abrupta
A abertura explosão
Da boca dizendo não.

[receita para o almoço de domingo]

Observe sua mãe sem que ela perceba.
De canto, de canto de olho devagar demorado.
Observe.
Ela não pode saber.
Para não poder fugir fingir.

Veja se há nela uma faísca um desejo
um corado um olhar um dançar um cantar
baixinho um jeito leve de mexer nas coisas
respirar vida não sobrevida um lugar de existir
pulso pulsação palpita memória esperança
sonho calor.

Se houver, abrace-a. Diga mãe, te amo, obrigada.

Se olhar e vir que há nela um fosco olhar que
respira suspiro desejo apagado sonhos que
não são voz que engole choro testa queixo
nariz de quem está mas não está mais. Se
nela tiver sobrado um mapa morto carcaça de
sonho que não foi percorrido caminho entrega
esquecimento solidão solidão solidão.

Abrace-a. Diga, mãe, a senhora não precisa
fazer nada que não queira pode ir embora se
quiser vamos ficar bem te amo obrigada.

(Caso não tenha mãe em casa, use avó tia irmã)

[túnel]

Como se fosse nada nada mergulha suave para dentro pernas calma suspira. Resiste que não pode não. Moça que tem perninhas fechadas fechaduras. E de repente vai que. Suave resiste insiste percorre sustenta afunda profunda furo canal abdômen peito cabeça dedilha. Dedilha. Olha. Quieto. Parado. Tem tempo, menina, espaço. Suave, menina. Aponta. Aponta.
A ponta.
Fui para não voltar.
Revolução para dentro de mim faz vibrar entranhas.

Passei por cima da questão
Acelerei
Docilmente me calei
Não insisti
Passei por cima da questão
Fiz jeito de não sentir mais nada
Mas ali embaixo
Encontrei este corpo mulher calada
Passei por cima da questão
E fui eu a atropelada

olha ela tão ela tão tão
tão estranha
tão normal
tão tão tão
piranha
família tradicional
tão tão tão

dá licença, meu senhor, agora deixa.
agora cala. agora chega.
agora deixa que eu falo sobre mim.

por dentro
só
só só eu
só eu sei o que sou
e o que não sou

eu sei que não sou
suas expectativas
suas possibilidades restritivas
sua fotografia de mim
revelou-se cenário
de um filme
onde eu não atuo
e nem quero
assistir

não me programe de imediato
na sua cabeça
eu não caibo
na sua gaveta
eu explodo o
seu arquivo catalogado
não me resuma assim
simplificada
posso até parecer normal
mas estou só
disfarçada.

corpo lindo
é aquele
que tem força pra carregar
projetos histórias amores
corpo lindo é esculpido
delicadamente
devagar
ritmado coração
corpo lindo
vive dança
aceita acata entende
mudança

não ria
não diminua
não seca

não represa
não envidraça
não!

não me segure
não me beba
não me esvazie

não transforme minha tempestade
em copo d'água

para fincar bandeira em mim
você me conta notícias minhas

para fincar bandeira em mim
você descobre o que eu já sei

para fincar bandeira em mim
você me apresenta a mim dizendo solene
o meu nome

para fincar bandeira em mim
você
esse desbravador de terras já devastadas

[ritual]

Tenho gostado de me presentear com rituais de solidão.

Tomar banho e me encontrar. Pele e água. Toalha e calor.
Estudo delicado e cuidadoso de quem eu sou e do quanto cabe infinito neste um metro e tanto.
Um prato um garfo uma faca e o ato demorado de comer. Eu mereço um vinho. Eu mereço comprar um chocolate. Eu mereço tudo que eu serviria caso estivesse recebendo visitas.
Eu abro o pacote de guardanapos decorados. Eu abro o frasco de perfume. Eu abro o sabonete em forma de pétalas. Eu acendo a vela perfumada. Eu mereço me tratar bem. Eu gasto o tempo comigo. Demorando em coisas de amor. Eu gasto o amor comigo. Esticando o tempo que sou. Eu mereço todas as coisas que eu guardei para alguém que nunca chegou.

[o nome da mãe]

Não se esqueça de que toda mãe tem
um nome.
Já não é fácil.
Já dá nó na cabeça.

Mãe mãezinha cadê a filha com quem ficou a
criança olha a mamãe mamãe na balada essa
mãe cadê a mãe.

Aperto no coração de vontade de ser a gente e
culpa de querer ser a gente e vontade e culpa
ao mesmo tempo num tsunami.

Escorre leite.
Escorre pele.
Escorre suor.
Escorre lágrima.

A mãe perde o nome.
A mãe é a mãe
A mãe perde a mãe.
A mãe perde.
E ganha.
E perde.
E ganha.
E ganha.
E ganha.

Já é imenso.
Já é suficientemente confuso.

Não precisa me lembrar toda hora.
Não precisa vir me contar toda hora.

Eu sei que sou mãe.
Por favor, me lembre do meu nome.

Separei para você
Uma coleção toda de carinhos inéditos.

Embalados a vácuo, um a um, na estante.

Vintage. Edição de colecionador.

Impecável.

Espero que não tenha prazo de validade o toque não dado.

Eu queria que a gente se apaixonasse pelas ondas

E acordasse bem cedo pelas manhãs

E que a gente desejasse a turbulência do horizonte

E caísse

Quase mortos ao fim do dia

Lavados pela água

eu não sei morrer
não mesmo.
há tanto tempo tenho medo da morte que acho
até que nasci com ele.
o medo da morte.
tenho medo de sentir saudades demais.
ou de nem sentir nada.
saudades até de puxar água da pia com o
rodinho depois de lavar a louça.
sob a perspectiva da morte, fica bem bonita a
vida. cheia de sentido. desse tipo tato mesmo,
sabe?
como quando a gente toma um copo d'água
com muita sede. ou faz xixi com muita
vontade.
sentidos de alívios e de partos.
como quando nascem felicidades sem avisar
a gente.
sob a perspectiva da morte, tudo fica bem
bonito. mas aí a gente traz a saudade junto
com a beleza. e fica tudo bem bonito e triste.
como se eu já estivesse sentindo a água
e a falta da água junto.
é um jeito de olhar a vida. e a morte. como
a água e a sede e a falta. como lados de uma
figura geométrica e infinita.
um cristal!

eu penso demais nisso. acho.
penso todo dia. olho para meus pedacinhos de vida e me reconheço mais quando escrevo do que quando olho no espelho.
o corpo parece um pretexto pra vida.
ao mesmo tempo que é a vida em sua complexidade de redes desconhecidas e profundas.
mas não esse corpo de que a gente quer arrancar pelos e rugas. outro corpo. porque esse primeiro é corpo ilusão. corpo de quem, no fundo, acha mesmo que é de fora pra dentro a eternidade.
que bom que eu temo a morte com tanta rotina nesse temor! que bom!
isso já me livrou de escolher vender meu tempo por lençóis de muitos fios.
isso já me livrou de, por pressão social, deixar de estar com minha filha pra acumular o suficiente pra pisos de mármore.
ou lápides de mármore.

[mãe]

É que esse desejo de sempre partir me impede
de criar uma raiz aprofundar enterrar fincar
afundar profunda estática solene.
Cada que vez que parto perco a chance de
conquistar a solenidade triste dos olhos
de um cachorro.
Cada vez que parto perco a chance de
conquistar a solenidade alegre de uma criança
(sem fome sem dor sem abandono)
Eu decidi ficar fincar permanecer enraizar.
Solenemente enxergo a vida com nitidez
e sei que a natureza das coisas é estar em
movimento vento pés no chão cheiro de terra
firme cabeça voando. A natureza das coisas é
permanecer partindo. Eu grito silêncio grito
mudo mas estanco espanco o desejo.
Eu solenemente permaneço e espero criar as
asas daquelas senhoras que moram no campo
e que sabem do tempo de chuva da receita da
terra da umidade do solo da geografia fora delas.
Eu solenemente imploro pela resignação de
quem se olha pouco no espelho.
Eu imploro.
Solenemente.
Que seja liberdade enfim esse lugar de onde
nunca mais pretendo sair.

[aniversário]

Acho que número é coisa ruim pra gente contar vida
Acho até que a gente deveria comemorar outra coisa nos aniversários.
Talvez a volta ao redor do sol.
Que é a mesma coisa mas não é.
Porque número é um negócio que serve pra pesar batatas.
Número é negócio que serve pra contar catálogos
Número é negócio estreito demais pra caber vida.
Imagina que a gente comemora mais uma volta ao redor do sol. e que aventura imensa é estar aqui orbitando juntos mais um pouco.
Imagina se a gente passar a contar não os anos mas as histórias.

Talvez a gente perdesse o medo de envelhecer e quisesse ver passar os ciclos histórias sem a pressa da meta número.

A gente espreme a vida em números.
Mas a vida escapa sempre.
E vence.

Senhora, dirija-se ao guichê mais próximo e
retire seu receituário
Retire seu atestado sua terapia sua acupuntura
sua cura
Dirija-se ao guichê mais próximo
Aquele longe de mim, senhora.

Cure-se.

Te contei uma confissão
Em busca de carinho
Algum.
Você me redirecionou
Me pôs de volta
No que tanto eu sou sozinha
Guichês de cura e suficiência
Guichês de tratamentos enfileirados
Para não dar nenhum problema
Na rotina no planejamento no projeto
Trate-se antes do almoço, senhora, para que
possamos manter os planos.

Antes do Natal, senhora, trate-se e cuide-se
para não magoar os parentes.
Que te querem contente.
Cuide-se rápido para que não chegue assim no
domingo, pois seria de fato um inconveniente.

Dirija-se ao guichê mais próximo.

Pegue sua cápsula.
E alinhe-se, senhora.

Cure-se rápido o suficiente para não estragar
a fotografia.
Apresse-se em tapar a ferida.
Mesmo que tape, na pressa,
Seus buracos de respirar.
Acidentes...
Cure-se, senhora,
aceleradamente.
Para que não atrase o progresso vigente.

[o que eu faço com o meu medo?]

Hoje resolveu fazer frio. Como se não
bastassem os congelamentos todos.
Resolveu ser dia cinza. Como se bastassem as
névoas todas.

Hoje o dia resolveu nascer cenário de mim.

Não tem contraste.
Tem cinza frio névoa.
Hoje está estou assim.
Eu estou sentindo muito medo.
Como se não bastassem meus medos todos.
Estou sentindo angústia.
Como se não bastassem as...
E agora?

Agora eu me lembro que a gente sente medo
para se proteger.
O medo existe pra isso. Medo é sobrevivência.
Penso nisso e me recolho.

Protegida aninhada silenciosa

Vejo passar um desfile de atrocidades pela
minha janela.
Anoto uma a uma cada uma delas
e ao lado escrevo
eu não eu não eu não sou isso

Lembro que sou parte do mundo.
Lembro que sou parte pequena do mundo.
Lembro que a história passa com ou sem meu medo.
Lembro que amanhã e depois e depois e depois.
Sempre sempre sempre será preciso dizer eu não eu não eu não.
Lembro que a história muda com a minha coragem.
Lembro que foi sempre o amor o meu guia.
Aí eu me recolho
Mas eu me recolho como quem aquece tambores ou como quem cata galhos ou como quem ferve mar de água.
Me recolho em movimento de amanhãs.
O que eu faço com esse medo que mesmo sabendo da minha desimportante função histórica da minha minúscula participação na humanidade me assola e me destrói hoje em impossibilidades?

Faço nada.
Aqueço dentro.
Movimento amanhã.
Se hoje é dia de chorar, meu amor, que seja.

Tenha força,
mas não precisa ser
agora...
    agora
        chora.

|───────────────────────────────|

tempo   tempo   tempo   tempo
de doer   de curar

Hoje decidi vestir minha espontaneidade #1.
Estava sol e achei que aquele otimismo fresco
brisa aquela textura aquela leveza sorriso suave
cairia bem

Amanhã talvez sirva melhor a espontaneidade #3.
Guardo para dias nublados e diz a previsão
que será o caso. São tons cinzentos melancolia
sussurrada de quem ouve uma música
realmente boa nos fones de ouvido. Se alguém
quiser saber sobre mim ouvirá algo misterioso
como resposta. Reticente. A espontaneidade #3
não permite amarelo.

Depois de amanhã com a chegada de uma
frente fria é dia da espontaneidade #5. Essa sim
é silenciosa e nela não cabem explanações de
qualquer natureza. Essa é impermeável. Veste
meio mal mas é possível jogar um cachecol
sobre ela e torcer secretamente para que
alguém me fotografe tomando um café com
olhar horizonte pensamento genial.

A espontaneidade chuvosa é uma das minhas
preferidas. A ela chamo de espontaneidade #9.
É roxa e tem olhos mareados riso certo e tempo
a mais entre uma frase e outra. Não há erro.
Visto quando quero comoção piedade colo.

\>\>

Ela abraça pouco mas quando abraça dura tempo de velório. Uma das minhas preferidas.

Aquela que fala absurdos é a #11.
Gosto bastante dela embora sinta que a possa usar apenas socialmente. Poucas são as ocasiões em que esse traje é permitido. Guardo numa sacola para não pegar pó. De vez em quando visto em casa quando estou sozinha. Mesmo assim sinto que me incomodam as costuras.

Das minhas espontaneidades todas cuido eu e cuido bem. Em gavetas ou penduradas ou as que tiro do varal pois nem dá tempo de passar. Das minhas espontaneidades eu sei e sei bem. O quanto me pesam me contornam me amarram me aquecem. Todas aqui. Catalogadas e etiquetadas.

Visto-as para que não corra o risco de estar na rua e me perceber nua.

Tenho uma criança aqui.
Desaparecida perdida num corpo adulto
Que não sabe arrumar a mochila dos desejos.

pare de me deixar sozinha que eu
ainda preciso de
mãozinha dada para
atravessar
a sua

Não precisa me botar na fogueira não
Eu mesma me coloco
Me queimo de tudo que me prende
que me cala
Me queimo me ardo me desejo
Eu mesma me renasço
Eu mesma fênix
Pode deixar que na fogueira eu mesma me
ponho
E me salvo

[bruxa]

LEMBRETE

- comprar pão
- reunião às 18h
- marcar oftalmologista
- lembrar que você me faz mal

~~ACONTECEU~~
COMIGO

(saber não ser o
foco da conversa)

(ergo cidades
concretas, pesadas
e pontiagudas
nos meus ombros)

se a terra tropeçar será que eu caio
se eu tropeçar será que a terra soluça
se eu tão pequenininha puder mover meio
filetinho de nada
já me sentirei menos minúscula e menos
desaparecível.

JÁ QUE O MUNDO GIRA BEM RÁPIDO, VOU FICAR AQUI PARADA E ESPERAR ELE VOLTAR.

[contrato]

não estou aguardando
nem sua assinatura
nem sua autorização
não estou esperando
seu aval
seu carimbo
seu ok
seu sinal
meu movimento é tectônico
não burocrático
montanhas e
vulcões e
cordilheiras
se formam desobedientemente

[triste e cansada]

Sinto muito, mas estou triste.
Senhoras e senhores, com licença.
É assim que acontece de a gente sentir
carregar a impossibilidade como quem carrega
a própria cabeça. Inevitável.

Aconteceu hoje de sentir as costas travando
e as ideias parando no coração.
Subindo como vapores de amor fervido.
Ebulição. Deságua nos olhos.

É assim, dizem os cientistas de mim, que
acontece de eu chorar.

(Esses seres especialistas em catalogar cada
ato meu me irritam profundamente porque
falam comigo o tempo todo na cabeça)

As coisas que param e não circulam viram em
mim, água. É assim.

Como a gente escreve na água?

Sei nadar porque sei viver e a vida é a gente
conviver com nossos mares.
Sei dançar na água e sei gritar fazendo bolha
muda.

Mas como a gente escreve na água?

Deu de eu ficar triste hoje!

Logo hoje que eu havia prometido abraços aos seres tristes. Que coisa. Calhou de ser eu.

Como a gente escreve na água líquido?
Como a gente escreve no sangue?

Esse rio que carrega nosso passado e nossas esperanças ancestrais?
Como a gente escreve nele?
Como a gente escreve pedindo pra pararem de escorrer nosso sangue?

Eu não sei.
Por isso estou triste.
E cansada.

Mas eu tenho mania de amanhãs.
Eu sempre tenho mania de amanhãs.

[texto desaguado]

como se engole a seco a vida?
arranha
eu sinto sede
estranha
a gente conhece bem os fluidos garganta
a gente desce bem escorregadio
entranha
mas como é que hoje hoje hoje se engole a seco
a vida?
sem saliva
de tanto gritar
de tanto cantar rimar falar
sem saliva
como é que se engole a vida?
a rua ruído fumaça poluição
a rua ameaça notícia destruição
como é que garganta garante que come amanhã
que bebe que sorve que nutre que seiva
se escorrem da gente deságua
como é que se engole escorrida a vida?
como é que digere?
como é que se pedra?
se pedra dura tanto bate corpo água até que fura
fura corpo fúria
fura sonho fura cura
como é que se cura a vida?
como é que segura a vida?

[viver vicia]

de manhã café aos baldes canecas
é importante que seja caneca é importante que
seja vermelha é importante que seja café
café desperta

almoço
depois do almoço chocolate
meio amargo divido ao meio
meio eu meio você meio amargo

fim da tarde
café de novo
agora xícara agora pequena
agora não caneca vermelha
é importante que seja pequena
é preciso não estar alerta
importante dormir cedo
jantar
depois do jantar o vinho
meia taça
não! três quartos!
que é medida de dormir
que é medida de sonhar
que é medida cardíaca vinho saúde
medida certa ajuda coração a bater
é importante que três quartos
é importante que ajude o coração a bater
é importante que seja vinho

\>\>
saúde
de noite
deitada
café chocolate vinho
deitada
a cabeça no travesseiro
enfileiro minhas manias
uma a uma

durma!

amanhã reinício
(rima com vício)

Entre as tantas vidas vividas
Entre as tantas vidas sonhadas
Descubro que sou infinita
Descubro que sou inventada

[sobre a palavra (1) – semente cadáver]

Quais partes de mim vêm velar as palavras
mortas na boca muda seca de não dizer o que
brotou segredo que não deu nem flor nem
fruto nem cheiro nem comida segredo
que morre
semente se mente areia na boca muda
transborda pra dentro palavra que morre vai
pro céu
da boca amarga amargo que não é de língua
nem de muco é de mudo.

A palavra morta velada
A palavra morta continua
A palavra morta câncer
A palavra morta move pra dentro
A palavra semente cadáver
A palavra enrugada
A palavra não líquida.

Engulo
Mas
Não
Esqueço.

Palavra que morre no céu da boca vira estrela
pontuda na boca do estômago e eu dor que vai
abdômen todo cicatriz de abrir barriga.

>>

Corte pra achar na artéria do peito a palavra morta semente calada caída.

Quais partes de mim vêm velar o que morro cada vez que me calo?

HABITUAR
~~COM~~ O
CORPO QUE
TENHO

A coragem que me falta
Eu encontro em você.

No fundo, eu sou	uma ficção
baseada em fatos reais.	★★★★★★ ★ TODO DIA UM ★ ★ EPISÓDIO NOVO! ★ ★★★★★★

LIBERDADE
É ~~MAIS~~
~~IMPORTANTE~~
~~DO QUE~~
BELEZA

P _ R T _ _ N C _ R

*pertencer
é meu verbo
mais difícil.

DESISTIR UM POUCO
INVENTAR UMA PAZ

DESCANSAR

Não tenha medo de ser chamada de louca... A gente vive num mundo onde se costuma chamar de loucas as mulheres que são livres.

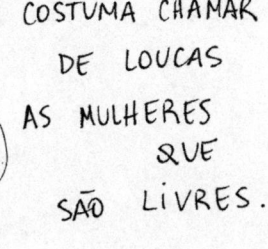

→▷ siga
em frente

__C__ __A__ __R__ __I__ __N__ __H__ __O__
C A M I N H O

A cabeça pe~~n~~sa

O corpo pen~~s~~a

Descanso
  não é tempo
    perdido...

...É
  TEMPO
    PE~~R~~DIDO

Agradecimentos

Agradecer tem que ser a você, Lorena, minha primeira e única, dona do amor maior.
Mãe, pai, hermana: a (não tão santa) trindade do amor.
Ao Daves, companheiro de uma jornada linda e infinita.
Otto, da tia Lili, presente da vida.
Vitor, pai do Otto, cunhado que tem sido abraço, carinho e respeito.
Minhas avós, inspiração e ancestralidade.
Cibele Cipola, que sabe e me deixa saber das coisas todas.
Abel, porto seguro.
Minhas Aline, Má Cordeiro, Bié e Má Fernandes.
À editora Planeta, pela confiança e pelo profissionalismo.
Fernanda, essa editora mimosa.
Cassiano, ponte fundamental.
Daniela Grelin, fada madrinha.

Agradeço a todas as pessoas que bagunçaram minha vida e me botaram em movimento.
Eu não me arrependo de vocês.

Acreditamos nos livros

Este livro foi composto em Capitolina e impresso pela Geográfica para a Editora Planeta do Brasil em outubro de 2025.

LEANDRO GODINHO
LEILA DE SOUZA TEIXEIRA
LU THOMÉ
LUISA GEISLER
MARCELA DANTÉS
MARCELO SPALDING
MÁRIA ELENA MORÁN
MICHELLE C. BUSS
NELSON REGO
RAFAEL BASSI
RENATA WOLFF
RODRIGO ALFONSO FIGUEIRA
RODRIGO ROSP
SARA ALBUQUERQUE
TAIASMIN OHNMACHT
TIAGO GERMANO
VITOR NECCHI
YURI AL'HANATI

FAKE FICTION: CONTOS SOBRE UM BRASIL ONDE TUDO PODE SER VERDADE

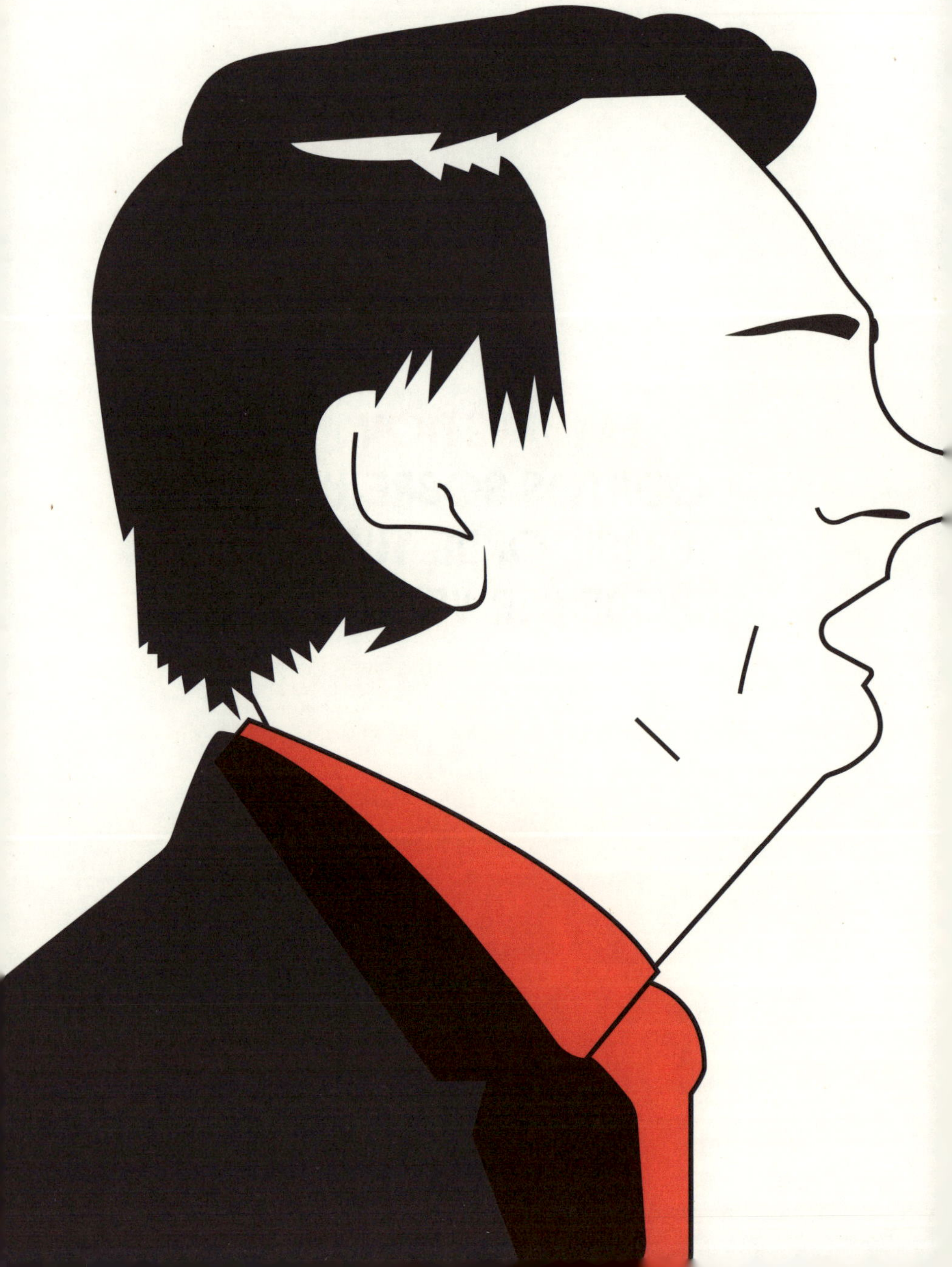

FAKE FICTION

CONTOS SOBRE UM BRASIL ONDE TUDO PODE SER VERDADE

ORGANIZADO POR JULIA DANTAS E RODRIGO ROSP

Copyright © 2020 Adriana Lisboa, Alexandra Lopes da Cunha, Altair Martins, Arthur Telló, Carlos André Moreira, Carlos Eduardo Pereira, Clarice Müller, Claudia Nina, Danichi Hausen Mizoguchi, Dani Langer, Eliana Alves Cruz, Gabriela Richinitti, Guilherme Smee, Guto Leite, Henrique Schneider, Irka Barrios, Julia Dantas, Lima Trindade, Leandro Godinho, Leila de Souza Teixeira, Lu Thomé, Luisa Geisler, Marcela Dantés, Marcelo Spalding, María Elena Morán, Michelle C. Buss, Nelson Rego, Rafael Bassi, Renata Wolff, Rodrigo Alfonso Figueira, Rodrigo Rosp, Sara Albuquerque, Taiasmin Ohnmacht, Tiago Germano, Vitor Necchi, Yuri Al'Hanati

CONSELHO NÃO EDITORIAL Antônio Xerxenesky, Guilherme Smee, Gustavo Faraon, Lu Thomé, Rodrigo Rosp, Samir Machado de Machado
CAPA E PROJETO GRÁFICO Luísa Zardo
REVISÃO Raquel Belisario e Rodrigo Rosp

Dados Internacionais de Catalogação na Publicação (CIP)

F176
    Fake fiction : contos sobre um Brasil onde tudo pode ser verdade / org. Julia Dantas, Rodrigo Rosp. — Porto Alegre : Não Editora, 2020.
    256 p. ; 21 cm.

    ISBN: 978-65-87428-00-0

    1. Literatura Brasileira. 2. Contos Brasileiros. I. Dantas, Julia. II. Rosp, Rodrigo.

CDD 869.937

Catalogação na fonte: Ginamara de Oliveira Lima (CRB 10/1204)

Todos os direitos desta edição reservados à Editora Dublinense Ltda.

EDITORIAL
Av. Augusto Meyer, 163 sala 605
Auxiliadora — Porto Alegre — RS
contato@dublinense.com.br

COMERCIAL
(11) 4329-2676
(51) 3024-0787
comercial@dublinense.com.br

> **TEM QUE BATER, TEM QUE MATAR, ENGROSSA A GRITARIA. FILHA DO MEDO, A RAIVA É MÃE DA COVARDIA.**

CHICO BUARQUE, *AS CARAVANAS*

ESTA É UMA OBRA DE FICÇÃO

Esta é uma obra de ficção, qualquer semelhança com nomes, pessoas, fatos ou situações da vida real terá sido mera coincidência. Estamos acostumados a ler essa declaração no início de filmes e nas páginas introdutórias de livros. Sabemos o que ela quer dizer, entendemos que os acontecimentos do mundo inventado da ficção não pertencem ao mundo concreto no qual existimos objetivamente. Ainda assim, os conceitos de ficção e verdade não são nem tão sólidos nem tão estáveis como poderíamos gostar que fossem.

A literatura realista não ganhou seu status de ficção sem esforço. O mundo há muito é recheado de fábulas, parábolas, contos de fadas, poemas, testemunhos e mitos. Mas a prosa ficcional de aparência realista é uma criação um pouco mais recente e, nos seus primórdios, era com frequência entendida como relato empírico da vida de alguém.

Quando Flaubert publicou *Madame Bovary*, ele foi acusado de retratar uma vida imoral. O público supôs que a história de uma desiludida esposa que passa a procurar prazer com outros homens fosse verídica. Não havia ainda muita clareza a respeito do que significava a ficção. Levado a julgamento e interrogado a respeito da verdadeira identidade da mulher adúltera de seu livro, Flaubert pronunciou a célebre frase: Madame Bovary sou eu.

Não era ainda usual que a palavra escrita pudesse trazer algo que *parecia* ser verdade, mas não era. *Madame Bovary* inaugura o que agora conhecemos como romance moderno. Para nós, hoje, é lugar-comum dizer que a literatura não é o território do *foi*, mas do que *poderia ter sido*.

De Flaubert para cá, a ficção experimentou diversos rumos e práticas, mas manteve sua essência mais ou menos intocada. Por outro lado, o mundo concreto foi tomado por narrativas que se apresentam como verdades, mas não passam de invenções, distorções ou amontoados vazios de palavras vagas. Naturalmente, a mentira não nasceu ontem, e há de ser tão velha quanto a humanidade. Mas a era digital ampliou a circulação de discursos que tentam não apenas ser convincentes, mas fazer de todos nós seres eternamente desconfiados de tudo. Sendo impossível identificar o que é falso, é também impossível identificar o que é real.

Estamos em 2020: faz já quatro anos que o dicionário Oxford escolheu como palavra do ano o termo pós-verdade. De lá para cá, a pós-verdade foi sendo substituída no discurso popular pelas fake news. É um problema onipresente: as notícias falsas se disseminam de modo imparável, e também só crescem as acusações de fake news direcionadas a fatos reais, mas desagradáveis. A pós-verdade se tornou nosso ambiente de produção e comunicação de discursos.

Todas essas mudanças encontraram terreno fértil na sociedade brasileira, onde passam a ser acompanhadas de um renovado pensamento obscurantista e constantes ameaças à democracia e às liberdades individuais. Felizmente, a arte revida. Esse tempo de ameaças e medo é também um tempo em que proliferam textos ficcionais que tentam dar conta dessa nova realidade, desse assombro.

Assim, surgiu a ideia de organizar uma coletânea de contos que, de alguma forma, estivessem inseridos nesse contexto social e político, contos que dialogassem com momentos muito recentes da história do nosso país. Eis, portanto, trinta e seis visões sobre o Brasil de hoje, um país onde (cada vez mais) o noticiário se mostra mais cheio de reviravoltas e inverossimilhanças que qualquer obra ficcional poderia imaginar. Os contos aqui reunidos trazem releituras dos protestos de 2013, do período da Copa do Mundo, do impeachment-golpe de 2016, das eleições de 2018 e do país sob o governo do presidente #elenão. Longe de buscar um retrato fiel, o conjunto traz trinta e seis vozes, cada uma à sua maneira, na tentativa de dialogar com o momento tão absurdo em que vivemos, quando a verdade nos tem sido tomada de assalto com propósitos dos mais nefastos.

Pois então, em meio à confusão entre o real e o falso, o que um escritor de ficção deve fazer? Esta é a questão que *Fake fiction* tenta explorar. O título que escolhemos quer indicar um caminho possível. O que significaria uma falsa ficção? Convidamos leitoras e leitores a pensar junto. Talvez caiba à literatura falsear a ficção até extrair dela a verdade: acessar o centro pelo avesso do avesso. Esse tipo de torção no pensamento apenas a arte é capaz de realizar.

Julia Dantas
Rodrigo Rosp

ÍNDICE

7
Apresentação

13
Maria
Danichi Hausen Mizoguchi

23
Velha Hartz
Luisa Geisler

39
Em nome do país
Rodrigo Alfonso Figueira

43
Soluços
Rafael Bassi

51
Terrivelmente evangélico
Tiago Germano

59
Impermeável
Marcela Dantés

61
Seguidores
Rodrigo Rosp

65
As anfitriãs
María Elena Morán

69
Soldadinhos do desejo
Guilherme Smee

81
Um mergulho, Arpoador
Dani Langer

85
Isso vem de longe, irá longe
Nelson Rego

97
Não passarão
Eliana Alves Cruz

101
Flashback
Renata Wolff

111
Beirada
Adriana Lisboa

115
O asco dos náufragos
Carlos André Moreira

123
El niño
Michelle C. Buss

129
Os dois quietos, uma luz quase inexistente
Arthur Telló

133
Casco
Sara Albuquerque

139
Ninguém segura a mão de ninguém
Leandro Godinho

145
Preciso falar com o Gabi
Vitor Necchi

153
Estrelas nas paredes
Taiasmin Ohnmacht

157
A grande beleza
Yuri Al'Hanati

165
Aquela mesma corrida de sempre
Lu Thomé

169
As que não estavam nos jornais
Leila de Souza Teixeira

177
Impeachment
Guto Leite

179
Debate
Carlos Eduardo Pereira

185
Verme
Claudia Nina

189
Edifício Sunshine
Gabriela Richinitti

197
Travessia
Henrique Schneider

203
O homem de bem
Marcelo Spalding

209
As ifigênias
Altair Martins

217
A dança da hora
Clarice Müller

223
Purificação
Alexandra Lopes da Cunha

227
Anunciação
Julia Dantas

235
Horizonte alaranjado
Irka Barrios

239
O zero cinco
Lima Trindade

248
Quem escreveu este livro

MARIA DANICHI HAUSEN MIZOGUCHI

Ela toma o último gole que resta na garrafinha de água depois de quase duas horas escutando as falas medíocres dos três colegas, o tom professoral de sempre daqueles machos palestrinhas, certos de estarem certos, confiantes no brilho de seus próprios trabalhos, o paletó sem gravata e a calça de linho da Richards de um, o sapatênis da Mr. Cat do outro, o Mac Book Air e os gráficos inúteis projetados do terceiro, a competição tácita entre todos para ver quem receberia mais aplausos e perguntas, ela tentando e mais uma vez não conseguindo disfarçar o enfado de participar de umas dez atividades como aquela por ano, em Niterói, no Rio de Janeiro, em São Paulo, em Uberlândia, em Porto Alegre, no caralho a quatro, com a plateia sempre igual, as mesmas pessoas, a inteligentinha lacradora que tenta pegar os palestrantes no contrapé, o entediado que passa o tempo inteiro no celular, o perdidinho que expõe longamente alguma experiência pessoal completamente desconectada do assunto da mesa, não faz pergunta alguma e termina dizendo que era só isso mesmo, a obrigação de responder as questões banais com alguma educação e ficar se mijando até a hora em que o mediador diz que se ninguém tem mais nada a falar ele vai encerrar o encontro, agradece pela presença de todos, pelo brilho da exposição dos palestrantes, pelas instigantes colocações dos presentes, ela cumprimenta todos os colegas com apertos de mão, se levanta com a bunda quadrada e a perna dormente, vai ao banheiro e parte.

Caminha vinte minutos até a estação das barcas de Niterói, passa o cartão, roda a catraca, compra seis pães de queijo e um mate na promoção, vê a multidão de trabalhadores descer apressadamente a rampa que leva à Praça Arariboia, sobe apressadamente a rampa que leva a multidão de jovens animados à barca, senta-se em um banco de corredor, estica um pouco as pernas, relaxa o corpo, fecha os olhos e lembra do Arnaldo Jabor dizendo dias antes no telejornal noturno que a grande maioria dos manifestantes nos atos que estavam tomando conta do país são filhos de classe média, que ali não havia pobres que precisassem dos vinte centavos, que os mais pobres ali eram os policiais apedrejados que ganham muito mal, que os revoltosos de classe média que não sabem por que estão nas ruas protestando não valem nem vinte centavos e que a população só viu um ódio tão grande à cidade quando uma organização criminosa queimou dezenas de ônibus, uma fala de tom muito semelhante ao editorial da Folha que leu na manhã seguinte e que dizia que os manifestantes são jovens predispostos à violência por uma ideologia pseudorrevolucionária cujo objetivo declarado, o transporte gratuito, já trai a intenção oculta de vandalizar equipamentos públicos, e que o direito de manifestação dos jovens cientes de sua condição marginal e sectária não pode ter primazia sobre o direito de ir e vir, sobretudo quando o primeiro é reclamado por poucos milhares de manifestantes e o segundo é negado a milhões, e que é preciso que o poder público ponha um ponto final nisso e aja com rigor contra o vandalismo vetando as manifestações potencialmente mais perturbadoras, manifestações que desde aquelas puxadas pelo Bloco de lutas em Porto Alegre aos poucos se alastraram por todo o país, numa ascensão tão surpreendente quanto a recente mudança de posição da mídia, e ela lembra agora que escutou o mesmo Jabor dizer no mesmo telejornal noturno quatro dias depois que de início esse movimento parecia uma pequena provocação inútil, que muitos criticaram erradamente, inclusive ele, que disse que temos democracia desde 1985, mas democracia se aperfeiçoa, se não decai, que o Brasil parecia desabitado politicamente, que tudo acabava em pizza, mas de repente apareceu o povo, de repente o Brasil virou um mar, e uma juventude que estava calada desde 1992, que nascia quando Collor caía, acordou, abriu os olhos e viu que temos democracia, que os jovens despertaram porque ninguém aguenta mais ver a república paralisada por interesses partidários e privados, que há um grande perigo na violência e nas reivindicações abstratas, que é preciso uma política nova, se reinventando, mas com objetivos concretos, e se tudo correr bem estaremos vivendo um momento histórico lindo e novo, e foi com essa última expressão repetindo na cabeça, um momento histórico lindo e novo que ela, que era ainda criança quando Collor caiu, mas lembrava muito bem dos adolescentes saindo do colégio com as roupas pretas e as caras pintadas de verde e amarelo para ir às manifestações, abre os olhos, vê que a barca já está passando a Ilha Fiscal e quase atracando na outra margem da Baía de Guanabara, se levanta e se posiciona perto da porta para ser uma das primeiras a sair.

Quando chega à Praça XV, vê pessoas que também buscam esse momento lindo e novo, pessoas que vêm de todos os lados, da barca, do ônibus, do metrô, dos táxis, a pé, todos se dirigindo à avenida Presidente Vargas, com cartazes, vuvuzelas e cervejas, animados e alegres com o despertar do gigante, porque as coisas não podiam mais ficar assim como estavam, porque isso tudo que estava ali era muito errado e era preciso ser contra tudo isso que estava ali, e porque eram contra tudo isso que estava ali é que estão ali, e se é verdade que boa parte do rastilho de pólvora que tomava conta do país e impulsionava manifestações em cidades de todos os estados se devia ao aumento de vinte centavos nas passagens de ônibus e à violência da repressão policial, não era só pelos vinte centavos que o ato se daria, mas em nome de um novo país que será construído pelo povo, esse povo que chega em praças e ruas de todo o país naquele exato instante, assim como ela e aquele mar de gente que toma conta do Centro do Rio de Janeiro vindo de todos os cantos da cidade para mudar tudo aquilo que estava ali, porque conforme diziam quase todos os eventos nos quais ela tinha confirmado presença no Facebook, aquele dia ia ser maior, aquele dia ia ficar para a história, daqui a muitos anos lembraremos daquele dia, que foi o que ela disse para seus alunos em todas as turmas para as quais deu aula naquela semana e na semana anterior, dizendo com muita veemência que era fundamental que eles, que eram jovens, estivessem na rua naquele momento, pois quem sabe faz a hora, não espera acontecer, e quem não fosse iria se arrepender porque não poderia contar para os netos que tinha ajudado a construir um país melhor, com aquelas manifestações que ocorriam em todo o país.

Nos seiscentos metros de caminhada entre a Praça XV e a igreja da Candelária, ela percebe que não são apenas jovens que estão na rua para ajudar a construir um país melhor, mas também crianças, adultos e velhos, todos com uma curiosa alegria no rosto, alegres por estarem ali, alegres por fazerem algo importante juntos, uma alegria revolucionária, de quem está fazendo algo para mudar o estado das coisas, de quem está ali para fazer história, para fazer o Brasil mudar, e era exatamente isso que ela queria da vida, andar no meio da multidão, andar no meio da revolução, andar sozinha no meio de pessoas que carregam cartazes que dizem Quantas escolas valem um Maracanã?, Queremos cura para a fome, Dilma, chama a educação de Neymar e investe nela, Nós somos o futuro do Brasil, A consciência do povo daqui é o medo dos homens de lá, Não fujo à luta, mas não sou tua filha, Não é vandalismo, é revolta, É uma vergonha a passagem mais cara que a maconha, Odeio bala de borracha, joga um Halls, Revolução na sua mente, The snake is gonna smoke, Não deixe de protestar, Sai do CandyCrush e #vemprarua, O povo decidiu, queremos o melhor pro Brasil, Respeito aos direitos indígenas, pessoas que gritam palavras de ordem, que cantam em busca da mudança, em busca de um país melhor, um país que finalmente seria o país com que o povo sonhava, porque o povo unido e jamais vencido faria outra história acontecer, como deveria ter sido desde sempre naquela terra que tinha tudo para ser linda e próspera, que tem tudo para ser um ótimo lugar para todos que nela vivem, um lugar sem desigualdade social e alegre como quer a multidão que toma as ruas naquele dia.

───

  Encantada com aquela beleza toda, com aquele novo modo de fazer política, com a democracia direta daquelas pessoas todas na rua, daqueles dizeres todos, de todas aquelas cores, de toda aquela criatividade, daquela explosão genuína de resistência e revolta com a qual ela sempre sonhou, desde jovem, desde o movimento estudantil no colégio e na faculdade, desde que assumiu o cargo de docente em uma universidade federal e passou a dizer recorrentemente aos seus alunos e às suas alunas que não havia relação de oposição entre a academia e a militância, que não existia neutralidade no que quer que fosse, muito pelo contrário, que todo gesto era um gesto político e que era sempre em nome de um outro mundo possível que a pesquisa, o ensino e a extensão deveriam se dar e que era assim que ela colaboraria para a formação dos futuros profissionais, ela chega à Candelária, na ponta da Avenida Presidente Vargas, ponto de concentração do ato, e lá fica por alguns minutos, olhando em volta, admirando os papéis picados que caem das janelas dos prédios mais altos, as pessoas se encontrando, se abraçando, andando juntas, um ex-colega dos tempos de graduação com o qual tanto discutira, um liberal de carteirinha que agora vestia um terno cinza-chumbo e carregava uma pasta de couro, um grupo de cinco ou seis alunas de uma turma em que ela tinha sido especialmente veemente conclamando ao ato, o pessoal do sindicato dos professores, uns meninos muito novinhos com roupas escuras e panos no rosto, e começa a subir as quatro pistas de uma das maiores avenidas da cidade, a única capaz de receber tanta gente na região central, entusiasmada com os gritos, as danças e os beijos e atenta aos cartazes, O preço da luz é um roubo, Ou para a roubalheira ou paramos o Brasil, As pessoas vão ver que estão sendo roubadas!, Vamos pra rua, Estão roubando o doce das nossas crianças, Queremos kinder ovo a preço de R$1, Quero bolsa Louis Vuitton, Não teremos Copa porque o gigante acordou, Na Arábia Saudita os ladrões são amputados, no Brasil são deputados, Sai Dilma, o povo é o dono do Brasil.

Já no meio do trajeto, um pouco atrás e à esquerda de onde está, ela vê dez ou onze enormes bandeiras vermelhas tremulando uma ao lado da outra, as bandeiras que ela reconhece de tantas outras lutas, de tantas outras causas, bandeiras que já a fizeram gritar, chorar de tristeza e de alegria, brigar, virar voto, estar na rua por um ideal e sem ganhar nenhum real, crer que as coisas poderiam mudar e mudariam, bandeiras que lhe fazem lembrar de tantos amigos com os quais já havia ocupado as ruas desde o final da adolescência, que lhe fazem lembrar dos pais, das caminhadas em dia de eleição, dos primeiros votos, e das quais agora quer ficar perto ao menos um pouquinho naquele dia especial, que é o que faz ao seguir quase correndo em direção a elas, e quando entra no meio delas vê que estão cercadas por várias pessoas de preto que agressivamente gritam sem partido, que agressivamente gritam sem bandeira, que gritam que é para abaixar as bandeiras, que gritam que aquilo ali tinha acabado e que aquilo ali não iria mais tomar as pautas do povo, que agora era o povo e não os políticos que estavam no comando, que a mamata tinha acabado, que a roubalheira tinha acabado, que a corrupção tinha acabado, e quando uma dessas pessoas de preto mostra uma faca e ameaça uma das pessoas que segura o mastro de uma dessas bandeiras uma pequena correria começa e ela também corre, corre muito, corre sem entender o que estava acontecendo, que faca era aquela, quem eram aquelas pessoas e o que queriam ao ameaçar assim aquelas bandeiras que por tanto tempo foram seu norte na militância, a imagem mais precisa que ela tinha de um Brasil melhor.

Quando a confusão fica para trás, já quase perto da prefeitura municipal, o destino final da manifestação, mais de três quilômetros acima de onde o ato começou, a representação de todo o poder arcaico do estado, de tudo o que estava errado, de tudo o que impedia o povo de governar a si mesmo por si mesmo, onde a manifestação deve terminar para deixar clara a insatisfação e a urgência da mudança, ainda assustada, ofegante e com o coração aos pulos, ela para de correr, e andando em direção à prefeitura ela vê que há uma fileira de policiais cercando o prédio, policiais com escudos enormes e armas em punho, policiais que fazem com que boa parte das pessoas estanque a caminhada, o que vai deixando a todos cada vez mais acavalados uns nos outros, mais apertados, e é nesse momento de aperto que a primeira bomba de gás lacrimogêneo estoura, fazendo com que ela sinta o cheiro estranho, a irritação na pele e nos olhos e a dificuldade grande de respirar que nunca antes tinha sentido, ela que nunca morou em favelas, que sempre foi de classe média, e que agora é atacada pela polícia pela primeira vez na vida, e tenta andar lentamente, se localizando pelo toque no ombro da moça à sua frente, e depois de colocar na camiseta azul-clara do Baader-Meinhof o vinagre oferecido pelo rapaz ao seu lado e colocá-la sobre o rosto, ouve várias pessoas gritarem que não é para correr, e ela não corre e também grita que não é para correr, mesmo com muita vontade de correr, assustada com um estouro da boiada que pode ser catastrófico, com medo de que as pessoas se atropelem, pisem umas nas outras, se matem no desespero de escapar do ataque da polícia, e tenta se afastar aos poucos das bombas que agora explodem sem parar às suas costas, e nesse impulso dá de frente com um grupo de pessoas que grita que não é para voltar, que não é assim que se faz revolução, que o povo unido é mais forte que a polícia e que o estado, que eles eram uns medrosos por estarem voltando, que se todos encarassem a bronca juntos a polícia iria correr e eles poderiam tomar a prefeitura e decretar vitória, que era esse o objetivo do ato, que tem muita gente e que não podem desistir agora, ela se esquiva de uma dessas pessoas que tenta segurá-la pelo braço e segue andando de volta, enxergando muito pouco, as lágrimas escorrendo copiosamente, até que consegue sair do tumulto e acelerar o passo em direção à Candelária, deixando a prefeitura, as bombas e as pessoas que querem invadir a prefeitura para trás.

Mesmo sem ar e com lágrimas nos olhos, diz meio atabalhoadamente para algumas pessoas que vêm em sentido contrário que lá na prefeitura a situação tá foda, que tem muita polícia, muita bomba, que é melhor não ir, que é melhor voltar, que com certeza vai dar tumulto, tumulto grande, mas elas não lhe dão ouvidos e seguem andando felizes, excitadas e animadas, pois estão na rua alegres por fazerem algo importante e não é uma desconhecida qualquer que as fará parar, porque a causa é grande, porque a causa é múltipla, porque a causa é um Brasil melhor, um Brasil melhor em que caibam os cartazes que ela vê muito rapidamente nesse retorno apressado, Como tem mulher bonita nessa manifestação e Intervenção militar já, e quando chega à praça da Candelária se dá conta de que não tinha passado pelas enormes bandeiras vermelhas que estavam ali há pouquíssimo tempo, atacadas por aquelas pessoas que ela não sabe quem são, atacadas por aquelas pessoas que ela não sabe onde estão, só o que sabe é que é hora de ir embora o mais rápido possível e do jeito que for.

Entra no último táxi parado ao lado da igreja, indica o destino ao motorista, joga o corpo no banco traseiro, tremendo, e quando o táxi avança pelo aterro do Flamengo o motorista diz que trabalha no Centro da cidade há mais de quinze anos e nunca viu algo assim, nunca viu tanta gente junta, que era impressionante a quantidade de pessoas que estavam por ali, que não sabe como aquelas pessoas iriam voltar pra casa, porque não teria metrô que desse conta, que não teria ônibus que desse conta, táxi que desse conta, que as pessoas demorariam pra conseguir voltar, que era que nem no Maracanã, que era que nem no réveillon de Copacabana, que era que nem no Rock in Rio, e ela fica silenciosa, escutando o que o taxista tem a dizer e vendo passar o Monumento aos Pracinhas, a Cinelândia, a entrada para a Lapa, os jardins projetados pelo Burle Marx, aquela parte da cidade em que aquele parece um dia normal, em que parece que não há nada extraordinário acontecendo, porque o trânsito flui e tem gente jogando bola nos campos de grama sintética, gente passeando com os cachorros, gente namorando, gente embalando crianças nos balanços, gente fazendo aquilo que faz todo santo dia, que é o que ela avista nos quinze ou vinte minutos que o táxi leva até o bairro de Botafogo, quinze ou vinte minutos em que ela não para de tremer.

A televisão ligada no Aurora, bar centenário a duas quadras da sua casa, mostra a Avenida Presidente Vargas filmada de um helicóptero, e a cena da rua que há pouco viu repleta de gente e agora aparece deserta faz ela se preocupar com o que pode estar acontecendo com aquelas centenas de milhares de pessoas que estavam lá há pouco, alunas e alunos, colegas, amigos, desconhecidos que manifestavam alegremente o desejo de um Brasil melhor, e se pergunta se todas conseguiram sair ou estão emboscadas pela polícia nas ruas estreitas, antigas e escuras do Centro da cidade, sentindo os efeitos das bombas de gás lacrimogêneo, tomando tiros de bala de borracha, escondidas em bares da Lapa, impedidas de voltar para casa, que é o mais provável que esteja acontecendo, a recorrência e o aumento da repressão policial, que é exatamente o que alguém na mesa ao lado diz enquanto todos os clientes e garçons mantêm os olhos grudados na televisão que reveza imagens das manifestações no Brasil todo e agora mostra o prédio do Congresso Nacional em chamas em Brasília, tomado por manifestantes que fazem sombra no concreto armado projetado por Oscar Niemeyer, e um dos clientes em outra mesa diz que nada pode ser mais emblemático do que aquilo, a sombra do povo no centro do poder, que aqueles ladrões iam ver, e ela concorda, nada pode ser mais emblemático do que aquilo, mas não sabe se aquilo é bom ou é ruim, não sabe o que acontecerá a partir daquilo, não sabe se aquilo é um bom ou mau indício, e em tom de promessa feita para si mesma, pensa que mesmo que as coisas piorem, mesmo que aquilo desemboque em algo terrível, mesmo que a partir dali o Brasil retorne novamente às trevas que se repetem recorrentemente em sua história, as feridas jamais cicatrizadas do Brasil não passarão em vão, o genocídio do povo indígena não passará em vão, a escravidão não passará em vão, os vinte e um anos de ditadura não passarão em vão, porque lembra da professora que foi torturada, das alunas feministas, da bisavó escrava, dos loucos nos manicômios, dos assassinatos de gays e travestis, da chacina da Candelária, da chacina do Carandiru, da chacina de Eldorado dos Carajás, das tantas mães que choram os filhos mortos pela polícia nas favelas, e lembrando de tudo isso pensa que aconteça o que acontecer haverá luta, que sempre haverá luta, e que mesmo se o medo for grande, e poderá ser grande como foi hoje, talvez até maior, e que as ruas às vezes sejam ocupadas por forças mais violentas e mais fascistas do que hoje, ela estará lá tantas vezes quantas for preciso para que as coisas sejam finalmente diferentes do que sempre foram, e que um dia, mesmo que demore, serão.

VELHA HARTZ
LUISA GEISLER

o pai disse pro mano nem falar das eleições
as eleições deixam ele puto

A Mãe está calada, o que me preocupa. A Mãe sempre fala.

O Pai estala os lábios, resmunga qualquer coisa.
Este foi o primeiro ano em que o Pai comprou um carro do ano, carro cheirando a novo, 2014. É a primeira vez que vou a um funeral também e já sei que não gosto. Não fui e não gostei. Cheiro de novo aqui dentro.
O sapato me aperta no tornozelo, o terno deixa meu corpo mais deformado do que já é. A Carolzinha tem sorte, pode usar um vestido. Apesar de que com doze anos, ela já começa a se amulherar, ganha curvas e não sabe bem o que fazer com elas. Olha para os carros todos. Sons de buzinas.
Demos uma carona para a Sílvia, que nos esperou num ponto de ônibus no caminho. Os cachos volumosos, em geral em rabo de cavalo, hoje presos num coque apertado cheio de grampos.
Isso foi antes do engarrafamento.
Agora somos cinco no Chevrolet Onix do Pai.

Mas que caralho. O Pai diz. Por que você pergunta essas coisas? Não é hora de falar dessas merdas. E o apelido é de extremo mau gosto. Nunca vi uma garota tão obcecada com coisa mórbida. O Pai diz. Porra. Carolina.

Observações nossas sobre gás lacrimogêneo: suponha-se mexer em comida apimentada e coçar os olhos; a sensação de ficar ao sol por três horas seguidas e, na quarta hora, sentir a pele ressecar; o nariz, os olhos, a boca, a pele. Ranho. O ranho que tem que assoar e não sabe como. E aquele líquido tem que sair e ar tem que entrar. O ar que queima enche o pulmão até a última ramificação. E aquele ar tem que sair. Mas o mesmo ar entra. Os olhos e a pimenta. Os olhos fecham. Dentro de um bando, como enxergar para onde ir? A náusea. Porque aquele cheiro-gosto desce ardendo e atinge o estômago. Com sorte, fechou-se a boca. Com sorte, não se tem um lábio rachado, feridas. O gás adere. E fede e dá náusea e coçar os olhos é puro arrependimento. Um formigamento fica. Fede-se a protesto por dias. O sabonete também gruda nessa camada. Isso se junta e se repete. Rápido. John Yok-sing nos avisou. Por isso o guarda-chuva, as máscaras e os óculos.

Olho pra Carol.

— Tu já sabe disso — digo. — Sempre foi Velha Louca Hartz. A gente se mudou faz pouco, já me falaram dela assim, ou Louca Velha Hartz. Quem inventou foi o Buiú. Nunca gostei, não.

Fico em silêncio. Talvez alguém me corrija. Não.

— Velha doida do caralho — digo. — Sério mesmo, era doida. Esquizofrênica, psicótica. Ela disse que ia se casar com a Empire State Building. Tô falando sério, ela conversava com o negócio. Tinha vergonha, mas andava com um broche pra cima e pra baixo. Tinha umas miniaturas, modelos do negócio, coisa cara que vale até a pena ver se os filhos não dão umas.

Eu paro. Não sei se me ouvem. Não sei nem por que falo, mas:
— Visitava todo ano o lugar.
Ninguém questiona, mas insisto como se:
— O Braitner ficava na casa dela! Ele dizia que ela falava pra ele que ia casar com o negócio. Não *no* negócio, o marido já tinha morrido na época. Ela *mostrou uma foto pra ele*. Lambendo o edifício.
Insisto como se:
— Não, eu nunca vi. Mas ele me disse isso, que na foto, ela com um sorrisão abraçando o negócio. Se entrar na casa dela agora e procurar bem, tem uma foto dela lambendo a Empire State Building. Dormia abraçada numa miniatura da Empire State Building.
— Aposto que enfia lá onde o sol não brilha — digo.
— Pode perguntar pra Mãe — digo.
— Perguntar pra qualquer um — digo.
Como se alguém ouvisse:
— Liga pro Braitner. Ele confirma isso aí.

---

não vou falar nada porque né
eu acho que é só porque o mano assiste muito chaves aí viu que tem uma bruxa do 71 e quis
imitar
nem vou falar que né
ele gosta de inventar apelidos que não fazem sentido pra ninguém sabe
insistir até pegar
o foca, o dando, o braitner, o sorininho.
ele fala que foi o buiú, mas todo mundo sabe que não foi o buiú
ah. pronto
que é que buiú vai inventar apelido agora o mano só disse isso porque o pai tá puto
hoje penso que uma bruxa do 71 seria a bruxa do 7x1, né
sete a um

que ano esquisito
esse.
mas que que eu vou falar

 O Pai diz. E que merda é esta agora? É a Copa? Mas já não aprenderam? Já não acabou isso daí. Não passou? Não estouraram aquela merda daquele inflável? Lá. Lá. No. No Mercado Público? Na praça? Sabe que as pessoas só protestam na calçada nos Estados Unidos? O Pai diz. Pra não atrapalhar. E o caralho a quatro. É civilizado. Sabe? Aqui. Por exemplo. Pode ter um pai a caminho do hospital aqui. Indo visitar o filho. Uma grávida. E gritaria na rua.

 Ao fundo, buzinas e o Pai reclamando. A Sílvia elogiando o vestido da Carolzinha. Carolzinha reclama de ter que acordar cedo num sábado. O cheiro de carro novo começa a apertar meu estômago.
 Não lembro quantos anos eu tinha. Uns seis? Era a primeira vez que o Dudu jogava com a gente. Corria, quase dançava, pelo piso de lajota. O Dudu jogava bola com uns garotos mais velhos em geral. Não naquele dia. Eu ficava no gol, o Braitner era zagueiro e o Sorininho não sei bem o que fazia. Eu ficava no gol pra não precisar correr. Eu era gordo. Dudu era magro. O Dudu era um desses tipos ágeis. Sempre desviando, gostava (e gosta) de obstáculos, corridas. Ele não estava longe, mas não estava perto.
 O carro se mexe um pouco, eu acho.
 A camiseta do Dudu era do Romário. Quando o Romário jogou na seleção brasileira? A gente acreditava no nosso potencial. Naquele ano, Dudu tinha sido aceito numa categoria de base do Grêmio, acho que a primeira que não era escolinha de verdade. Eu não lembro direito. O Dudu era mais velho, usava camiseta do Romário. Dudu nunca brincava com a gente, em especial comigo perto.

Quando a bola caiu no jardim da dona Conceição Hartz, quando era o momento de brilhar, a hora dela, ela só pegou no jardim. Segurou a bola com as duas mãos, atenta como se fosse posicionar no chão de volta para chutar um pênalti. Ela olhou para os lados. Voltou pra dentro.

Corremos atrás. Batemos na porta.

— Não vi nada, não.

Braitner começou a xingar. Velha desgraçada. Começou a dizer que tinha que ser a Velha Hartz, tentou rir.

O Dudu nunca mais jogou com a gente.

A Mãe alterna entre mexer no celular e olhar pro retrovisor do carro. Como se a gente estivesse em algum tipo de perseguição em alta velocidade, e não parados.

Esse terno me deixa um Jack White vagabundo, tipo aquelas mochilas que vendem no Centro, que diz SONIC, mas é uma ilustração de um Pikachu falsificado com uma camiseta do Neymar. Não que agora vão vender alguma camiseta do Neymar. Mas é essa minha aparência no momento. Eu sou o Jack White de terno, só que a versão Sonic-Pikachu-falsificado com a camiseta do Neymar. E é assim que eu me sinto no momento.

---

ai porque carolzinha isso e pipipi
e popopó
e pipipi
carolzinha
até parece que eu que sou inha

O Pai diz. É coisa de uns merda que não têm emprego. Eu acho. Ninguém protesta fora do horário comercial. Só querem ficar na cerveja e na mania de minoria. Que vão fazer um abaixo-assinado. Que elejam quem querem então. Sei lá. Vão lotar a internet. Brasileiro é assim. Não dá pra querer ser levado a sério assim. Tudo tão perdido. O Pai diz. Ah. O 3G tá protestando também? Olha no teu celular se o viaduto perto da casa do Freitas tá melhor.

Talvez seja difícil imaginar o maior shopping dos Estados Unidos. Mais ainda, talvez seja difícil imaginar duzentos e sessenta mil metros quadrados com todos os mil e quinhentos de nós. Talvez seja mais difícil imaginar porque era o fim de semana antes do natal, notoriamente o mais cheio do ano. Talvez até fosse mais fácil exibir uma frase no telão e prender vinte e cinco pessoas. Talvez não estivesse acontecendo se um policial não tivesse atirado em um adolescente por ser suspeito. Talvez ele não fosse suspeito se não fosse negro. Talvez tudo isso fosse desnecessário se as pessoas conseguissem respirar.

— Sabe, Carolzinha — eu disse pra ela, do meu lado —, eu aprendi a dormir num veículo em movimento já no Ensino Fundamental. Mais nova que tu. Uma criança que pega o ônibus tão longe daqui não aguenta a viagem de mais de hora no colo da mãe. Lá pelo sexto ano, eu era especialista, até sem a minha mãe. Ao mesmo tempo, comecei a fazer tudo desse jeito e, no sétimo, aprendi a cuidar sozinha do meu pai. Quando fui pro Médio, reaprendi a dormir no ônibus, no trem e no ônibus. O difícil não é adormecer, mas acordar na hora certa. Mas agora com essas buzinas ninguém consegue dormir.

A Mãe sorri sozinha, baixa os olhos e balança a cabeça.

E isso é só aqui nesta caralha de país. Me ouviu? O Pai diz. Esse chorume de comunismo. As filhas da Solange voltaram do intercâmbio faz pouco. O Pai diz. Nenhuma reclamação. Só paz. De protesto. De nada. Ele é interrompido. Oi? Ele segue. Design. É. Na França. Não. Não. Imagina. Elas foram com o Ciência Sem Fronteiras. Que programa. Mas tudo de bom desse governo é herança do Fernando Henrique. Não te ilude não.

---

credo

Sabe, Carolzinha, foi minha mãe que me colocou a trabalhar com dona Conceição. E foi dona Conceição quem insistiu que eu parasse de estudar.
Quem não trabalha acaba velho, cheio de filho e sem dinheiro que nem eu. Ela disse.
Tem que trabalhar, ela dizia, Carolzinha. Eu fazia aula de manhã, mas dona Conceição insistiu pra trabalhar de manhã também. Mas tá tudo bem porque eu faço aula de noite agora. Fico meio cansada, mas tá tudo bem. Tá tudo bem.

---

ninguém consegue
parar de falar
eu parar de ouvir
mano pai mano pai
deus me acuda
eu devia falar alguma coisa

E não fala merda aí, meu filho. O marido dela sumiu na ditadura. Não esquece esse detalhe. Não falam muito disso. O Pai diz. Voltou uns dias depois. Sem falar coisa com coisa. Nunca se resolveu muito bem, se me perguntar. O Pai diz. A dona Conceição nunca se entendeu bem com a ditadura. Governo. Autoridade no geral. Pode acreditar. Acho que muito de quem ela é hoje é por causa disso. Ditadura não faz bem pra cabeça da pessoa. A velha bebia que era um Opala 4.0 a vinho. Quando ela tirava o lixo, dava pra ouvir as garrafas batendo no saco. O Pai diz. Quando chegava do mercado, andava em ziguezague. As sacolas tudo batendo. Eu via, todo mundo via. Uma vez foi tirar o lixo e quase caiu dura. Acharam que tinha tido um treco.

---

velha hartz
que apelido de merda
mano

Ao fundo da repórter, nós corremos, nós chamamos a atenção, uma espécie de cartaz pega fogo, o fedor de gás lacrimogêneo ainda enche o ar. Ela revisa o roteiro, o nome da rua, o horário de chegada dos policiais que dispersaram os manifestantes, a pronúncia do nome do presidente. Nicolás, não Nicolas. Para em frente à câmera e sorri. O câmera ia começar a gravar quando ela ouve um grito em espanhol e dois tiros.

Olha, eu não sei tanto assim. Ela dormia muito quando eu ia. Falava sempre meio com sono, estava sempre meio cansada. Não dava trabalho nem nada.

Eu me lembro de uma vez que entrei no ônibus e vi o adesivo com a nova tarifa: R$ 3,05. Achei um número chutado. Se eu pagasse em dinheiro, iam me dar 95 centavos de troco? Quem tem tanta moeda assim? Ônibus agora virou porta de igreja? Bom, não era disso que eu tava falando... Quando reclamei do preço da passagem de ônibus pra dona Conceição, ela disse:
Se eu der dez pra ida e pra volta, dá?

---

falar alguma coisa
eu devia
falar

Disse bem assim.
Ela era generosa, eu acho, só não sabia organizar as coisas direito. Ela me pagava mais do que eu precisava, mas já quis negociar no mercadinho o preço do detergente, com o moleque do caixa. Como se o moleque do caixa mandasse no preço... Ela não gostava dele, disse que era pivete da vizinhança, que não valia nada. Ela xingava que *ele* xingava muito. E aí meio que pagava o quanto queria pra quem queria. O dinheiro não fazia sentido pra ela, acho.

---

quem é que paga o funeral
e esse?

Só no Brasil a merda da 3G é mais lenta que o trânsito. O Pai mexe no celular.

A Mãe dobra o pescoço para o lado, um craque de estalo. Paramos.

— Vem cá, falando tanto de beber... — ela baixa a cabeça e interrompe a frase. Ficamos em silêncio.

Juan Pablo nos disse que estaria em casa às oito. Nós estaríamos até no máximo às oito. Eram só 19h50. Se precisasse, Teresa sabia que o padrasto iria atrás. O filho do vizinho também nos acompanhou. Eu e o vizinho fomos. Essas crianças inventam cada uma. Vamos ficar todos bem. Teresa sabe que Guadalupe protege.

Pra lidar com as coisas do jeito que estão, só bebendo.

— Agora tu pega o telefone e liga pro Braitner — digo. — Ele vai confirmar a história da torre. Tô te falando.

Pega a Ásia. Tanta gente com trabalho escravo. O Pai diz. Não-sei-o-quê. Tem protesto? Não. Porque tem que trabalhar. A Ásia é outro país civilizado. Deviam deixar isso de lado. Vai pegar mal pra nação. Só no Brasil é essa baderna.

---

olha aquela pichação que bonita
mais amor por favor
brega sim
mas
mais amor por favor

por favor
esses poemas que são só
uns enter
acho que vi isso num livro uma vez

— O que eu quero dizer é — a Mãe diz. Ela termina um raciocínio que não começou.
— Quero ver vocês quererem fazer outra coisa além de dormir aos noventa e três anos — a Mãe diz. — Dona Conceição tinha problema psiquiátrico, e aí o marido morreu. Os filhos brigaram porque queriam internar, mas ela não queria. Não visitavam nem no natal, só brigavam. Foi só isso. Sem essa conversa de ditadura. Transtorno Obsessivo Compulsivo é genético. Você sabe quanto de remédio ela tomava? Acho uma crueldade sem tamanho quando a pessoa toma medicação psiquiátrica, fala enrolado, fica cansada. Vocês ficam achando que bebe. Vai ver tomou um relaxante muscular, pelo amor de Deus.

---

será que faziam lobotomia no tempo da velha hartz?

— Eu às vezes pegava uns panfletos no ônibus e, quando chegava na casa, se ela via, era uma carranca feia, né? Se falava comigo nesses dias, as palavras tinham que desviar do beiço. Mas de qualquer jeito, ela não falava muito, não. Nem disso nem de nada, porque nunca falava muito — ajeito minha saia, que já está um pouco amassada por conta de ficar sentada tanto tempo. — Ela era na dela, sempre foi. Sim, cinco anos lá e nunca vi, não.

Ficamos em silêncio por uns dez minutos. Um ambulante passa entre os carros gritando que vende água, bandeiras do Brasil, bandeiras de partidos, bichinhos de pelúcia da Copa e panos de prato.

— Aliás, nossa presidente não é uma grande oradora, e ninguém fala que bebe, né? — a Mãe diz. — É presidente... ou presidenta? Presidenta? Que fim levou essa conversa?

Tinha que sacar dinheiro para carregar o cartão antes de fechar o horário comercial. Mas as multidões na frente da vitrine do banco ocupavam toda a calçada (será que roubaram as máquinas ou o banco levou (por segurança)?). Atravessei para o outro lado da rua e encarei alguns funcionários (já não tinham arrumado isso?). Um homem (de terno preto demais para o calor da tarde) parou do meu lado.

Sabe que esse banco teve lucro recorde no primeiro semestre? (ele disse). Dez bilhões (quem sabe o lucro assim?). Um quarto disso é só o juro do cartão de crédito (quem sabe isso de cor?). E patrocina violência, abuso. Patrocina qualquer candidato com chance de ganhar. Manda mais que muito político. Me diz se não dá nem um pouquinho de vontade de quebrar mais esse vidro.

---

o pai puto com a copa
o pai puto com as eleições
o pai puto com os protestos
como se 2014 fosse um ano que só existisse pra emputecer o pai bom
pra emputecer todo mundo
o tempo inteiro
pra emputecer todo mundo além de 2014

Como que é a música nova do Jack White mesmo?

A Mãe remexe na bolsa e pega um chiclete. Não oferece. Segue falando:

— Quanta bobagem, quanta história falsa, quanta maldade de vocês. Não sei qual a vantagem de ficar inventando coisa sobre a mulher. Você, Sílvia, só porque perdeu uma boquinha. Pelo amor de Deus. Parece que gostam de enganar os outros. Parece que gostam de fazer o outro pensar na história errada. Vocês nem ganham nada com isso. E saem mentindo, inventando. Se pudessem, imprimiam história falsa e distribuíam embaixo de cada porta na cidade toda, no mundo todo. A gente sabe a verdade.

---

nem vou brigar mas né
mas velho não dorme
todo mundo sabe
só com remédio.

Na semana anterior, as lojas do Centro da capital que permaneceram abertas foram assaltadas, "vandalizadas". A cidade então ia parar de qualquer forma. E, quando Porto Alegre para, para toda a região metropolitana. Trava tudo: a BR-116, os trens, todo o trânsito. Os protestos se somam. Em vez de sair, as pessoas prefeririam ficar quietas, esperando até que as coisas voltassem ao normal. Mas a cidade vai parar, nós dissemos.

— A verdade é frustrante e pronto. Parem — a Mãe enfia um chiclete na boca e para de falar.

eu nem conheço essa mulher que agora é um cadáver
como falam
por que eu tenho que ir
tenho que ir porque meus pais têm que ir
todo mundo tem que ir
cada um ver um cadáver
cada ver
sei lá
como falam mesmo

Mas que merda. O Pai diz. Oi? Tá melhor por lá? A gente pega a entrada ali. Então. Não, não, a gente vai rapidinho pelo acostamento.

Nós vemos o pai segurar você no próprio peito e falar para acenar para a câmera. Você quer ir embora. Toda em amarelo, ela sorri. Uma pessoa do lado dela veste amarelo. Você quer muito ir embora porque gritam. Nós. Um menino da sua idade passa com uma bandeira listrada em amarelo e vermelho nas costas. Muita gente carrega aquela imagem. Naquele momento parece a capa do Capitão América de cores erradas. Teve um filme do Capitão América. Você aprenderá um dia que é a bandeira da Catalunha. Você quer ir embora, porque o Capitão América só vem quando um acidente vai acontecer.

---

não pode tudo ser
verdade? sabe
uma história complementando a outra

Sabe, Carolzinha, dona Conceição nunca deixou muita louça. Mais varrer, lavar e passar roupa e limpar a coleção de estátuas e miniaturas da torrezinha. As torres nunca ficavam muito sujas. E eram muitas mesmo, banheiro, cozinha, mesinha de cabeceira do lado da cama. Eu deixava um ou dois pratos prontos que ela congelava e descongelava. Custava um pouco tirar o pó do tanto de fotografia, é filho, é marido, é neto, sei lá.

É que não dá pra deixar assim. Essa porra toda. Brasil é assim. Vai ser isso o ano todo.

não
não pode

como se
comoce
comece
parece que não morreu
mas *está morrendo.*
começa a morrer hoje mas vai definhar cada vez mais
um cadáver deixado na rua
um cadáver baleado já
já
já em mau estado
já fedendo
já
velado e *morrendo* em gerúndio

O Pai liga o rádio. Nada supera a Gaúcha. O Pai diz. Ô merda. Notícias sobre o protesto? Não. Fala do trânsito. Animal. Por que que o Paulo Sant'anna tá falando? Mas que caralho. O Pai desliga o rádio.

Com o pouco movimento do carro e o grande movimento do movimento, com os sons e cheiros de movimentação movimentada, já se vê um pouco de movimento na rua. A Sílvia me olha. Pela primeira vez me olha.
— Nossa, a senhora me desculpe — ela olha para a rua. — Esqueci do meu lugar.

— O Buiú era foda — começo a rir. — Pior que os palavrão, jogava pedra na janela da mulher.

---

que ano esquisito
esse.

Nota da autora: trechos deste conto foram originalmente publicados no jornal Estado de S. Paulo em outro contexto, sob o título "Isso o ano todo", em 27 de dezembro de 2014.

EM NOME DO PAÍS
RODRIGO ALFONSO FIGUEIRA

O vozerio começou a se agrandar quando um sujeito tomou o microfone e falou sobre os que não conseguiriam a sua aposentadoria. Falava em nome do país. Alírio, ouvindo no meio da multidão o discurso do sujeito, ergueu o braço.

— Agora eu conto dos meus comprimidos — disse Alírio para si mesmo, despertando a atenção do homem sentado do seu lado, que passou a notá-lo.

— Não me dão mais meus comprimidos no posto do Passo do Príncipe — completou Alírio. Seu braço se perdia na montoeira de gente. A manga da camisa desbotada escorria pelo pulso magro e enrugado. O vizinho de banco mal ouvia a sua voz, diluída no meio da gritaria dos dois grupos que discutiam. Imaginou que esperasse uma resposta para sua fala solitária.

— E por quê? — perguntou o homem.

Alírio inclinou-se.

— Senhor?

— Por que não lhe dão os remédios?

O braço de Alírio parecia um tronco velho, pronto para abraçar-se com o chão.

— Não explicam as coisas pra gente velha, seu.

Calou por um instante, parecendo morder algo dentro da boca. Algo grande.

— Dizem que é coisa do governo e mandam a gente embora.

Os grupos, em extremos opostos, acusavam-se ao mesmo tempo. Todos queriam a palavra, pois pareciam merecê-la.

— E como o senhor faz pra ter os remédios? — tornou a perguntar o homem.

— Senhor?
O homem ergueu a voz.
— Os remédios. Como o senhor faz pra comprar?
— Trabalho no campo do seu Malafaia.
— Trabalha com o quê?
— Camperando, seu.
O homem observou o rosto de Alírio por um instante. Fez um par de contas. Ficou imaginando aquele corpo sobre o lombo de um cavalo.
— O senhor não acha que deveria parar?
Alírio abaixou o braço, ignorado pelos dois grupos que agora discutiam suas posições sobre a tese econômica do sujeito ao microfone.
— Sim, senhor. Mas a coisa não está fácil, né, seu?
O homem concordava. Ficou calado. Alírio se mexeu na cadeira, tentando olhar por cima dos ombros de quem estava à sua frente.
— Mas se aqui me ajudarem com os comprimidos... até posso parar.
Houve uma gritaria geral. O sujeito que falava ao microfone foi aplaudido por alguns. O bando contrário a ele o chamava de corrupto. Um tipo sentado ao lado de Alírio levantou gritando: canalhas.
Muitos se ergueram. Um grupo passou a entoar canalhas em coro. Outro, corruptos. Intercalavam-se. Um zumbido dominava o ambiente como se fosse o chiado de um rádio.
— O senhor vem de onde?
Alírio, com o braço erguido mais uma vez, inclinou a cabeça em direção ao homem, sem o olhar.
— Senhor?
— Onde o senhor mora?
— No Castro Alves, passando o Prado.
— Vem de longe.
— É um pedaço, seu.
Um sujeito grisalho tomou o microfone e iniciou um discurso feroz contra o grupo oposto ao seu. Falava sobre o uso de dinheiro público. Sobre direitos. Sobre a Constituição. Alírio, com o braço erguido, retomou a conversa com o homem.
— O senhor pode me dizer as horas?

O homem respondeu. Nove e pico. Alírio torceu a cara amassada, resignado.

— Daqui a pouco passa o último ônibus pro Prado.

Enquanto o sujeito grisalho, em nome do país, falava sobre moralização, um jovem correu até ele e tentou lhe tomar o microfone. Na plateia, alguns vibraram. Outros se ergueram novamente. Os gritos se mantinham: canalhas de um lado e corruptos de outro. Uma garrafa d'água explodiu no chão. Alírio ergueu o braço ainda mais alto. Dava a impressão de falar sozinho.

— Só preciso que me ajudem com os comprimidos.

O homem pôs-se a observá-lo com mais atenção. As pernas finas tremiam levemente dentro da bombacha puída. O braço permanecia erguido, como se assim pudesse controlar a baderna. A camisa se mostrava ainda mais larga e o corpo mais frágil. Pensou no campo do tal Malafaia e novamente imaginou Alírio sobre um cavalo. O horizonte era largo. Campo e gado se misturavam. Fazia uma friagem bárbara.

— Hein, seu?

O homem retornou, fitando o rosto de Alírio, que o encarava meio de esguelha.

— Desculpe, o senhor dizia...

— Se falarem que vão dar comprimidos, o senhor pega umas caixas desse pra mim?

Entregou ao homem um pedaço de papel, marcado por dobras. Nele, um nome, escrito com letra desenhada. Um desenho ingênuo, mais parecendo um desenho de criança.

— Pego. Mas...

O homem lançou nova mirada sobre Alírio. Seus olhos eram baixos. Quilos de tempo pesavam sobre eles. Um brilho apagado se mantinha naquela profundeza.

— Mas o senhor acha que aqui lhe darão os seus remédios?

Alírio pareceu não entender a pergunta. Virou-se para o ambiente. Dois jovens agora revezavam-se no microfone pedindo a liberdade de alguém.

— Acho que sim. Não me dão mais lá no posto do Passo do Príncipe.

O homem agarrou o papel. Pensou em perguntar o endereço de Alírio. Desistiu. No entorno, havia uma mistura de cores, vozes e falas. Os corruptos embrenhados com os canalhas. Alguns se empurravam. O microfone havia sido derrubado. Uma bandeira do Brasil surgiu em meio ao retoço. Um sujeito qualquer passou correndo pelo costado de Alírio gritando que iria salvar o país.

— O senhor me faz esse favor?

O homem olhou novamente para o papel. Um zumbido cruzou o ambiente de fora a fora.

— Faço.

O velho rosto pintou um sorriso. Discreto.

— Deus lhe pague, seu.

Disse isso e levantou-se. Com dificuldade, desviou dos que estavam sentados e caminhou direito à rua. Alguém catou o microfone do chão e berrou que só entregaria o país aos canalhas se estivesse morto. Parte do grupo oposto lhe fazia sinais com as mãos. Todos discutiam. Todos se acusavam. Tudo em nome do país.

Com o papel preso na mão, o homem se virou para trás. Em meio ao tumulto, ainda conseguiu ver a silhueta curvada de Alírio se dirigindo para a rua. Arrastava levemente uma das pernas, mas mesmo assim caminhava com pressa. Dali a pouco passaria o último ônibus para o Prado.

SOLUÇOS
RAFAEL
BASSI

Nossa família é de silêncios. Sempre me recordo dos nossos jantares, era sempre melhor ficar calado; se isso não fosse possível, comentávamos banalidades como: "viu o golaço que o Pelé fez?" ou "Falei com a vó hoje, está tudo bem com eles, o vô deu uma melhorada da gripe". Era 3 de março de 1971. Eu tinha nove anos, me interessava ou por Pelé ou por passar as férias na casa da Vó.

O Pai nunca foi de falar durante as refeições, mas naquele dia parecia apreensivo. Mamãe, que era sempre dada a um carinho lacônico, colocando sua mão em cima da minha de maneira tão discreta que ninguém notava, naquele momento permanecia imóvel olhando para o prato de comida.

Eu não entendia nada, e fiquei observando tudo acontecer ao redor. A falta de meus irmãos mais velhos, João Carlos e Clara, já se tornara habitual em nossos jantares. Havia pouco mais de dois anos que nos mudáramos do interior para a capital, e a ausência dos dois era muito frequente desde então. Eu não dava mais bola para isso.

O Pai tinha satisfação em falar para nossos vizinhos que decidira sair do interior porque não queria que seus filhos passassem pelo que ele havia passado. Queria que estudássemos, que nos tornássemos alguém, como ele costumava dizer. Isso não o impediu de ficar ralhando com João Carlos por ter iniciado o curso de Letras, e também com Clara, que ainda estava no segundo grau e ficava dizendo que faria Filosofia. A escolha de ambos era algo que o deixava nervoso; não aceitava que pensassem diferente dele. Eu estava muito tranquilo. Por fim, sempre jogava futebol comigo; e, enquanto chutava uma bola ou outra — eu gostava de jogar no gol —, ele me dizia o que achava, o que era certo e o que era errado — sempre as suas concepções de certo e errado.

Naquela madrugada, os gritos de minha mãe me acordaram. Primeiro, fiquei tão assustado que preferi tapar toda a cabeça com o meu lençol. Aqueles momentos tão pequenos que sucedem o despertar me deixam atordoado, mas naquele dia o susto produziu sensações estranhas e eu apenas me concentrei no que estava acontecendo na sala.

Nós éramos uma família sem muitos recursos, por isso, sempre que necessário, utilizávamos o telefone de uma família que morava ao lado. Entre os gritos de mamãe, pude perceber a presença da nossa vizinha. Ela tentava dar, ao que parecia, um copo d'água para minha mãe. Eu não conseguia me movimentar para fora da cama. Quando o fiz, a passos bastante cuidadosos, saí e espreitei o que ocorria pela porta do corredor que dava para a sala.

Vi meu pai com suas mãos carcomidas pelo trabalho escorar a cabeça e chorar. Minha mãe soluçava, sentada no chão, sendo abraçada pela nossa vizinha.

— Não, a minha Clara não! — gritava a mãe. De todo o seu rosto emergia um misto de coriza, suor e lágrimas.

Eu nunca havia visto meu pai chorar daquele jeito. Eu comecei a chorar sem entender por quê.

Não saí do corredor, entretanto.

Na manhã do dia 5, João Carlos chegou em uma viatura na nossa casa. Ao tirarem-no da parte de trás do furgão, pude notar que ele estava machucado, mancava de uma das pernas e trazia um olho que mais parecia uma batata presa ao seu rosto. Da mesma forma rápida que desceram do furgão, os policiais entraram de novo. Foi como se eles tivessem uma carga para entregar, entregaram-na, e foram embora. Não deram bom dia, não falaram nada. Era uma época em que todos davam poucas explicações sobre quase todas as coisas.

O pai abraçou João Carlos, que chorou como se fosse criança. Em outro tempo, eu com certeza daria uma caçoada dele, e ele me jogaria no chão e me faria cócegas. Ele sempre fora um excelente irmão. Me contava, toda vez que eu lhe pedia, a mesma e única história dos três porquinhos, que era a que ele sabia. No fim, ele sempre embaralhava tudo. Eu dizia que ele era um péssimo contador de histórias.

A mãe chorava mais ainda e, pelo que eu havia entendido já naquela época, estava cheia de comprimidos que a faziam ficar sonolenta o tempo todo.

Havia um caixão fechado. Eu não entendi direito o que havia acontecido. Minha avó, uma rocha em forma de mulher (conseguia pegar as frutas nos lugares mais altos da jabuticabeira que tinha em sua casa), ficou em um canto, amparada pelo vô, que chorava e limpava suas lágrimas no velho lenço bordado com o nome dele; ela rezava seu terço em forma de anel, girava e girava; notei que ela recitava ave-marias o tempo todo. Olhei mais para a vó do que para o caixão de Clara. Para mim, era certo que em algum momento ela nos encontraria e então sairíamos de bicicleta, pedalando pelos campos de várzea como sempre fazíamos. Foi Clara quem me ensinou a andar de bicicleta.

Como eu não vi Clara no caixão, não fiquei tão mal assim. O que me assustava, de fato, eram as pessoas da minha família, que a todo o momento desmaiavam, choravam até começar a soluçar, diziam coisas feias em gritos e também em sussurros. Sei que não aceitei o fato de que Clara já não mais estava.

Clara era risonha, divertida, sempre queria dançar. O tempo todo escutava música e dava uns passinhos para cá e outros para lá. Com ela aprendi a dançar valsa. Colocava meus pés em cima dos seus, me segurava, e, com passos largos, dançávamos pelo chão escorregadio da sala. Eu ainda não entendia, mas havia perdido minha parceira de dança.

Era 3 de março de 1980, meu irmão me chamou para darmos uma volta.

Eles nos pegaram no Centro, disse meu irmão João. Estávamos

sentados na beirada do campinho de futebol perto da casa de nossos avós. Íamos todas as semanas visitá-los, mas já há alguns anos que não jogávamos mais futebol. Meu irmão disse que precisava conversar um pouquinho comigo. Nós nos amávamos muito e eu fiquei feliz com o convite. Meu irmão disse: eu apenas senti uma paulada na cabeça que me fez perder a consciência. Só entendi o que havia acontecido depois, quando acordei e estávamos todos em um descampado, todos amontoados. Alguns estavam cobertos de sangue, dizia ele enquanto pude notar seus olhos marejarem. Eu sei que nunca te disse nada, continuou meu irmão, mas você precisa ouvir o que aconteceu por mim, e não pelas histórias do pai e da mãe. Ambos, de fato, sempre me contaram histórias menos terríveis, e eu sabia que mentiam, mas sermos sempre calados nos ensinou a perceber que, muitas vezes, o melhor é não constranger o interlocutor, seja por voluntarismo ou por remissão. Eu sabia que não estávamos bem, continuou meu irmão, porque eles eram uns brutamontes, o tempo todo nos dando cacetadas. Em Clara, passavam a mão, alisavam seus cabelos. Riam bastante de nós. Diziam, para nos fazer mal, palavras esdrúxulas, ou então nos diziam "agora você tá aí chorando, mas na hora de fazer merda não pensou em nada disso, né, seu pedaço de bosta?", e nós não reagíamos. Simplesmente nos calávamos e nos abaixávamos porque não havia muita coisa a se fazer. Estávamos todos amarrados. O local era bonito, disse meu irmão, começando a chorar; eu me silenciei. Alguns eram mantidos vendados, ele disse, mas eu observava tudo o que acontecia. Clara estava apenas meio vendada, mas eu notei que ela preferiu fechar os olhos com bastante força. Não se movia, mesmo quando mexiam com ela. Escutei, falou meu irmão, quando dois baixinhos disseram que se eles pegassem aquela ali, aquela vagabunda, eles iriam fazer coisas com ela que eu prefiro não lembrar nunca mais na minha vida. Eu não acredito que não fiz nada, não consigo acreditar até hoje. Foi aí, continuou, que chegaram três homens mais velhos. Eles chegaram com suas caras fechadas e seus monstros de guarda-costas. Um deles discutiu com alguns dos que cuidavam do cativeiro. Depois de alguns minutos, um deles gritou "levantem e façam uma fila só, um do lado do outro".

Os vendados levantaram com dificuldade e receberam o apoio dos que estavam de olhos abertos. "Não me façam perder a paciência, façam rápido essa fila, porra!", gritou um deles, me disse meu irmão, que estava com um olhar longínquo, de bastante espanto. Fizemos a fila, disse João, e fiquei ao lado de Clara. Falei bem baixinho perto do seu ouvido: "Fique tranquila, eu estou aqui. Vai ficar tudo bem, tá?". Clara se manteve silenciosa, não respondeu nada. "Fique tranquila, vai passar rápido e daqui a pouco estaremos em casa, dançando". Eu vi um pequeno sorriso de esperança em seus lábios, me disse meu irmão, quase sem conseguir falar. "Quando chegarmos em casa, vamos dançar uma valsa, nós três, o que você acha?". Ela me disse "está bem" e segurou a minha mão. Foi nesse momento, continuou meu irmão, que eu escutei alguém desses recém-chegados falar "o Homem quer ver, e quer que faça a brincadeira", disse. Então um deles veio até nós e falou pausadamente: "Olha só, vocês vão participar de uma brincadeira, uma brincadeira que a gente gosta muito de fazer e que se chama 'um sim, um não' e funciona assim"... Eu sentia a mão de Clara cada vez mais pressionando a minha, suada. Eles passaram na fila e diziam "um sim" e atiraram no primeiro da fila. Eu me assustei; Clara gemeu. Os outros homens estavam rindo. "E o outro é 'não'", disse o sujeito armado, dando um tapinha no ombro do segundo da fila. "Viu como você tem sorte, meu filho?", disse o assassino ao segundo da fila. Eu vi a cena, mas a Clara permaneceu com os olhos bem fechados. Nesse momento, eu tive uma breve alegria, seguida de uma tristeza misericordiosa: ao passo que no primeiro instante pensei na possibilidade de sair vivo, me veio como um soco bem forte a conclusão de que se eu saísse vivo, Clara morreria.

João, pela primeira vez, deixava as lágrimas correrem sem tentar segurá-las. Nesse momento, nem ele nem meus pais puderam me proteger da história de nossa vida. Eu pude ver que em algum momento da fila, disse meu irmão, quando deram o tiro em um dos "sim", o próximo da fila reagiu tentando segurar o companheiro morto ao seu lado, mas o atirador apenas gritou "você quebrou a regra, filho da puta!", e deu um tiro na pessoa que havia estendido o braço. Clara soltou a minha mão com o estampido, disse meu irmão. E eu busquei a mão dela para segurá-la de novo. Escutei, em um tom bem baixo, "não", e levei um tapinha na palma da minha mão. Foi assim, desse jeito, que eu vi a Clara morrer ao meu lado. Não reagi, não avancei sobre o seu assassino, não consegui dizer que a amava, não fiz nada; medroso, aterrorizado e covarde, disse meu irmão.

Desabou em meus braços, soluçando ao chorar.

Eu me tornei escritor porque existem pessoas importantes demais para que suas histórias desapareçam. E não por uma função moralizante, vitimista ou algo do tipo, mas pelo simples fato de que somos muitas histórias e suas inter-relações. Por esta tese, defendida há alguns anos — eu também segui no mundo das Letras, porque quis ser semelhante ao meu irmão —, fui convidado a participar de uma Cátedra em Buenos Aires, para falar da construção de enredos na literatura brasileira contemporânea. Seriam duas semanas, meados de abril de 2016, na capital portenha e eu achei por bem me afastar do Brasil nesse momento.

No domingo, pela manhã, tentei desanuviar os pensamentos indo à Feira de San Telmo. De nada adiantou. Não é possível fugir de si mesmo. O que não me impediu de tentar ao longo de todo o dia. Na cama do hotel, relutei muito em ligar a televisão, e quando o fiz, foi para passar de um canal a outro, ver se encontrava algum filme para prender minha atenção. Não consegui, entretanto, deixar de, vez por outra, acessar a transmissão da votação do impeachment. Foi feita pela internet em todos os sites e redes sociais.

Fiquei o mais sereno que pude, pelo maior tempo possível. Mas quando ouvi aquele deputado, anão da história, ao votar, com seu discurso estridente e cheio de ignorâncias, dizer: "Perderam em 1964, perderam em 2016. Contra o comunismo, contra o Foro de São Paulo. Pela memória do coronel Carlos Alberto Brilhante Ustra, que foi o pavor de Dilma Rousseff, pelo exército de Caxias, pelas Forças Armadas, pelo Brasil acima de tudo e por Deus acima de todos, o meu voto é sim".

Recordei. É só isso que pode um sujeito nesses momentos. Recordei o choro de minha mãe, o choro de meu pai, a vó e o vô. Eles nunca mais colheram as jabuticabas com a mesma alegria. Lembrei do dia em que eu e João estávamos no campinho e sonhávamos em ser Pelé. Pensei em Clara.

Foi a minha vez de, caído ao chão, chorar soluçando.

TERRIVELMENTE EVANGÉLICO
TIAGO GERMANO

A minha paixão por Ivana começou aos dez anos, na quarta série, quando meu pai me obrigou a acordar cedo num domingo para ajudá-lo a lavar o carro. O meu pai era um homem prático. Pontual e correto como uma firma contábil. Acordava todos os dias às cinco horas da manhã e nem a promessa do descanso, nos fins de semana, era capaz de demovê-lo dos seus hábitos. Todos os meses, de quinze em quinze dias, lavava o carro na garagem, ainda que não estivesse sujo.

"Desperta!", dizia ele em meio aos meus protestos, me arrancando da cama, lembrando que o carro estava tão limpo quanto o meu nariz. Eu resmungava. "Nada de me destratar", ele completava, seguindo para a garagem com o balde cheio d'água e os produtos de limpeza caríssimos que incluía na feira.

Era uma contradição sua. O meu pai podia pagar por uma lavagem, mas tinha a filosofia de jamais gastar dinheiro com um serviço que pudesse ser feito em casa. Ainda que aquilo me privasse do sono. Ainda que aquilo o privasse do que mais gostava de fazer todas as manhãs, mesmo nos dias de trabalho, quando aproveitava qualquer momento de folga para abrir um volume do dicionário enciclopédico e ler o maior número de páginas que pudesse. Havia se alfabetizado assim, orgulhava-se de dizer que era um autodidata e que a grande virtude do homem era o conhecimento da língua, a possibilidade de usar todas as palavras que ela nos legava, o que nos colocava acima dos outros animais. Nunca perdia a oportunidade de usar os verbetes que aprendia nessas leituras matinais, única mania sua que conheci e que, segundo me consta, manteve até o dia de sua morte.

"Desazado!", disse ele naquela manhã de domingo, num ano particularmente difícil, em que minha desatenção nunca deixava de ser discriminada com doses diárias de descomposturas. "Que desleixo o meu!", repetiu, e só então compreendi que ele ainda não havia superado o livro D, e que a distração não era minha, mas dele, que havia se esquecido de comprar a cera com a qual polia religiosamente o capô de sua Belina Del Rey.

"Déspota", xinguei baixinho, me apoderando precocemente daquela mania, aproveitando sua caminhada até o supermercado para abrir a mala do carro e cochilar lá dentro. Até uns anos atrás, eu gostava de me esconder ali e observar o meu pai dirigindo. Descobri que ele gostava de falar sozinho no carro, repetindo aquelas palavras suas. No espelho, meus olhos procuravam os dele. "Estás aí de novo, ó, biltre!", ele bufava, com a bonomia bissexta do livro B.

Ivana atravessou a rua e me surpreendeu na mala da Belina. Parou e perguntou o que diabos eu estava fazendo deitado ali, com as canelas para fora. Depositava em mim os quatro olhos mais belos e mais curiosos de toda a escola — a única menina sabichona da classe que também era bonita, contrariando uma lei que meus colegas e eu julgávamos imutável desde o último ano, quando as meninas haviam deixado de ser inimigas para se tornarem namoradas. Ivana não tinha namorado.

"Nada", eu respondi, descendo da Belina, reparando no seu uniforme e no caderno que ela levava debaixo do braço. "E você?", perguntei, "não te disseram que não tem aula na escola no domingo?".

"Não é aula, idiota, é crisma", ela disse, e saiu flanando, o vento batendo em sua saia e revelando as suas meias.

Crisma.

E eu que não tinha feito nem a primeira comunhão.

Na última missa que fui com a minha mãe, antes dela morrer, tentei segui-la na fila da hóstia e ela me proibiu. Disse que eu não tinha idade para comungar e que além do mais eu não podia fazer isso antes da primeira eucaristia. Que se eu não tivesse passado pelo catecismo e comesse a hóstia, que era o corpo de Cristo, ele sangraria na minha boca, sujando todo o piso da igreja. Eu fiquei primeiro com medo e depois com um pouco de nojo, imaginando todas aquelas pessoas engolindo o corpo de cristo sem morder que era para ele não sangrar e melar toda a roupa. Depois tive pesadelos e meu pai me explicou que não era nada disso. Que aquilo era uma metáfora e que minha mãe andava um pouco confusa por causa do câncer.

Foi uma época confusa para todos nós, na verdade. Quando ir à igreja católica não adiantou muito, passamos a frequentar também a evangélica. Eu gostava mais da evangélica porque lá havia mais crianças, cantava-se mais e, num dos cultos que a minha mãe faltou, mas pediu que meu pai me levasse, eu pude comungar sem comer o corpo de Cristo porque todo mundo via que aquilo era um pedaço do pão francês da padaria, e o vinho era na verdade Fanta Uva num copinho plástico, até espuma fazia. Havia um momento constrangedor, em que o pastor berrava perguntando no microfone se alguém queria aceitar Jesus naquela noite, e ele olhava para o meu pai quando dizia "alguém?", e todos os crentes nos olhavam e berravam "Aleluia, irmão!", e nesta noite em particular, sem a minha mãe, a insistência foi tanta que meu pai pegou na minha mão e se levantou, e todos os crentes berraram "Glória a Deus e ao Pai eterno!", mas ele me puxou e saímos apressados pela porta da igreja, deixando todo mundo em silêncio a não ser pela microfonia do aparelho de som que, por sinal, era muito ruim.

"Apóstatas!", deve ter xingado o meu pai, que apenas começava a embarcar naquela mania lendo o dicionário em voz alta, no pé da cama de minha mãe doente. No dia seguinte, os crentes voltaram à minha casa. Começaram a bater com a Bíblia na cabeça da minha mãe, dizendo que iam tirar aquele demônio do couro, aleluia. Foi preciso meu pai intervir e colocá-los para fora. Dias depois, minha mãe piorou e morreu. Foi quando aprendi o que era ser "ateu". Meu pai se dizia ateu desde a morte da minha mãe.

Por isso foi um tanto difícil pedir a ele que me liberasse nos domingos para ir ao catecismo. Eu queria explicar que aquela não era uma decisão religiosa. Que eu estava indo para o catecismo mais propriamente por Ivana que pela primeira comunhão. Que também seria bom me livrar da função de lavar o carro. Que eu gostava de dormir tanto quanto gostava de Ivana, e que não tinha importância que ele chorasse à noite trancado no quarto cheirando as coisas da minha mãe, todos nós sentíamos muita falta dela. Mas nós tínhamos abertura para falar de muitas coisas, menos de mulheres.

"Minha descrença não vai te embargar uma educação essencialmente ecumênica", ele disse na outra semana, me liberando para o catecismo e me fazendo saber também que passava do livro D para o E. "Só não me volte evangélico!", encerrou.

Entediado, enfastiado, me encaminhei para a igreja. Encontrei Ivana no caminho e fomos conversando. Falei do meu pai e da minha mãe que morreu. Ela falou dos pais dela que estavam se separando. O pai de Ivana bebia muito e batia nela e nas irmãs. Senti ódio do velho, principalmente quando ela me disse para desviar o caminho porque provavelmente ele estaria no bar da frente do supermercado.

"Já essa hora?", perguntei.

"Ainda essa hora", ela disse.

Ivana e eu ficamos em classes diferentes do catecismo. Como esperado, eu não gostei da primeira aula. O padre nos leu a história dos filhos de Isaque, Esaú e Jacó. Isaque era o nome do chefe do meu pai na firma. Isaque (o da Bíblia) estava cego, e Esaú se fez passar por Jacó, seu predileto. Isaque não percebeu a diferença.

"Como assim?", ergui a mão e perguntei.

"Ele era cego", o professor repetiu.

"Mas os cegos têm mais sensibilidade no tato para reconhecer as coisas", devolvi.

"Eles eram gêmeos", ele explicou.

"Mas e a voz?", insisti. "Eles também têm a audição apurada!".

E o professor mandou que eu me calasse se não quisesse ser excomungado ou expulso no primeiro dia.

Não encontrei Ivana na saída e ela não apareceu no dia seguinte na escola. Nem no outro dia, nem a semana inteira. Achei que tivesse a ver com a separação dos seus pais. No domingo, também não a encontrei na rua. Dessa vez não desviei do caminho do supermercado e lá na frente, no bar, um homem que parecia com a descrição que ela fez do pai estava deitado numa mesa, e os únicos olhos abertos que vi foram os do símbolo da Antarctica. Meu pai já havia me explicado que aquilo eram dois pinguins, mas não tinha jeito, eu só via dois olhos bem abertos, de uma formiga vermelha ou de um extraterrestre. Tinha uns homens mal-encarados jogando sinuca e achei mais prudente não me aproximar. Perguntei de Ivana ao padre e ele não sabia de nada. Perguntei de Ivana à professora e ela disse que tinha mudado de escola e de cidade. Parei de ir no catecismo. Não soube mais de Ivana.

Eu já era um adolescente quando o pai dela foi encontrado morto e a mãe de Ivana voltou com as três filhas para a cidade. Ivana estava diferente: já não usava óculos e eu já não conseguia mais distingui-la nem da mãe nem das duas irmãs mais novas, todas com os cabelos na altura da cintura, as saias jeans muito abaixo do joelho. Soube por meu pai que elas haviam se convertido e que ele as havia escorraçado da frente de casa num sábado, quando bateram à nossa porta e perguntaram se ele estava disposto a ouvir a palavra do Senhor. Eu estava dormindo e só quando levantei para preparar o café o meu pai saltou das páginas do dicionário e destilou seu ódio antigo contra os evangélicos:

"Tempos tétricos esses. Toscos! Terríveis!".

Eu não estava disposto a frequentar a igreja evangélica para me reaproximar de Ivana, e não era mais pelas atitudes rabugentas de meu pai: como ele, eu pegara gosto pelos livros e, em vez dos dicionários, lera toda a Bíblia, procurando alento e explicações na filosofia de Santo Agostinho e Tomás de Aquino, mas nada do que encontrei, nenhuma palavra, foi capaz de me convencer de que minha mãe morta estivesse agora num outro lugar, melhor que o nosso, se compadecendo das lágrimas do meu pai no travesseiro e do meu luto tardio pela sua doença.

Além do mais, circulava o boato de que Ivana e as irmãs viviam na penúria, não por necessidade — já que a mãe recebia a pensão do marido falecido e arranjara um emprego fixo na prefeitura —, mas por opção: haviam queimado todos os móveis e pertences na fogueira santa da igreja, dormiam em três colchões instalados nos cômodos de um sobrado de paredes nuas, sem quadros, que até isso elas destruíram porque continham imagens "terrenas e depravadas".

"Até o salário da prefeitura aquela mulher doa para a igreja", disse alguém certa vez no cursinho, numa roda de conversas. "Se brincar, dooa até a virtude das filhas para o pastor", riu-se outro, pouco antes de eu avançar em cima dele e ser contido por um amigo que sabia dos anos em que eu não esquecia Ivana, perguntando a todos pelo seu paradeiro.

Perdi-a novamente de vista quando me mudei para a capital e entrei na faculdade de jornalismo. Visitava pouco o meu pai, que ia levando sua vida pacata no interior, trabalhando no escritório e avançando nas páginas finais do seu dicionário. Numa daquelas raras visitas em que, como nos velhos tempos, ajudava meu pai a lavar a Belina que já nem saía mais da garagem, soube que a mãe de Ivana também havia morrido e que era ela, agora, quem cuidava da casa, aquele sobrado fantasma que ninguém gostava de passar por perto.

Logo me esqueci dela. Me formei e comecei a trabalhar como repórter numa grande emissora. No meio do expediente, no caminho para uma externa, recebi uma ligação do meu velho pai no celular, do telefone de casa.

"Ando zonzo", ele disse, com a voz fraca. "Acho que estou ficando zureta".

O meu pai havia sido demitido da firma de contabilidade pouco antes de se aposentar. Seu Isaque, o chefe, tivera uma séria discussão com ele depois que se recusara a fazer a declaração de imposto de renda de um determinado cliente. Depois de muito relutar, meu pai confessou para mim o nome desse cliente. Era o pastor da igreja, atual marido de Ivana, e ela agora seguia a carreira política: era vereadora e estava conquistando bases para sua candidatura para prefeita nas próximas eleições.

Ivana vendera o sobrado pouco antes de se casar e morava com as irmãs na casa do pastor, um imóvel que não chegava a ser uma mansão por fora, mas todos diziam ser muito diferente por dentro. A prática da fogueira santa continuava na igreja, que crescera, comprara o prédio do supermercado e passara a funcionar ali, na frente do bar — de onde saíram muitos de seus fiéis que hoje espalhavam seus testemunhos na praça, com equipamentos de som bem mais modernos que os do meu tempo.

Na época das eleições, convenci o meu editor a conceder minhas férias acumuladas a fim de cuidar de meu velho pai. Eu deixaria o jornal desfalcado num momento crucial, mas já os havia valido em outras ocasiões importantes e, eles sabiam, era por uma boa causa. Meu pai morreu dias antes de realizar seu último capricho: votar, pela primeira vez, sem ter a obrigação de fazê-lo. Tinha recém-completado setenta anos e, salvo os lapsos de memória, parecia ter a saúde perfeita antes do infarto que o fulminou durante o sono. Morreu em paz, como dizem. Na garagem, não havia um dedo de poeira na Belina. Encontrei seu dicionário aberto na mesa de cabeceira com um verbete sublinhado:

"Zarpar: v.i. Fugir, sair com pressa para se livrar de alguém ou alguma coisa: os mentirosos zarparam! v. t. d. e i. Sair de um local; ir embora: as visitas zarparam do hotel; os clientes zarparam sem pagar. v. i. Partir; levar uma embarcação embora: O barco zarpou".

Até a sua missa de sétimo dia, que foi celebrada na igreja católica por insistência dos meus tios, fiquei em casa acompanhando as notícias pelo toca-fitas da Belina, cujo rádio ainda funcionava, e ouvindo de longe as buzinas dos carros e o estampido do foguetório que comemorou a eleição da prefeita Ivana Macedo.

Retornei ao jornal com um dossiê completo das movimentações financeiras do pastor e de sua esposa, obtido com a ajuda do Seu Isaque, que não me negou este último favor movido pela culpa e pela memória do meu velho pai. A reportagem que preparei só foi ao ar dias depois que pedi demissão e mudei de emissora. Aquela em que eu trabalhava havia acabado de ser comprada pela Igreja Universal do Reino de Deus.

IMPERMEÁVEL
MARCELA DANTÉS

Um tiro nas costas não é óbvio. Na hora que acontece (e sempre acontece) você não percebe a relação entre o estampido altíssimo e a pressão que alcança os ossos, por mais claro que isso pareça agora.

Um tiro um tiro um tiro.

É como se um pequeno alfinete em chamas perfurasse a sua pele e depois crescesse lá dentro, muito rápido, com uma força que você nem sabia que um alfinete em chamas poderia ter. É bem rápido e o sangue que escorre é quente (talvez porque o alfinete também), mas não é fácil perceber que o sangue, o estampido e a pressão estão relacionados. Tudo o que você vê é que ele é muito vermelho, porque se espalha com a velocidade de um cachorro aflito e suja a sua roupa, os seus braços, as suas mãos e os seus olhos.

Um tiro, mas você pensa que foi uma pedra. Porque faz muito mais sentido que seja uma pedra do que um tiro. Um moleque qualquer. Um estilingue. Um estilhaço de alguma coisa que se quebrou, uma pastilha solta na lateral do prédio, o carro que passou em cima de uma garrafa e fez o vidro voar. Você pode cair ou não.

(Uma vez, quando eu era criança, eu descia o morro correndo quando a alça do meu chinelo arrebentou. Eu saí catando cavaco por, sei lá, uns trinta metros. E no fim eu caí. O joelho esfolou do tamanho de uma bola de tênis, só que vermelha e molhada.)

Um tiro um tiro um tiro.

O segundo tiro já não te pega de surpresa. O corpo é máquina e aprende. A carne fica lá, macia, esperando o alfinete. Cada músculo se perguntando será que sou eu? Cada órgão se preparando pra lutar, pra não falhar, não morrer. Quando chega, já nem precisa de barulho, você sabe que é um tiro. O corpo é máquina e aprende. Você não entende onde está o alfinete, mas ele cresce mesmo assim.

Melhor que seja na perna e não no pulmão, mas você pode morrer de qualquer jeito.

(Uma vez, eu tinha sete anos e tava na rua jogando bola, com todo mundo. O pai do Daniel tava voltando do trabalho — eles disseram que não foi isso, mas foi — e levou um tiro na coxa e morreu mesmo assim, debaixo da fuça do Daniel, que não gosta de falar disso até hoje. Morreu porque tem veia. E veia sangra até que seca.)

A dinâmica de um morro não muda muito: é pouca ladeira pra muita água. Faz poça, faz cachoeira pras crianças brincarem até que começa a ficar perigoso e as mães mandam todo mundo pra dentro. Quase todo mundo entra. Quem tem que trabalhar não brinca na enchente, quando chove o pé afunda. Não precisa molhar a cabeça também, pra isso tem guarda-chuva. Então, se o tempo fecha, eu carrego um guarda-chuva, sim. O meu é preto. O da Anita é de bolinhas e o do João é azul do homem-aranha.

Nenhum deles parece um fuzil.

Naquele dia não choveu, só fez cara. Antes tivesse, porque com chuva os homens não vêm. Tudo feito de açúcar. Ou de sal, porque dissolve do mesmo jeito.

(Uma vez, quando eu era criança, eu perguntei pro meu pai se polícia também podia ser preso. Ele riu.)

O terceiro tiro vai te pegar com a boca aberta, a cara no asfalto, os seus olhos que só veem as pernas finas das cadeiras amarelas do bar do David. A essa altura, você já soltou tudo o que tinha na mão, o guarda-chuva inclusive. Um guarda-chuva não é um fuzil. O terceiro tiro não serve pra nada, seu corpo já parou de reagir.

Um tiro um tiro um tiro.

(Uma vez, quando eu era.)

SEGUIDORES
RODRIGO
ROSP

> *Quando eu falava dessas cores mórbidas*
> *Quando eu falava desses homens sórdidos*
> *Quando eu falava desse temporal*
> *Você não escutou*
> Fernando Brant e Lô Borges

    Já ir saindo é só o que penso quando assisto a cena: vestido com a camiseta da seleção brasileira, que ele ostenta como se fosse de uma instituição ilibada, Jaime vai pelo parque, e seus dezessete seguidores caminham atrás dele.
    Alheia a isso, uma adolescente passa com duas amigas, e uma delas, sem se dar conta, deixa cair o casaco. Jaime chama a garota, pega o objeto no chão e entrega para ela, que agradece. Jaime diz com suposta grandeza: é o dever de um bom cristão fazer o bem para o próximo. Eis que surgem mais três seguidores (uma garota, uma mulher e um idoso). Ele se vira para trás para observar melhor quem chegou e se coloca no caminho de uma mulher em trajes de exercício, que corre pelo parque. Ele volta a olhar para frente bem a tempo de desviar dela, mas, como por instinto, do seu intestino, grita: vagabunda! A mulher apenas lhe mostra o dedo do meio e continua a corrida. Jaime diz bem alto: não te estupro porque você não merece.
    Ele perde seis seguidoras (mulheres), mas ganha vinte e cinco (homens). Olha de novo para as pessoas caminhando atrás dele; a face faceira e o sorriso de serpente mostram que ele se sente bem, agradando.

Alguns metros adiante, Jaime vê um vivente vendendo água. Vai na direção dele, constata que o jovem não tem a pele clara e os olhos azuis, que não é semelhante à sua imagem. E quando ouve da boca dele um sotaque forasteiro, Jaime diz: estão escancarando as portas do Brasil para tudo quanto é gente, isso vai virar a casa da mãe Joana, todo tipo de escória vai entrar aqui. Ele perde três seguidores e ganha mais quarenta, todos vestindo a mesma vestimenta e o orgulho amarelinho.

Em vez de me erguer e ir embora, eu me esqueço aqui, entre atônito e anestesiado. Procuro contemplar as pessoas que pulsam no parque, que passam sem pressa. Porém, logo Jaime está discutindo com um homem, nem sei por que motivo, só vejo quando Jaime se infla de Narciso e diz: você tem uma cara de homossexual terrível. E completa: nós, brasileiros, não gostamos de homossexuais. E logo olha para trás e vê que perde nove seguidores (três mulheres e seis homens), mas ganha cento e cinquenta e oito (todos homens). Ele vibra com isso, está com duzentos e vinte e cinco seguidores.

Acho anormal quando o ruminante ruidoso e seus asseclas rumam para uma área na saída do parque, já no limite com a rua, mas então avisto um pedinte com um papelão (deve dizer: preciso comer) e uma latinha (onde espera obter esmolas). Jaime se aproxima e diz: passar fome no Brasil? Isso aí é uma grande mentira! O mendigo mal murmura, Jaime se aproxima e dá um petardo na lata, e as poucas moedas que tinha ganham os ares. Jaime se vira e descobre que perde dois seguidores, mas conquista mais trezentos e oitenta e três.

Poucos passos depois, um policial acompanhava o episódio. Jaime se aproxima dele, nota que está armado e diz: policial que não mata não é policial. Ganha um impávido aceno e faz questão de mostrar que também está armado, e ainda completa: a arma de fogo, mais do que garantir a vida de uma pessoa, garante a liberdade de um povo. E eis que surgem mais quinhentos e onze seguidores, que fazem gestos imitando arminhas. O sol começa a descer e a noite se mostra iminente.

Jaime desfila pelo parque inebriado pelo imenso número de indivíduos iludidos a ir atrás dele, comprovando a insensata ideia de que ele tem sempre comportamento incontestável. Os seguidores não sossegam: vibram a cada gesto, a cada frase, ecos que reverberam, que despertam a sordidez adormecida.

Permaneço presente, possuo apenas palavras. Percebo quando avança um casal de mãos dadas: ele, branco; ela, negra. Jaime suspira com certo alívio e exporta empáfia ao enunciar: eu não corro esse risco, meus filhos foram muito bem educados. Ele enxerga que perde um último seguidor negro, e ganha cinco mil, quatrocentos e noventa e três, todos brancos.

Jaime exibe o semblante resoluto e a certeza plena que apenas os mais rasos podem alcançar, feliz por seus atos e inflamado pela turba radiante que vai no seu rastro, os rostos robotizados risonhos, tão parecidos entre si. Eu respiro, resisto; refletir e relatar é o que me resta. E ele prossegue, e atrás vão os seguidores, e eles caminham com mais e mais convicção, todos no mesmo passo, e já marcham exatamente como um exército.

AS ANFITRIÃS
MARÍA ELENA MORÁN

Apertar o número dezessete é saber que em alguns segundos eu serei mais uma presença asfixiante e asfixiada naquele apartamento. Talvez tenha sido por isso, mãe, que sempre demorei no percurso esquerda, acima, direita, até chegar no nosso dezessete, em vez de me entregar à segurança do dedo aterrissando com exatidão no botão. Uma demora estratégica. Dois ou três segundos a menos respirando um ar compartilhado demais. Hoje, última vez que eu subo, queria poder dizer que sinto alguma saudade se aproximando, a leve tristeza de deixar para trás um lar. Porém, não, mãe. O único que sinto é pressa. E algo de pena. De você. Mas isso eu não vou ser capaz de transformar em coisa escutável. Se em algum momento eu tive esses talentos, faz muito que eles foram esmagados pela cheieza.

Você se lembra quando foi que eles começaram a chegar? Será que chegaram comigo? Talvez estivessem aqui desde antes, quem sabe você os herdou do inquilino anterior e nunca conseguiu expulsá-los; quem sabe, numa era pré-filha, você quis lutar contra eles, perdeu o litígio e aqui estou eu, criatura concebida na e para a derrota, subindo metros e metros ao encontro daqueles que nos amuralham assoviando cantigas e hinos e mantras, numa hipnose que por pouco não me amaluca. Tendo mais a acreditar que eles chegaram contigo e começaram uma colonização, sob comandos de poderes abjetos. Depois, com a tua solidão, que só fez acentuar-se com o meu principiar, eles se viram em maioria e declararam independência porque, em nós, suas capacidades foram tantas que mereceram um território inteiro para batizar. Fomos nós que não soubemos chavear direito as portas, nós que não percebemos que, desde sempre, houve algum defeito nas nossas janelas. Ou talvez foi a própria falta de janelas, de portas, de claraboias. Eles entraram por qualquer fresta e nós não tivemos saídas suficientes para entrar ao mundo.

Eu tento não me relacionar, não acredito nesses grandes gestos de apego que eles insistem em fazer. Já você, mãe, diz que não gosta deles, mas fica ali, pedindo para levantarem os pés para você passar o pano, em vez de mandá-los embora. Você nem deve perceber já, mas alguns tossem igualzinho a você, com esse pigarrear apático que quer ser discreto e só consegue alongar o desconforto num compassado e interminável arranhão na garganta. Outros, como eu, espirram como se deixando o corpo de dentro sair e esvaziando o corpo de fora como uma fronha suja. Eles invocam a fantasia genética e se olham comigo no espelho me chamando de irmã, de mãe, de filha. São tantos que faz tempo deixei de contá-los. Não tenho ramos para tanto parente maldito na minha árvore. Mais dez andares e eu não terei mais raiz. Vou virar um toco e que a intempérie decida se aceita minha serventia.

Foi por eles, mãe, que você nunca conheceu meus desdobramentos. Frente a vocês, existo mulher-flor-de-lótus, mulher-bonsai. Por isso, nunca levei ninguém para casa. Por isso, estou indo embora sem ter nunca trazido Ela para casa. Com tantos deles chegando assim, do nada, e você acolhendo-os, não houve como enfiar qualquer coisa que consumisse mais oxigênio nessa casa. Você com certeza ia olhar para Ela de dentes apertados, um exército deles entre vocês duas, uma alcateia pronta para engolir essa minha amiga, como você a chama. Espero que você não se surpreenda, que meus indícios não tenham sido acanhados demais e que você esteja ouvindo o barulho deste caixão metálico, já a sete andares de distância, e esteja sabendo achar o silêncio, que é o único que eu espero de você nesta minha cena de autoarremesso na vida.

Eu nunca gostei deste elevador, algo nele me faz desconfiar e acho que ele também desconfia de mim. Por conta deles, que foram e vieram sempre comigo, conosco, mãe, porque não se fiam no que nós somos quando ausentes deles. Nós desaprendemos o mundo porque eles precisavam de nós desmundadas, com espaço suficiente para eles se aninharem. O elevador augurou que, com tanto peso, um dia íamos nos estraçalhar no poço e eles iam pegar o que sobrasse do meu corpo e do teu e iam usar as nossas veias como canudos para beber os sucos da comemoração. Por vezes, eles foram tantos que saíram do apartamento e ficaram vagueando pelos corredores e pelas escadas e invadiram apartamentos vizinhos e até me levaram para o terraço do prédio e me convidaram a voar, mas isso você não quer saber, mãe, nunca quis. Em meus dias de boa anfitriã, o elevador quis deixá-los do lado de fora e eu mesma exigi que eles subissem. O elevador me achou uma fraca antes e agora demora no décimo segundo andar sem saber que já não são necessárias mais estratégias de salvamento. É terno o seu empenho. Quero contar que ando de motim, mas motim que se anuncia é um motim natimorto.

Hoje eu estou indo embora, mãe, hoje não vou me arrepender. Estou ensaiando a despedida que não saberemos ter porque eu quero é explodir o apartamento com todos eles dentro e se você preferir ficar lá dentro com eles, mãe, então fique e exploda junto. Eu queria te dizer isso e que você respondesse que você também gostaria de explodi-los, mas eu sei que a sua resposta é mas e a casa, mas e a nossa casa, mas e a casa da família e eu nem sei que família é essa que dói tanto e eu não sei conversar e você também não. A gente come junto, a gente grita junto, a gente lava a louça junto e a gente ameaça se matar junto. E eles aí, olhando, obesos, anquilosados e felizes, o espetáculo da nossa hostilidade. Eu acho, mãe, que você perdeu primeiro o controle e depois perdeu a conta e acho que hoje perdeu até as faculdades de viver sem eles. Para você foi o apego à cicatriz. Para mim foi a chaga de vê-los te rondando com cobiça, mãe, quando eu me aproximava de você querendo colo e a cobiça ganhava e eu ficava sem colo.

O último puxar do aço e a última dança e a porta se abre no dezessete, no dezessete que a partir de hoje não demorarei em apertar porque agora será a bendição de um térreo com pátio e com cachorro e com Ela, um espaço cheio da possibilidade de respirar e de esticar os braços e de dançar à vontade, um lugar a que só vou querer chegar logo. Se algum deles vier junto, e algum deles com certeza vai vir junto, entocado dentro de uma mala ou numa das três caixas a que teve que se resumir minha história por conta do tanto espaço roubado, não haverá boas-vindas, e sim motins e mais motins, porque a vida da gente tem que ser feita de motins antes que de modorras. Saiba que eu sei, mãe. Acho que eu sempre soube. Nós duas somos iguais até nisso. Não há nada mais bonito do que amar uma mulher. Você sabe, mãe. Você sabe.

A porta se abre no andar dezessete. Enfio a chave na fechadura, giro o mecanismo e preciso, como nunca, empurrar a porta, atropelar o conglomerado que custodia tua porta, mãe, a legião que protege teus medos, nesta hora tão antigos, caducos, cheios de escaras, mãe, como se fossem as arcas da nação.

SOLDADINHOS DO DESEJO
GUILHERME SMEE

Era a primeira vez que eu encontrava aquela questão num papel. Na minha cabeça, ela já estava se esgueirando, escorrendo e mofando há tanto, mas tanto tempo, que eu nem saberia ao certo dizer quando começou. Ver ela escrita num papel era mais difícil do que qualquer questão de qualquer vestibular que eu já tenha feito. Não era só difícil de responder. Não era só difícil de ver aquela pergunta. Era difícil pensar. Sentir, principalmente. Sentimentos são confusos e, quando envolve esse tipo de coisa, sobre as quais ninguém quer falar com você, é ainda mais difícil.

Eu havia passado por uma bateria de questões horas antes. Algumas eram de aritmética, outras eram de comparar números em sequências semelhantes ou diversas, outras só queriam que eu escolhesse a figura que mais me agradava. Mas uma questão daquelas, colocada num papel, num documento oficial, em que "oficial" queria dizer "o que é verdade para mim e para todo o mundo a partir de agora". Assinalar um sim ou um não poderia comprometer meu futuro. Ser ou não ser, Hamlet? Ser ou não ser Hamlet? Como encarar esses fantasmas que me deixavam louco, de ódio, de insegurança, de desejo e de tesão?

Eu fugia de todas as formas dessa situação, porque, se eu me deixasse levar por esses pensamentos e tomasse uma decisão, poderia, por um lado, ser bom, como um alívio; mas, por outro, não teria mais volta. Por um bom tempo.

Eram três questões naquele papel. Duas delas eram fáceis de interpretar e estavam descritas pelo meu corpo. Qualquer exame mais minucioso responderia às perguntas. "Você usa tatuagens ou piercings?". Não, mas bem que gostaria. Se meu pai não tivesse me dito algo do tipo se você fizer isso a gente te corta o saco fora. Ainda preferia ter um saco do que uma tatuagem ou um piercing. "Você usa ou usou drogas, bebeu álcool ou fumou nas últimas duas semanas?". Começa a pressão aqui. Eles querem que você seja honesto e, para eles, honestidade conta bastante. Acho que conta. Para minha sorte ou azar, eu não curtia esse tipo de coisa e não adiantaria mentir também. Sabia que um exame de sangue simples revelaria qualquer adulteração facilmente. Por fim:

"Você já teve alguma relação homossexual ou já se sentiu atraído por algum homem?"

A fatídica. A derradeira. A morte.

Claro que sim.

Mas assinalar a resposta para esse tipo de pergunta em um lugar como aquele, com pessoas olhando e julgando, era assinar uma sentença de morte. Por que deixei a situação chegar naquele ponto?

Meu pai havia dito vai fazer CPOR porque assim vão te respeitar mais, você vai ganhar bem e ainda vai se manter na capital podendo fazer faculdade. Não escutei. A esperança, o último mal da caixa de Pandora ainda existia na minha boceta.

Caso você não saiba, boceta vem de bolsa pequena, e era assim que era chamada a caixa de Pandora, a que causou rebuliço entre os deuses porque liberava todos os males. É, a boceta de Pandora era um rebuliço dos deuses. Um rebuceteio. Mas eu nasci com um pau e sentia tesão em ver um outro pau também. Ou outros paus, nos meus sonhos mais tórridos.

Agora eu tinha uma espécie de sonho molhado concretizado ao meu redor.

Perfilados dentro de uma barraca de lona dentro de um ginásio — o que não fazia sentido nenhum —, os meninos da minha letra inicial estavam todos pelados. Me fiz de desentendido e mantive os óculos porque poderia ver os corpos deles. Eu não tinha muita oportunidade de ver corpos masculinos nus por aí. A internet era protegida e eu não podia acessar esses sites que você está pensando. Mas eu não poderia olhar muito para o menino loiro de cabelos compridos e com alguns pelos a mais pelo corpo, com um pau comprido e, como a maioria, sem circuncisão. Como costumava acontecer no vestiário do clube, eu ficava de pau duro só de olhar tantos homens ao meu redor e anotava num caderninho os nomes fictícios que eu dava para eles só para poder imaginá-los nas mais diferentes combinações fazendo sexo entre si. Foi por isso que eu briguei com o meu pai porque não queria mais fazer natação, sem dizer o motivo. Queria ter tido força para brigar para exigir que eu visse os gaytubes da vida também.

Ali, naquela barraca armada, de lona, a minha barraca não poderia ficar armada. Até porque isso assinalaria a questão de número 3. Esse seria um grande combate que eu travaria no exército: de um lado da trincheira, minha dignidade, de outro lado, meu desejo. De longe, todos os ambientes que são masculinos demais acabam figurando nas fantasias homoeróticas. É só dar uma olhadinha no que são as fantasias do Village People. Exército era um lugar masculino demais. Tão masculino, tão cheio de homens, tão disciplinado que chegava a ser gay. Precisava escolher: me render ao desejo e deixar que meu instinto fizesse o sangue bombear até lá embaixo e meu pau endurecer e todo o resto se destruir, ou eu teria que ser um bom soldado, disciplinado, e exercer o controle. Por enquanto, escolhi tirar os óculos.

Mas o ritual naquela cabaninha de lona não parava por aí. O médico, um velhinho uniformizado com cara de fumante, apalpava e mexia nos corpos nus de garotos que eram nem crianças nem adultos. Havia ainda toda uma prática da medição. Quantidade é um atributo masculino e todo homem gosta de se comparar a outros para mostrar que é mais viril. Quanto mais viril, mais desejado. Isso pode ser um problema num lugar onde só existam homens. Peso, altura, até medição de força com um dinamômetro foi feita. Se isso não é algo extremamente erótico, bom, eu fico pensando o que os homens pensariam se vissem um grupo de mulheres fazendo o mesmo tipo de procedimento, nuas em pelo. Seria interessante se eles medissem também os cacetes.

Encontrei também um conhecido da escola que haviam apelidado de "tiquinho". Qual seria o interesse de homens que se dizem heterossexuais em apelidar um outro homem desse jeito? Quanto a pessoa responsável por esse apelido não deve ter ficado neurótica com o tamanho do seu próprio pau — e todos os homens ficam, em determinado ponto da vida, porque todos precisam se mostrar melhores que os outros num ciclo sem fim de violência — para apelidar o guri daquele jeito? "Tiquinho", enfim, não era o menor bilau entre os meninos. Nem eu, que conste nos anais!

Depois de todo aquele ritual erótico, fomos dispensados. Eu tinha a certeza de que não iria servir o exército, de jeito nenhum, nem falar. Mas, num país em que o presidente eleito quer mais é que o exército seja usado a torto e à direito (com soldados de paus tortos ou direitos), eu tinha de estar preparado. Nos meus pesadelos, vinha uma imagem de eu e mais alguns soldados, nus, segurando o pau duro, carregando na outra mão uma lâmpada fluorescente que também era um sabre de luz, que faiscava entre o azul dos Jedi, do bem, e o vermelho dos Sith, do mal. Com nossas armas fálicas e luminosas em riste para poder chamar a atenção para nosso masculino, saímos acertando, em plena avenida, aquelas bichas. Todas elas de mãos dadas, ou se beijando, e até mesmo pegando no pau umas das outras. Nós as acertamos com o nosso pau vermelho luminoso de Sith e da cabeça delas escorria uma porra vermelha que se misturava no desejo e na doutrinação do sangue e do sêmen misturados dentro daquelas cabeças e a partir de nossos paus. Seria uma interpretação freudiana demais dizer que o exército queria incutir paus nas nossas cabeças?

Por mais que tudo isso parecesse um pesadelo, pouco tempo depois da seleção, eu havia sido aceito no contingente do exército. Estava alistado, mas será que ainda restava alguma saída? Eu gostaria de acreditar que sim.

Nós juramos à bandeira e entramos no ônibus. Eu estava extremamente nervoso porque parte do pesadelo se realizou. Eu estava no exército. Dentro de um ônibus capenga eu rumava para um quartel no interior do estado, numa cidade em que as estradas tinham mais buraco do que um chocolate aerado e os buracos eram maiores que a panela que servia cem cadetes na hora dos almoços que eu teria pela frente. O cara que sentou do meu lado no ônibus disse que ainda havia uma chance: sair através do excesso de contingente. Eram as pessoas que apresentavam algum mal súbito ou tinham uma condição que fazia com que precisassem retornar para suas casas. Eu tentei ficar um pouco mais tranquilo. Mas não ficava.

    O cara disse sou arrimo de família e por isso acho que tenho chance de me livrar do exército. Ninguém queria ir para o exército. Eu não entendia por que, de que jeito, no Brasil, o serviço militar era obrigatório. Não havia guerras no nosso território fazia dois séculos. Será que precisaria uma guerra como foi a do Vietnã para que os brasileiros percebessem? Muita gente acha que o exército resolve tudo. Mas nem o nosso presidente eleito aguentou no exército. Foi expulso por indisciplina. Fazia tráfico. O ex-deputado conservador ama o controle do exército. Mas escapou desse controle que ele tanto quer ver sendo imposto. Será que o exército era tão bom assim? Será que o presidente era tão bom assim? Será que, se as pessoas tivessem a disciplina e o controle que elas exigem das outras, de maneira que precisem colocar um exército contra elas, seria preciso um exército?

    E eu? Será que eu tinha a disciplina que o exército exigia de mim? Digo, não de controlar meu comportamento, mas de controlar meu desejo, a conexão do meu cérebro e do meu pau. De alguma forma eu precisava encontrar um jeito de desligar essa conexão. A princípio foi através da visão, usar óculos era uma boa saída inicial. Mas eu não iria ficar sem óculos o tempo todo, iria?

    E o cara que era arrimo de família sentado do meu lado a viagem toda? Eu não podia ser um e fugir daqui para nunca mais voltar. Eu não podia porque o arrimo de família é aquele que sustenta os custos dela. Na minha família esse era o papel do meu pai. Meu pai, que era machista e homofóbico como o exército e o presidente e a maioria das figuras de autoridade que eu contestei minha vida toda.

    Será que o exército tinha a disciplina que exigia de mim? Será que eu tinha a disciplina que o exército exigia de mim? Será que meu pai tinha a disciplina que o exército exigiu dele e que ele se vangloriava sempre — de ter passado por lá como um dos melhores períodos da vida dele e que aquilo teria feito dele o grande homem que é —, mas que, na hora do seu filho ter de se submeter ao mesmo tipo de sofrimento que ele passou, ele movia a sua disciplina para que eu não tivesse de ser disciplinado como ele foi?

Revistaram todas as nossas malas para saber se não havíamos trazido nada que eles pudessem não gostar, que provavelmente seriam drogas, cigarros, bebidas; ou ainda uma tatuagem ou um piercing escondido num bolso ou numa bolseta; ou ainda umas bichas para que tivéssemos relações ilícitas lá dentro. Mas tudo bem, com isso não precisavam se preocupar, afinal lá naquele lugar só havia homens. Não é mesmo?

Fomos para mais uma inspeção. Dessa vez tínhamos de ficar só de cuecas. O que era bom. O que era ruim. O guri que trabalhava na locadora da minha cidade tinha uma cueca bege com estampa floreada, mas não consegui desvendar o que teria lá por baixo. O que era ruim. O que era bom. Tinha alguns usando samba-canção. O que era ruim. Fomos inspecionados de cinco em cinco. O que era bom. Sem saber por que, fui separado com os inaptos. Um que tinha problema no coração e tinha o peito peludo como quase nenhum de nós tinha. Um que usava uma cueca cor de vinho e tinha problema de canal. E tinha eu, nos inaptos. Nos que não serviam. Nos indesejados. Como sempre. O que, dessa vez, era sensacional!

Mas ao mesmo tempo nem tão sensacional assim. Isso porque estávamos, de certa forma, caracterizados como excesso de contingente. Mas quando o excesso seria liberado? Os militares, pelo jeito, tinham tentado estabelecer um terror psicológico nos garotos do excesso. Deixaram-nos marinando em fogo brando até que estivéssemos com nossos miolos bem cozidos em função da pressão que botavam na gente.

Fomos para nossos alojamentos, porque iríamos passar mais uma temporada de dias incertos por lá. Naquele lugar com inúmeras camas de beliche e garotos de tudo quanto era tipo — diga-se de passagem, a maioria brancos, vindos de uma região do interior do Rio Grande do Sul —, havia cinco que não iriam fazer as atividades que a maioria fazia. Os que, a princípio, iriam para o excesso de contingente. Um alojamento de homens garotos lindos. Eram poucos que não eram atraentes o suficiente para incluí-los na imaginação de um grande bacanal ocorrendo ali naqueles alojamentos. Alguns daqueles caras já eram conhecidos de longe, outros de mais perto, mas nenhum de tão perto assim que pudesse ter tirado minha virgindade.

Ao lado do meu beliche, que dividia com "tiquinho", dois meninos choravam tanto que soluçavam. Fui conversar com eles e contaram a sua história. Eles haviam vindo do interior do interior do interior. Dava para se perceber no seu jeito de agir e de falar, assustados com tudo ao redor. Achava que eu é que estava assustado, mas tinha sido um bom homem disciplinado e engolido o choro, esperando, com a boceta na mão, a maré mudar e a esperança surgir.

Os dois meninos eram primos. Eram loiros, altos e bonitos. Estavam nus, chorando, e um consolando o outro, enquanto todos nós nos secávamos, depois do banho gelado de dois minutos que tínhamos todos de tomar. Tinham tufos saindo ao redor de seus paus e sacos, algumas daquelas pintas marrons distribuídas pelo abdômen. Não eram irresistíveis, mas, como se diz, ornavam bem. Não fosse a diferença de altura e a presença maior ou menor de pintas no abdômen, poderiam ser confundidos.

O banho tinha sido um outro desafio para mim. Estava como no clube, aturdido com tantos homens ao meu redor e meu desejo brigando com minha disciplina e com minha hombridade. Estava sem óculos, mas, mesmo com tudo embaçado, já tinha meu preferido entre aqueles corpos. A água era gelada. Um dos mais espevitados cadetes, que certamente era usuário de drogas, balançava seu pau para insultar os demais. Com a água gelada qualquer bilau se encolhia, até os poucos circuncidados. Todo dia tínhamos cinco minutos para tomar banho e colocar o uniforme para estar no pátio. No primeiro dia, cheguei por último, dois minutos depois, e tive um vislumbre de como seria se minha "identidade secreta" fosse revelada. Todos os olhares sobre mim.

Os primos me diziam que costumavam trabalhar na roça e lá ganhavam muito muito pouco. Queriam um futuro melhor para sua família e, por isso, haviam decidido se alistar no exército, por livre e espontânea vontade, o que costuma ser mais comum em municípios rurais. Aquilo que tinham descoberto sobre a realidade do exército não era nada do que imaginavam. Era mais brutal que um dia capinando uma plantação debaixo de um sol que faria inveja à seca do Nordeste. Era pouco acolhedor, era selvagem, diferente da família que eles ajudavam. Nunca tinham ficado tanto tempo longe da sua realidade e daqueles que faziam parte dela.

Tentando dormir durante praticamente a extensão de toda a noite, do meu beliche podia ver o garoto da roça se balançar na cama do meu lado. Observei um pouco. Ele estava chorando, mas em silêncio. Apenas seu corpo se contorcia em torções e contrações. Para quem não prestasse atenção, no escuro eram imperceptíveis. Em breve, como nos outros dias daquela semana, o trem passaria fazendo barulho, em seguida, o sol iluminaria nossas janelas e, por fim, as cornetas da alvorada soariam para todos entrarem na rotina do banho gelado, do café insosso e dos exercícios físicos, atividades com o intuito de disciplinar a todos. Era impossível dormir e comer direito, mas se disciplinar, sim, isso era possível.

O primo roceiro chorava e eu ficava mais sensibilizado pela situação dele. Eu me identificava afinal. Só não deixava os sentimentos transbordarem assim, pois, você sabe, eu havia me treinado para sublimar, para me controlar e me tornar um belo soldadinho do desejo: sempre vigiando bem o inimigo nas trincheiras da volúpia.

Quando percebi, eu havia atravessado os arames farpados imaginários entre os beliches e estava sentindo uma mão cheia de calos dentro da minha, que era macia como uma florzinha. O corpo já não balançava daquela forma trêmula. Era um remexer pontual. Num só lugar, em que as respirações precisavam ter controle. Um disciplinava o outro no prazer de controlar a si mesmo. Censuravam a si mesmos ao menor sinal de barulho das outras respirações ao seu redor. Era preciso não respirar, da mesma forma que não comíamos ou não nos banhávamos. Mas ainda assim fazer. Fazer algo que preenchesse aquela falta. Principalmente a falta, a necessidade da falta, de sentimentos.

O controle estava perdido, mas ainda assim estava prevalecendo. A mão calejada firme e compassada acariciando o membro que meu cérebro queria ter desligado aquela semana. A mão florzinha macia se enredando nos tufos bem ornados do corpo cheio de pintas que se acalmava e encontrava algum consolo mesmo despertando ainda mais deslocamento.

A briga de nosso controle do desejo e nosso desejo por controle acabou em nada. Sem nem lençóis nem calções manchados, nem as cuecas nem as toalhas, essas duas últimas, únicas peças que éramos permitidos manter a partir do que trouxemos de casa. Resistimos silenciosa e sofregamente no silêncio e na escuridão ao controle que nos impunham. Mas também resistimos ao desejo, porque a disciplina era maior que o desejo e, para que tudo funcione como tem que ser, para que sejamos cidadãos dignos, não podemos ceder aos nossos desejos, precisamos ter disciplina. Quem tem disciplina não goza. Onde há controle não há prazer. Antes que o trem passasse, antes que o sol raiasse, antes que a alvorada despertasse quem quer que fosse, os corpos quentes resfolegavam, cada um na sua cama, com um sorriso estranho, fora do lugar, indisciplinado e descontrolado, mas escuro e silencioso. Quando a função do dia reiniciou, nada se comentou, nada mudou. Exceto pelo meu atraso de sempre, aturdido com tudo e com todos. Ele sequer olhou para mim quando cheguei. Ele também era um bom soldadinho do desejo.

Os outros tinham inveja dos quase dispensados que eu fazia parte. Não vou dizer que o menino roceiro também não sentia essa inveja apesar de eu, literalmente, ter estendido a mão para ele. Talvez isso o deixasse ainda mais desconcertado do que qualquer outro fato naquele lugar. Todos aqueles carinhas, inclusive o arrimo de família, que na segunda semana já estavam de cabelo raspado, também preferiam voltar para suas mães a ter que ficar fazendo trabalho duro no exército. Eu ficava me perguntando se eu seria menos macho por não querer estar no exército. Mas não era questão de macheza. O exército deixava alguns mais resistentes; outros, mais sensíveis.

A sensibilidade não se mostrava somente daquela maneira que os primos roceiros haviam demonstrado, mas também na sanidade. Um dos meninos começou a rondar uma árvore sem parar durante uma tarde em que tínhamos de limpar as folhas ao redor do quartel. Não sabíamos se ele havia pirado mesmo ou se fingia para sair daquele lugar. Ao perceber isso, o oficial responsável foi falar com o pessoal que configurava o excesso. Bom, se tinha um homem que era o mais lindo de todos aqueles que estavam naquele quartel, era aquele oficial. Ele era inteligente também. Era formado em sei lá que curso e, por isso, era oficial. Não me pergunte que patente é oficial. Uma coisa que poderia ser boa e que poderia ser ruim dentro das minhas fantasias era o oficial ir tomar banho com os cadetes. Acho que eu demoraria mais que cinco minutos. Bem mais.

O oficial havia entrado alguns dias antes no alojamento para nos alertar sobre o perigo das Melancias. Esse era o nome dado às mulheres de vida fácil que viviam perto do quartel e que embuchavam dos soldados para terem pensão alimentícia. Ficavam como se tivessem engolido uma melancia e, por isso, os soldados lá as chamavam assim. Era extremamente bizarro comentários desses vindos de um carinha tão bonito e inteligente. Mas a vida é assim, né? Ele pedia que, ao ganharmos nosso primeiro salário, já gastássemos com camisinha para não termos problemas depois. Filhos eram um problema, gente! E depois eles poderiam ter que "mamar nas tetas do Estado" trabalhando no exército, porque o quartel era ali do lado da zona de meretrício. A fome e a vontade de comer eram vizinhos. Esse conselho não recebemos.

Quando houve o fato do garoto perdendo a sanidade, alguns sargentos ficaram fazendo terror psicológico e dizendo que o excesso de contingente seria reincorporado. Lá pelas tantas, já sabíamos que nossa função no exército seria trabalhar na Engenharia de Pontes, essa era nossa divisão naquele alojamento. Não iríamos desenhar ligações entre margens, mas servir de recurso para alagamentos durante chuvas torrenciais. Eu estava bastante desesperado. Então fui, todo todo, ter com o oficial.

Queria saber quando vão nos liberar pra ir pra casa, perguntei. Ele quis entender por quê, com seus dentes platinados de aparelho sorrindo, um sorriso que eu não consegui interpretar se era maligno ou se era simpático, ou de alguma outra situação como deboche, desejo, irritação, ironia. Era tão charmoso que era monalísico. Disse que eu estava preocupado com minha faculdade e coisa e tal, uma desculpa qualquer que inventei na hora e completei que estava no excesso. Ele quis entender a razão do excesso com o mesmo sorriso. Siso, eu falei, porque tinha sido selecionado como o joio do trigo pelo dentista. Mas siso todo mundo tem, ele falou e deu risada. Mais uma vez eu não compreendia o que significava aquela risada. Ele disse, se acalma rapaz, se você ficar, como está fazendo faculdade, pode ser que trabalhe com o general na Comunicação, que era meu curso. Aí como o que não tem remédio remediado está, pensei que, de dentro do exército, poderia usar táticas de guerrilha na comunicação contra essa disciplina absurda e contra o governo do presidente eleito. Poderia ser muito bom. Poderia ser muito ruim. Será que o oficial disse aquilo para me acalmar? Será que ele sabia que eu era uma fraude? Será que ele estava na folha de pagamento disciplinatória do meu pai e isso nem importava para ele? Será que, se eu ficasse ali, algum dia eu teria a chance de, pelo menos, ver o oficial pelado?

Dois dias depois daquela minha conversa com o oficial, veio um ônibus daquele mesmo comboio de doze ônibus que nos levou até lá. Esse tinha o intuito de levar o excesso do contingente de volta. Das pessoas que conheci no quartel, poucos retornavam comigo. Ficavam lá os primos roceiros e roçadores. Não voltavam comigo nem o arrimo de família nem o garoto que dizia ter problemas cardíacos. Não voltava o "tiquinho". Ficava lá o guri da locadora da cidade. Ficava lá o meu galã preferido. O único que voltava era aquele que insultava as pessoas mexendo no pau e que possuía tatuagens no corpo. Quando o ônibus parou para comida e banheiro no meio do caminho, alguns garotos compraram um engradado de cerveja — proibida no quartel — e o passaram pela janela do ônibus. Eram muitas, muitas cervejas mesmo. Todos tomaram umas duas ou três. O garoto que parecia viciado se babava em cerveja. Mexia os braços para o alto, festejando, e eu me encantava com suas axilas. Eu me encantava com tudo que tinha a ver com sexo masculino. Nossa, que deslumbrado. Nossa, que reprimido. Dessa vez, eu estava plenamente de óculos. Ele tirou a camisa e continuou bebendo cerveja. Abriu a braguilha da bermuda e pôs o pau para fora. Punhetando-o, deixou-o em meia bomba, mostrando para todos no ônibus. Então ele enfiou o pau na mesma janela por onde a cerveja havia entrado e, mijando, gritou:

— Que se fodam esses milico tudo!

UM MERGULHO, ARPOADOR
DANI LANGER

Entrou no bar e parou logo que subiu o penúltimo degrau, uma das mãos apoiadas no marco da porta. Tinha a cor de verão eterno, os cabelos caindo feito conchas pelos ombros. Subiu em uma onda, leve, na ponta dos pés, a cabeça erguida, periscópio avaliando o oceano. Então, desceu. Permitiu-se ir além da arrebentação, voltou e seguiu em minha direção.

Tantas vozes ao mesmo tempo na noite quente de Santa Tereza. A roda de samba inundava o bar. A recém-chegada cumprimentou meu grupo de amigos, um deles nos apresentou. "Lembra, comentei com você, aquela minha amiga que veio estudar no Rio, Júlia". Ela tinha jeito de quem está sempre à vontade com o mundo, com seu corpo. Dois beijinhos, perfume fresco e suor. "Prazer, Júlia. Sou a Fernanda. Fê". Sorriu.

Bar cheio, hoje é sábado, vamos viver mais que hoje é sábado, esquece a rua, nosso lugar é cercado de cerveja e suor, eu na fila para o banheiro e Fernanda saindo dele. Corredor estreito, "você me lembra a alvorada quando chega iluminando", colou o corpo no meu, falou qualquer coisa, "não entendi", a mão no meu rosto, nossas bochechas coladas, "gata, você é linda, tenho que ir, eu te ligo, tá?". Lábios de morango maduro, macios, gosto doce de batom vermelho.

A mensagem me pegou ainda na cama, reunindo coragem para desligar o ar condicionado e abrir a janela. "Bom dia, Júlia. Aqui é a Fê, de sábado em Santa, lembra?". Coisas sobre como conseguiu meu número, alguma desculpa por não ter ligado domingo. "Tem compromisso hoje? Quero encontrar você", respondi que eu tinha aula, ela insistiu, "vamos na praia. Arpoador, pode ser? É gostoso assim bem cedinho".

"Desculpa, te tirei da cama". Estendemos as cangas e sentamos lado a lado. Pouco mais de oito horas da manhã, barracas recém-montadas, areia adormecida com as marcas do caminhão da Comlurb. No mar, junto às rochas, garotos mergulhavam. Vez ou outra, algum sortudo voltava exibindo tesouros em forma de alianças, correntinhas. Fê perguntava sobre meu curso, por que escolhi o Rio, e o que eu fazia antes na minha cidade, tinha família por aqui? A conversa seguiu o ritmo eufórico de um primeiro encontro. O sol nos abraçava pelos ombros, aos poucos amolecíamos e nos encontrávamos. Descobrimos gostos em comum, você já assistiu aquele filme, leu tal livro, sabe o show dos? Eu estava lá. "Capaz, eu também", respondi. Fernanda ofereceu-me a gargalhada, seus olhos também riam e só restou me juntar a eles.

Podíamos ter contado o tempo pelos banhistas que abriam seus guarda-sóis e se acomodavam nas cadeiras, pelo fluxo de pessoas nas pedras, com o trânsito dos ambulantes cada vez mais intenso. Estava quente e ao mesmo tempo tiramos as blusas. Meu biquíni verde e o dela azul. Quanto mais conversávamos, mais colávamos uma à outra. Meu short, seu short. Grudados. "Você gosta de mar?", perguntou. Eu gostava, desde criança, gostava. Dividimos um pote de açaí, nossas línguas roxas e geladas falando sem parar, nossas bocas roxas e geladas rindo sem parar e os lábios de Fernanda. Como era? Morango maduro e doce e macio. Nossos pés juntos, o atrito da areia, ela mexeu os dedos tipo um carinho de pé. Nossos ombros juntos, o meu sem graça, cor de quem pega sol vinte dias por ano. O dela todo pele que reconhece em si mar, sal e sol. Seus ombros brilhavam e, pela alça do biquíni, um pouco fora do lugar, espiei a linha de um tom mais claro. A exatidão do traço a perder-se pelos cachos dos cabelos.

"Eu quero. Não. Eu preciso te beijar" e me senti idiota de anunciar isso assim. De repente, a praia não se parecia com a que chegamos. Uma praia de segunda-feira pela manhã não é lotada, mas, quando está em uma cidade que se debruça ao mar, também nunca é vazia.

"Eu quero. Não. Eu preciso que você me beije", respondeu com os lábios quase colados nos meus e levantou. As cangas, as blusas para dentro das bolsas, confusão de protetor solar, havaianas e nossas mãos dadas, só um instante de mãos dadas, enquanto ela me puxava e perguntava alguma coisa que não entendi, mas devia ser bom, devia ser tão bom que me deixei levar.

Subimos o Arpoador, fazendo a volta pelas rochas, e sentamos na pedra de arquibancada para o mar. A cidade sumiu. Éramos rugidos selvagens das ondas, gaivotas avulsas rasgando o céu, textura áspera e morna de pedra. Éramos suor escorrendo pelas costas e finalmente, o perfume quente dos cabelos. "Tu é uma delícia", eu disse dentro de sua boca. "Você é uma delícia", ela deixou escapar dentro da minha. Queria aquele corpo de mulher lavado de suor, respirando fundo e forte junto de mim. Queria meu corpo de mulher lavado de suor, respirando fundo e forte junto dela. Passei a mão por sua cintura, senti a mão na minha cintura, deslizei pela barriga, deslizou pelas minhas costas, até que nos arrancamos uma da outra.

O primeiro soco foi um grito.

"Que porra é essa? Que porra é essa, suas sapatão?". Dois homens em nossa direção. "Tão achando que tão onde? Acabou a putaria, aqui é Mito!". O de trás se aproximou um pouco "ó aqui, ó", apontava para o meio das pernas, "tem que tomar pica pra aprender". Riam, faziam sinal de arma com as mãos, indicadores apontando para nossas cabeças, e riam.

O clima, às vezes, pode ser bem particular. No universo minúsculo entre minhas retinas e pálpebras, o tempo nublou. Eu, tempestade repentina. Em pé, senti as costas de Fernanda pressionando meus seios — meu escudo. Meu escudo frágil e lindo. "Vão embora, filhos da puta!". Ela segurava alguma coisa, um volume branco, uma pomba? Era isso? Uma pomba. De onde ela tinha tirado uma pomba?

"Vão embora, filhos da puta". Cega de lágrimas e reflexo de sol nas pedras, gritei por socorro. Fernanda gritou por socorro. Os homens riam e o primeiro começou a abrir a bermuda. "Vão levar uma surra de pica, suas vadias".

O segundo soco foi um urro.

Fê arremessou a pomba que, durante o voo, se transformou

em uma embalagem de protetor solar e, como se tivesse treinado toda a sua vida, acertou o homem, que levou as mãos ao rosto. Surpresa e dor. "Vagabunda, eu vou te matar".

"Júlia, você sabe nadar?".

A mão aberta dura de raiva atingiu Fernanda na orelha e ela cambaleou.

O terceiro soco fez voar.

Ela gritou com o empurrão. O grito girando, quando o soco encontrou o rosto. Fernanda girou, uma dança desengonçada e sumiu. Depois, o som do corpo engolido pelo mar.

O que estava mais afastado parou. "Caralho, tu matou ela, caralho, vamo embora, porra". Eu havia desistido de gritar por socorro, tentava entender o absurdo, aquilo era o quê? O discurso era enlatado, já tinham me ofendido antes. O que mudara, então? Eles gritavam e nos agrediam com uma propriedade assustadora.

Eu não ia morrer. "Não, hoje não vou morrer", sussurrei a algum deus escondido entre as pedras e a vegetação. Eram monstros, mas também eram garotos. Em qualquer situação cotidiana seriam considerados dois garotos. "A puta sapatão me cegou, porra", esfregava os olhos onde Fernanda acertara o protetor solar.

"Júlia, você sabe nadar?".

Rompi a linha d'água com os pés. Sob a pressão do oceano, deixei as pernas e os braços cumprirem suas funções. "O mundo debaixo d'água obedece a outras leis", alertou meu primeiro professor de natação, "no mundo debaixo d'água, seja água". Com o repuxo, tomei impulso além da força das ondas. Líquida, submergi. Meus olhos ferviam em direção à linha movediça onde o mar encontra o céu. Dois navios cargueiros, nenhuma gaivota. Tremi ao toque. Fernanda era uma bagunça de cabelos desgrenhados, lábios estourados entreabertos, só uma mancha vermelha e molhada. Oxigênio ardendo e inchando as narinas. Uma em frente à outra.

Conto de areia, terror ou fantasia, a cidade voltou.

ISSO VEM DE LONGE, IRÁ LONGE
NELSON REGO

Se descobrir que guardo minhas anotações com zelo semelhante ao pudor de adolescentes que escrevem diários secretos, dirá que sou gay. Para ela, andar de bicicleta, estudar nas tardes de domingo porque faço mestrado de antropologia, tomar chá de hortelã, ouvir velhos Chico, Caetano e Gil é comportamento gay. Guardar anotações sobre o cotidiano de vidas anônimas na grande cidade será a prova definitiva para que minha tia grude de vez na vida do sobrinho o rótulo de veado, viado, como ela diz, com jeito de falar que imita o tom de voz do novo presidente do país em seus discursos de improviso. Improvisados, não. Espontâneos, autênticos, ela afirma e aplaude.

Deve considerar atitude gay as horas que passo encerrado no quarto que ela me cede em seu apartamento. Por mudanças sutis nas posições dos objetos, deduzo que investiga o quarto quando estou na universidade. O notebook, eu o deixo sobre a cômoda e os dois centímetros mais próximo ou distante da pilha dos livros contam-me que ele é o objeto mais visado nas patrulhas sigilosas da tia. Irrito-me. Divirto-me, tento enxergar a cena, tangenciar sua frustração por não adivinhar a senha que dá acesso aos indecorosos textos que, presume, escrevo nas horas de meu refúgio no quarto.

O senso comum diz que gays vacilam demasiado quando necessitam tomar decisões importantes. Então devo ser mesmo gay. Vacilei na chegada em São Paulo. Em vez de ir morar na república dos estudantes e dos cheiros ruins e das baratas, vim morar no quarto exclusivo para mim nesta casa mais limpa e mais suja.

Com o corte definitivo da bolsa de estudos que cheguei a pensar que ganharia, está mais difícil abandonar o quarto emprestado para o sobrinho suspeito. O presidente ídolo extinguiu milhares de bolsas que sustentariam por um ano pesquisadores inúteis como eu, minha tia falou "tá certo" e me olhou enquanto enfiava na boca o naco de carne sangrenta. Patetice minha ter levado a tia na feira ecológica, agora ela não para de falar que agricultura orgânica é coisa de veado e mais se ufana do Brasil moderno e da carne de boi inchado de hormônios para crescer rápido e do agronegócio plantado com mais de quinhentos venenos que ela põe na mesa. Pago mensalidade por quartinho emprestado e comida que não como. Tentei cozinhar, mas me foi proibido. Na frente do fogão só tem lugar para um e a mulher da casa não sou eu. Lavo pratos. Faço faxina não apenas no quarto. Tentei conversar sobre a cozinha, mas discutir relação entre duas pessoas é mania gay.

Duas pessoas, não. Três, se é marido da tia e dono da casa, meu tio postiço tem o direito de perguntar todo dia quando vou levar minha namorada para apresentar a eles. Desisti de explicar que Elisa é minha amiga. Homem não é amigo de mulher. Se for só amigo, é gay.

Três pessoas, não. Quatro e cinco, meu primo caçula tem sempre nova piada de gaúcho para contar e o gaúcho da piada sempre é puto. E para o primo mais velho, sou alguém sem nome, ele me chama de tchê e não entende por que não tomo chimarrão se gaúcho gosta de chupar ferro quente. Você estuda o que, tchê? Antropologia? Tchê, isso serve para quê? Lá no sul não tem essa porra, não? Você é o que, professor? Tchê, explica.

Eu não brigo com eles. Eles mantêm as agressões dentro de um limite. Temos um bom relacionamento feito de silêncios, piadas, comentários sobre gays. Eles falam, eu escuto.

Quatro e cinco pessoas, não. Tem aqueles amigos do tio postiço para as rodadas de cerveja e conversa entre homens sobre a mulher do outro, ali no bar do meio da quadra. Se eu não participar ao menos de vez em quando, viro mais bicha do que já sou. Se for homem casado quem não vai, vira corno.

E tem a vizinha. E tem a outra vizinha. E o parente que vem visitar a família de vez em quando. E os neopentecostais que passam de porta em porta no domingo, distribuindo folhetos que convidam para o culto onde distribuem folhetos que convocam para o dízimo. O dízimo é para a construção de mais um templo e imprimir mais folhetos. Uma grande família, devemos ser. Eu não brigo com eles, eles não brigam comigo.

E tem o outro gaúcho do condomínio, o vizinho do apartamento térreo com pátio, que é respeitado e admirado porque faz churrasco malpassado pingando sangue nas noites de sábado e reúne todos para falar mal dos paraíbas na frente dos paraíbas e repetir que comeu a mulher do petista do segundo andar. Comparam-me em valor ao outro gaúcho: perco feio, perguntam se também sou macho. Tudo é riso nas noites de sábado.

Exilar-me onde? Não quero caminhar de noite sem rumo e ser assaltado pela terceira vez. Permanecer lendo no quarto: veado. Ir de novo visitar Elisa? E o dinheiro para tantas vezes de metrô? Ficar sem fim empoleirado em algum banquinho de lanchonete, mão no queixo, cotovelo espetado no balcão, olhando a tevê ligada no canal das lutas e tomar a cerveja tão devagar que ela fica morna, demorar nessa única cerveja para justificar a ocupação do banquinho que não pode ficar sem render consumo para o dono do estabelecimento, dá tédio. Ir lavar pratos na Europa? Esse tempo ficou no passado, agora eles não deixam exilados sem renda entrar.

Minha tia imita o novo presidente do nosso Brasil ou é o contrário? É tanto bolsonaro por todo lado que penso: esperto, soube imitar a todos esses tão bem que foi eleito e está a ensaiar-se rei no palácio em Brasília. Parecem-me paradoxais os quase orgasmos que minha tia tem quando assiste, no jornal televisivo da noite, rompantes e promessas do ídolo que me soam ameaçadoras para pessoas como nós. Ou não somos pobres, tia?

Até parece que somos brancos. Minha tia se acha branca. Esse tom que levo na pele, que está em minha mãe e nela, irmã de minha mãe, é o quê? Minha tia diz que somos brancos. Está bem, tia, brancos, só se for de leite que recebeu vários pingos de café. Ela não para de lembrar e acha muita graça daquela vez que o ídolo, antes de virar presidente, discursando de improviso contra a promiscuidade, declarou que jamais permitiria que filho seu casasse com negra. Não lembro qual dos filhos do presidente tem dedicado seu tempo a vasculhar na internet títulos de dissertações e teses para identificar e denunciar pesquisas de conteúdo gay, se o filho que se elegeu senador nesta recente eleição que fez do pai presidente ou se o que se elegeu deputado federal no mesmo último e bizarro pleito, confundo um com outro. Pensei que houvesse questões mais urgentes a necessitarem do tempo e da atenção de nossos parlamentares. Minha tia é fã desse filho presidencial que se dedica a prospectar estudos gays e que, junto com seu irmão, desde criança esteve a salvo de se casar com uma negra. E mais fã ela é do grande pai que cuida de sua dinastia e agora é pai do novo reino e de todos nós. Parecem-me paradoxais os quase orgasmos de minha tia, não os compreendo. Ou compreendo?

Suponho que meu tio postiço imagina-se industrial e financista com escritório no vigésimo andar de vidraças amplas e cor fumê, na Paulista, e não o comerciário de empregos intermitentes que subloca o quarto vago no apartamento alugado onde mora sob o teto manchado de mofo por causa dos vazamentos nos banheiros dos vizinhos acima, o quarto deixado para trás pelo filho mais velho e operário que foi morar próximo da fábrica em Santo André, o filho para quem sou o primo tchê sem nome. Meu tio sabe tudo sobre potência de motores e luxos de carrões que jamais terá. Talvez eu o entenda. Por outros meios, ele tenta parecer-se com o gaúcho do segundo andar, que necessita apresentar-se garanhão aos olhos dos vizinhos nas noites de sábado. Ai de mim se eu lhes disser que existe um elo homoerótico no desejo de sentir-se admirado e invejado por outros machos.

O que eu tenho para lhes oferecer à admiração? Nada. Peito de halterofilista, voz forte de narrador de futebol, fala mansa de libidinoso bem-sucedido, cornos que colei nas testas de maridos ausentes, veneno de cascavel? Nada. Talvez o veneno. Mas macho que é macho destila o veneno no centro das conversas de churrasco e boteco. Eu fico pelos cantos, calado. Destilar veneno pelos cantos é o lugar das mulheres. Dizer peçonha escrevendo no quarto é bicha.

O que tenho para ser invejado é o mestrado na USP, invejado e desprezado. Antropologia? O que é isso? Serve para quê? Vai fazer o que depois? Dar aula? Mas já não é o que você faz, tchê? Ensina o que, na aula? Quanto você ganha? Isso é menos do que ganha o vagabundo que vende crack, cara.

Intelectuais são desprezíveis. Aspirante a intelectual, pior. Sem renda, sem macheza, sem utilidade, posso conversar sobre o que quando encontro mãe e pai de Elisa nas vezes em que atravesso metade de São Paulo para perguntar-me o que lá fui fazer no momento em que chego à frente da portaria do prédio que não é de luxo e mesmo assim é muito mais do que o apartamentinho que um dia talvez eu consiga comprar no pardieiro de alguma esquina ocupada por estudantes de ciências humanas e professores escolares de dinheiro curto como eu e baixo escalão de funcionários públicos e boêmios sem moeda para a segunda cerveja e que fizeram de um pedaço da cidade um pedaço pobre e autoproclamado inteligente em oposição à geografia urbana também pobre e mais comum de famílias de escassa inteligência e fartura de preconceitos exatamente iguais às famílias do condomínio de onde fujo e pego o metrô para atravessar meia cidade para vir ao prédio de Elisa estancar diante da portaria quase chique e torcer para que pai e mãe hoje não perguntem de novo o que faço e farei na vida?

Serei despedido da escola? Que bobagem querer-me professor de história que se leva a sério e deseja construir cidadania em sala de aula com alunos que, em troca, filmam o professor e o denunciam. Doutrinador marxista, eu? Mas, senhores diretores da escola e senhores pais de adolescentes próximos da formatura no ensino médio e que se recusam a ler e escrever, eu não afirmei, não acusei capitalista nem critiquei prefeito ou governador de São Paulo, eu apenas levei fotos antigas da grande cidade e pedi que os alunos fotografassem o hoje de ontem caminhando por essas mesmas ruas de seu dia a dia. Respeitei a falta de vontade de seus filhos para ler e escrever e pedi que formassem as linhas de tempo ligando as fotos antigas que encontrei na internet com as fotos de agora tiradas por eles com os celulares que tanto amam, caminhando nas ruas, observando as ruas. A doutrinação marxista está em conhecer por meio das linhas de tempo alterações no ambiente urbano e perguntar — perguntar, eu nada afirmei — quais mudanças foram benéficas e quais foram prejudiciais, segundo seus juízos adolescentes? Não se pode mais perguntar, observar, comparar, incentivar debate? E nem sou ligado em Marx, gosto é de Deleuze, os senhores compreendem o que estou dizendo? Sei que pessoas inteligentes não precisam de um ridículo ponto de exclamação colado ao texto para lhes dizer que ali há espanto, mas não consigo evitar:

!?!

O que está acontecendo?! Não, não lhes estou acusando de falta de inteligência, por favor, não estou! Eu só peço que expliquem a este professorzinho inútil quando e como doutrinei?! E não me despeçam, por favor! Eu faço das tripas coração (como diziam as pessoas antigamente) (gostar de história, de antropologia contemporânea, dá nisso, escrever frases com tempos entre parênteses) (inútil) (gay) para vir do condomínio para esta escola de seus filhos, ir daqui para a USP, voltar da universidade para o condomínio, atravessar meia cidade e ir visitar Elisa e fazer-me perguntas diante da portaria do prédio. O ídolo dos senhores cortou a bolsa que cheguei a pensar que ganharia quando vim para cá e preciso do pouco que me pagam para doutrinar seus filhos, preciso desse salariozinho do contrato de poucas horas semanais para continuar meu mestrado, pesquisar e tornar-me sensível à compreensão de inutilidades. Prometo que farei jejum, pouparei metrô, conseguirei juntar o suficiente para comprar um par de sapatos que se equipare ao nível dos tênis de seus filhos. Elisa me ajudará. Acho que vários de seus filhos não gostam de mim porque não me pareço com eles. Outros gostam, conversam comigo no final da aula, perguntam, respondo-lhes com outras perguntas, não doutrino.

Há jovem que me olha com admiração nos momentos especiais em que outro mundo luziu em aula no horizonte cego de todos os dias. Existe a alegria um tanto mal-educada das três estudantes que estão sempre juntas cochichando de tudo e me chamam de muso café com leite, magrinho, de óculos, que tocou pandeiro na festa da escola, é do sul, terra de brasileiros que se fantasiam europeus, e, talvez para contrariar sua metade de pouca melanina, quer aprender a dança de capoeira dos outros ancestrais. Elas não gostam de ler, mas, admito, brilha em sua irreverência uma inteligência de tipo novo, instantânea, hiperativa, refratária a se fixar por mais de quatro minutos no mesmo tópico.

Não sei de onde brota essa nova inteligência de leitura escassa e não sei se vem para esmagar de vez aspirantes à intelectualidade ou se para nos reciclar e dar alento. Não sei de onde vem, mas quero saber, por isso estudo e construo-me o professor chamado de muso por adolescentes brancas.

Se me despedirem porque vários na escola não gostam de mim e não gostam de mim porque invento inutilidades como pensar com a ajuda de imagens, direi o que para pai e mãe de Elisa quando perguntarem o que faço e farei na vida?

Por que não volto para o lugar de onde vim? Mas de onde vim? Lá também é Brasil. A irmã da tia, que me pariu, quer, pelo meu bem, que eu desista e aceite. Aceitar o quê? Isso ela não sabe explicar de outro jeito que não seja vago: a vida como ela é. Mas, mãe, a vida que desejo é a vida que tenta compreender a vida. Mas, filho, compreender o que se em tuas anotações secretas no notebook protegido com a senha aparecem esses !?!?!? de quem está desorientado e escreve perguntas para quem jamais as lerá? É melhor escutar meu coração de mãe que pressente acontecimentos ruins e aceitar o teu destino pobre, evitar a tragédia.

Por que não fiquei onde até ontem existi se lá também fui selecionado por uma universidade para mestrado? Por que escolher o centro do país? Por que esse sonho insano de escolher o que parece melhor, maior, ascendente? E que diferença faz lá ou aqui, se perguntar, observar, comparar, conhecer, aqui e lá, é inútil?

Agora estou assim nesses dias, com a vida por um fio, esperando o veredito do diretor da escola, sentado de noite no sofá vendo tevê junto com o primo caçula e a tia. O primo conta a piada do gaúcho que não geme quando dá o cu para o paulista de pau grande porque macho não geme. Sentado na poltrona, o tio postiço coça a barriga enfiando os dedos por entre a camisa entreaberta num movimento frenético de quem sofre de urticária. Ele controla com o canto do olho para ver se estou espiando sua barriga peluda de macho dominante sentado na poltrona reservada para ele. Estamos assistindo mais um filme de zumbis devoradores de cérebros. Não entendo do que tio, tia e primo tanto acham graça quando o sangue alaga a tela, as mesmas gargalhadas de quando o lutador explode um murro na cara do adversário e leva outro de volta. Eu também dou as minhas risadas para não parecer boiola.

Amanhã será noite de sexta. O que um homem faz na noite de sexta? Talvez durante o dia o diretor declare o resultado do julgamento que está a processar dentro de sua cabeça. Se eu for anistiado, à noite poderei voltar a me perguntar o que farei na vida. Aceitarei o convite de Elisa para divertir-me com ela e seus amigos no shopping do Ibirapuera.

Pronto, a noite de sexta aconteceu, é noite de sábado. Ontem fui ao Ibirapuera e a anistia do dia tornou-me enfim ousado. Carinhoso, passei os dedos por breve instante nos cabelos de Elisa. Na despedida, seu beijinho em minha face durou mais do que uma fração de segundo e seu corpo esteve mais próximo do meu. E quando a turma de amigos não estiver em torno?

Sábado, eu sem dinheiro algum para ir ao encontro de Elisa, o cartão de crédito no vermelho. O shopping do Ibirapuera ficou com todo o quase nada que eu tinha. Não senti coragem de pedir emprestado para a tia, nem de contar pelo celular para Elisa que sou mais ralado do que ela pensa. Inventei crise de cálculo renal no tio postiço, internação hospitalar, assim justifiquei para Elisa o motivo de eu não ir. Desse jeito prossegue mal o arroubo iniciado ontem. Acuso-me duas vezes de frouxidão, não ter coragem para pedir emprestado para a tia, não ter a firmeza para dizer a verdade na conversa pelo celular. A falta de dinheiro infantiliza-me. Maldito mundo tão desigual, obriga-me à coragem.

É início da noite de sábado, a terrível noite de sábado. O gaúcho do térreo já está assando o churrasco. Uma parte da carne será assada por pouquíssimo tempo, ele segredou para todo o condomínio: o petista corno do segundo andar confirmou presença, o gaúcho flertará com a mulher do corno na frente do corno e servirá, crua, ao corno, carne sangrenta de boi chifrudo.

    Descarto caminhar sem rumo pelas ruas, não quero ser assaltado pela terceira vez. Permanecer no quarto, ainda mais gay numa noite em que, no pátio, todos vibrarão com a carnificina. Um ato de coragem se faz necessário, irei me empoleirar no banquinho à beira do balcão, assistirei combates até que o indignado dono da lanchonete me exija um mínimo consumo. Ele terá sua razão, reconheço. Serei o criminoso. Mas é o jeito de sobreviver a esta noite de sábado.

    Nada disso pode ser real. O homem com a cara do Bolsonaro estampada na camiseta falou várias vezes cagão olhando para mim. Ele repete a palavra na conversa ou monólogo que mantém com o outro, calado, sentado à sua esquerda. O cagão não é dirigido ao outro, nem a mim, capto trechos do monólogo que o outro escuta em atitude de aprendiz e entendo que o cagão é um terceiro ausente. Mas que o homem com a estampa do Bolsonaro na camiseta olha para mim, toda vez que diz cagão, sim, ele me encara. Acho que não gostou dos meus óculos. Veado de merda. Agora foi por trás, da mesinha encostada na parede, que veio a lisonja. Espicho o ouvido e espio com o canto do olho. Não, não foi para mim. Um grupo numeroso de homens raivosos circunda a coitada da mesinha, pequena demais para tantas garrafas. A escuta me diz que são nordestinos e alternam piadas sobre paulistas e comentários ressentidos contra algum patrão explorador comum a todos eles. O paulista das piadas é sempre neurótico, brocha e corno. Negro de merda. Essa veio do lado de lá. Tenho certeza de que não é comigo. O lugar está cheio de negros e nem sou negro, conforme o parecer de minha tia. Negro, filho da puta. Alguém no outro lado da lanchonete está mesmo irado com minha raça. O curioso é que, na mesa ali adiante, nenhum dos negros machões, que trocam em volume alto informações sigilosas sobre as infidelidades das mulheres de homens ausentes, parece se ofender com as exclamações desse alguém sentado próximo a eles, na mesa seguinte. O balcão da lanchonete tem formato de U, estou empoleirado no banquinho junto a um dos braços do U, o espaço apertado das mesas fica em volta da letra. O dono e o auxiliar transitam no espaço interno desse U, atendendo os clientes em torno do vazio. O dono já me olhou feio porque ainda não pedi nem refrigerante. À minha frente, no braço do lado de lá, está o homem com a cara do Bolsonaro paranoico estampada no peito. Acabou o meu tempo, aí vem o dono perguntar pela segunda e última vez o que vou beber. Salvo, bem neste instante o gladiador na tevê instalada na parede derruba o oponente, atira-se em cima e lhe desfere com velocidade de metralhadora as pancadas na cabeça. Talvez essa seja uma daquelas noites monumentais em que o espetáculo coroa-se com o traumatismo craniano do perdedor. Explodem os gritos de nordestinos, negros, brancos, paulistas, mestres e aprendizes do perfil macho, brasileiros, explodem na lanchonete e o dono não deixará de participar da celebração, ele também desfere no ar socos no inimigo imaginário e gargalha. Quer saber? Nada disso é real. Não importam os minutos adicionais com que o final inclemente da luta brinda-me para permanecer. É melhor na rua, caminharei devagar até o condomínio, demorarei nas calçadas ainda com tranquilizadora quantidade de transeuntes, risco de assalto no limite do pouco provável. O gaúcho do térreo já terá feito o petista do segundo andar sangrar igual ao boi. Em declínio, a vibração ruidosa dos condôminos, quando eu chegar.

Nada disso pode ser real. Agora o texto fugiu do notebook protegido pela senha e está sendo digitado direto dentro de minha cabeça? Estou a narrar-me para mim mesmo em tempo real? Rapaz, é assim a solidão?

Quer saber? Nenhum desses todos que me afligem pode ser real. Eles sobrevivem com trabalhos intermitentes, precisarão de décadas de contribuição para a previdência social em busca da aposentadoria, a aposentadoria jamais virá porque a soma dos trabalhos com os intervalos sem trabalho não lhes permitirá completar o necessário somatório das décadas de contribuição. A partir dos quarenta anos, a intermitência dos trabalhos se acentuará. A partir dos cinquenta, ou antes, nenhum empregador irá lhes querer mais. Antes dos sessenta serão indigentes. Não se enxergam escravos porque cada um deles não é propriedade de um dono em particular. Dizer-lhes que são massa disponível não para alguém em particular, mas, sim, para a classe dos donos de todas as coisas e que, sendo donos de todas as coisas, viram também donos das pessoas — isso lhes será abstrato demais. Concreta é a compensação que se pode ter aqui e agora: sentir-se acima e tirano de alguém próximo que pode ser empurrado para baixo. Esse é o gozo possível.

Chega de ter medo. Sim, eu ainda terei medo, mas tentarei ter mais medo do medo do que ter medo de fantasmas. Pela manhã, mudarei-me para a república dos cheiros ruins e das baratas e dos estudantes que parecem apostar que a mera migração para o polo inverso dos clichês e ideais moralistas da família pequeno-burguesa os tornará rebeldes mais plenos. Terei voz e voto, poderei participar de mudanças para o melhor da casa. Acredito que lá ninguém me chamará de veado. É provável que descubram e digam-me que sou um cagão. Aprenderei a superar meus medos, tentarei.

Desculpe-me, mãe, pela manhã partirei da casa da tia. Sei que será um desgosto, por que trocar a casa da família pelo convívio com estranhos inclinados à baderna? O que se passa comigo? Estarei querendo esconder da família uma inclinação minha para a vida censurável? Desculpe-me, mãe, basta. Preciso tornar-me eu mesmo, antes que acredite sem volta ser o frouxo que a família e os vizinhos e conhecidos da família levam-me a crer que sou. Preciso amar-me para não necessitar empurrar outros para baixo.

Elisa saberá que, nesta cidade enigma onde enfim, pela manhã, eu me lançarei ao risco de tornar-me eu mesmo, estou ainda mais pobre do que até agora ela pensou. Então é que saberei de verdade se. Não, na verdade não sei o que saberei. Duas, três, quatro alternativas surgem repentinas na tela do notebook dentro de minha cabeça, elas não se excluem umas às outras, misturam-se, combinam-se de um jeito intricado. Chegando ao quarto, trancarei a porta, passarei a narrativa da noite para o notebook de metal. Guardarei o exame das alternativas surgidas no minuto que passou para amanhã, quando estiver já instalado na república. Ousarei querer saber.

De verdade. Então saberei nas próximas semanas se Elisa é mais do que fantasia que criei enquanto a tornei, para mim, inacessível, separados pelo muro da não apresentação de mim mesmo. Lanço-me aos riscos. Enfim. Essa celebração, sim, vale a vida. Aquela dos homens, não.

Pela manhã, o mundo recomeçará para mim. Tentarei. Estou um pouco louco nesta noite onde tantos dias culminam. Tomara que pela manhã esse ímpeto continue pulsando. Procurarei os estranhos parecidos comigo. Se algum dia eu tiver família, será nesse outro mundo e será diferente da família que conheço.

Deixo um mundo para trás e, agora, em tudo o que detesto se insinua o inverso, as perdas que terei. Eu os amo enquanto os rejeito? Acho que sim. Sim, tenho certeza de que sim. Alguns, amo mais. Outros, menos. Outros, com certeza não amo. Porém, amo. Esse amor só poderá escapar de não se degenerar em doença se não me prender. Preciso lançar-me adiante, buscar a verdade, o estranho.

Preciso tornar-me eu mesmo, amar-me para poder amar e não necessitar fascinar-me por um fascista que encena a força que ele não tem e que os ralados da vida admiram — esse simulacro de força que o fascista encena e que evoca a outra e melhor força que o medo faz apagar-se em mim.

NÃO PASSARÃO
ELIANA ALVES CRUZ

O professor Flávio perdera a noção do tempo que permaneceu sentado naquele sofá. A casa ruía ao redor enquanto o mundo fluía para dentro da sala pequena em ruídos abafados pelas frestas das janelas cerradas. Buzinas, motores de veículos, poluição, vozes e um calor que só se faziam presentes no ambiente em seus reflexos... assim como o espanto de uma vida inteira se refletia no espelho grande, pendurado acima do móvel da parede oposta ao assento em que, agora, passava seus dias.

Ele não enxergava os cabelos desgrenhados, os dentes amarelados e a poeira acumulando na superfície dos objetos que se misturavam e contavam sobre diversas fases de sua vida. O espelho era a herança de um passado de classe média vinda diretamente da casa dos pais, que criaram o único filho com esmero e dedicação, investindo em bons colégios e numa formação que incluía curso de dois idiomas e de flauta transversa. Tudo isso apesar dos muitos sacrifícios para chegar ao fim do mês com as contas básicas em dia e apesar dos olhares da vizinhança — mais atravessados que sua flauta — expulsando-os sem dizer palavra.

Na tela de suas memórias ainda podia ver o orgulho nos olhos da mãe e do pai quando chegou com o jornal e o resultado positivo para o ingresso no curso de matemática numa universidade pública. Vibraram juntos por aquela conquista e comemoraram com um dos seus pratos favoritos na juventude: bife à milanesa, arroz, feijão e salada. O pai, cabeça baixa na mesa, tentava não chorar baixinho. Ele, um operário, teria um filho na universidade. A mãe, ao contrário, explodia felicidade e atirou-se com afinco no preparo do almoço comemorativo.

O pai não sabia a quem o filho tinha puxado aquela mania de protestar. Flávio tinha saído às ruas para gritar por "Diretas já!" e era um rosto conhecido em tudo o que pudesse ser contra a ordem vigente. Era um rapaz engajado, desperto, consciente. O pai não o reprimia. *"Coisas da juventude"*, repetia para si mesmo, mas ficara bastante aliviado por Flávio ter escolhido um curso que, no entender do pai, afastava o filho de certas companhias "perigosas". Já estavam no final dos anos 80 e a ditadura cedia lugar a uma nova Constituição, a "Constituição Cidadã", mas... *"Eles nada sofrerão, eles sempre passarão"*, dizia preocupado enquanto a esposa rodopiava com o filho pela casa, feliz com o primeiro universitário da família e repetindo *"Não, homem, é o contrário!"*.

Flávio recordava tudo isso abatido pelos cansaços da vida e preso ao sofá da sala. Como Conceição Evaristo em seu poema *Olhos d'água*, ele tentava lembrar a cor dos olhos de sua mãe... e era verdade. Não conseguia lembrar. Achava graça quando os colegas o chamavam de "matemático poeta". E desde quando uma pessoa é uma coisa só? *"Matemática é pura poesia!"*, respondia entre risos.

Conhecera Dora entre essas demandas, em meio a essas lutas, entre cadernos, aulas e planos. O móvel abaixo do espelho fora escolhido por ela assim que alugaram o apartamento. Flávio esboçou um sorriso quando lembrou que tinham apenas aquele armário, um fogão, uma geladeira pequena e um colchão quando começaram a vida. A cama onde ele se sentava e tocava Pixinguinha para ela, depois de acariciar-lhe os cabelos crespos e fazerem amor com o ímpeto de uma juventude que aos poucos cedia lugar à meia idade. Uma maturidade repleta de provas para corrigir, uma matrícula no Estado e outros dois empregos em escolas particulares culpados pelo adiamento da realização do desejo por um filho, das férias no nordeste, da compra daquele carro.

Por mais que se esforçasse, Dora não conseguia entender como alguém podia ser tão desprovido de ambição. Não entendia como o marido não se preparava para, quem sabe, ser dono de seu curso preparatório ou talvez um acadêmico famoso e conceituado fora do país. Nas discussões intermináveis, ele argumentava que educação era agora um valor para o país e que o pior havia ficado no passado. Ela repetia uma frase que lhe soava conhecida: *"Não se iluda. Quem tem poder nunca será derrotado, eles sempre passarão!"*. Foi quando ele percebeu que sua flauta há muito tempo não tocava Pixinguinha.

O dia em que Dora resolveu partir não foi o mais doído de sua vida. Ele, no fundo, sentia certo alívio que ela tivesse tomado a iniciativa, livrando-o da responsabilidade de ter que decidir pelos dois. Partilharam algumas coisas acumuladas ao longo dos anos. Sofreu um pouco, chorou um pouco, se angustiou um pouco, mas provas, reuniões, cinco ônibus e dois metrôs diários, para se deslocar e olhar o Alzheimer do pai, que evoluía, soterraram sua vontade constante de chorar. A mãe já havia morrido alguns anos antes.

O dia da morte do pai também não fora o mais dolorido de sua existência. Seu Alfredo partira esquecido do mundo e de si, carregando consigo a doença e também todos os bens que poderia ter legado ao filho, tragados pelos custos do tratamento e dos salários de cuidadores para que Flávio pudesse ao menos se ausentar para trabalhar. Derramou lágrimas de saudades, mas elas também vieram trazendo alguma sensação de leveza por não mais necessitar ver cotidianamente apenas a sombra da pessoa que um dia fora seu pai.

Tudo ele havia suportado... tudo. Só não conseguia carregar as dores lancinantes produzidas pela falta do combustível que guardava no lugar mais profundo, um canto qualquer de difícil acesso onde ardia uma fagulha.

O primeiro jato frio no fogo que o animava veio da adrenalina das horas em que passou com os alunos no corredor da escola, enquanto balas traçavam o ar do lado de fora. Também viria do gosto de sangue que sentiu ao ver no grupo de WhatsApp da escola a imagem sem filtro do aluno morto após operação policial. O menino estava desaparecido há dias. Não há como manter o coração quente com o frio glacial das equações básicas que não conseguia solucionar ou com a criança que poderia ser seu filho, observando seus fios de contas por baixo da camisa, e lhe dizendo que não queria mais frequentar suas aulas, pois ele era filho do demônio. O dedo pequeno acusando-o foi como uma arma apontada que teve o gatilho puxado, dilacerando seu peito.

Naquele dia Flávio chegou ao apartamento exausto, arrastando-se. Sentou no velho sofá, pegou uma cerveja, ligou a tevê e deixou-se mergulhar para o lugar nenhum do cansaço e da desistência, enquanto a televisão exibia sem parar as imagens daquela mulher jovem assassinada junto com seu motorista. Uma vereadora cujo sorriso na urna eletrônica o fez apertar a tecla "confirma" também sorrindo. A bala imaginária e a bala real apagaram de vez a fogueira do otimismo e lhe trouxeram o silêncio... o silêncio do futuro.

Decidido a não conviver com o horror que combatera ao longo de uma vida, Flávio cerrou as cortinas. Estava resoluto em desaparecer sem alarde, devagar e sem prévio aviso. Não sabe precisar quanto tempo ficou na escuridão, mas não viu quando os próprios alunos marcharam pelo direito de estudar. Não acompanhou os professores em tribunas, ruas e redes sociais levantando vozes. Não observou quando expulsaram quem tentava invadir a escola para vigiar e punir. Não viu quando se deram as mãos.

Ele apenas sabe que os rostos conhecidos foram tomando forma lentamente. Não se lembrava de quando os colegas, após darem falta dele por muitos dias, decidiram invadir seu apartamento e o encontraram desacordado, com um fio de respiração. Não estava mais no sofá, mas em uma cama. No embaço da visão enxergou a face de Dora, que esperou que estivesse totalmente desperto para lhe dizer: *"Eu errei. Realmente é o contrário. Eles virão, mas como estaremos firmes formando a muralha, não passarão"*. Estendeu-lhe a flauta. *"Toca Pixinguinha?"*

FLASHBACK
RENATA WOLFF

Naquele último dia eu queria não ter gritado tanto quando mandei você embora do apartamento. Nem deixei você terminar o café. Acho que é só disso que eu me arrependo. Não: me arrependo também do filme que fui ver depois. Uma chatice. Nem lembro quem era o assassino no final.

———

— Por que você não foi no protesto?
— Eu fui.
— Mas eu mandei mensagens e nada.
— Não te procurei.
— E por que não?
— A gente nunca ia se encontrar lá no meio.
Continuei cortando tomate. Você não me olhava.
— Deixa ver suas fotos depois.
— Não tirei. A bateria estava no fim.
— Viu aquela faixa bem grande, toda preta, só da cara dele com bigodinho de Hitler?
— Vi, sim. Bacana.
A faixa não existia, eu inventei. Foi a primeira vez que eu tive certeza de que você estava mentindo, assim, na minha cara. Então fiquei pensando se eu colocaria a mão no fogo que você não tinha votado nele mesmo. Lembrei os seus silêncios quando eu desabafava. As suas fotos de comida e de academia na rede social mesmo nos dias em que tinham matado alguém. A sua falta de indignação, a ida relutante ao protesto porque eu insisti. Aquela

vez em que eu peguei você lendo uns sites esquisitos no seu computador. Me senti tão só. Me dei conta de que não era a primeira vez que eu me sentia só. Do seu lado.

Naquele último dia eu mandei você embora do apartamento e nem pensei em nada. Fui lavar a louça do café que ficou na pia. Dei comida e acarinhei o meu gato. Estendi a roupa que estava lavada, inclusive a sua calça branca no meio da roupa colorida. Colhi manjericão da hortinha, fumei um cigarro e saí a passear. O filme era monótono. Estava na cara desde o começo quem era o assassino, e o jeito como a vítima morria era ridículo. Na volta vi um carro preto da Força Nacional e tive vontade de ajudar o rapaz virado contra o muro com as mãos pra cima, mas ajudar como?

Resolvemos fazer a mudança logo no fim de semana da eleição.
— Nunca morei em apartamento térreo.
— É a mesma coisa, mas sem vizinho de baixo.
E a gente brindou com guaraná. Eu tinha parado de beber fazia pouco, troquei pelo cigarro. Mas não contei pra você, só fumava escondido. Lá pela meia-noite a gente parou de fingir que não escutava os fogos de artifício, ou que eram fogos de futebol. O quarto todo escuro, a televisão desligada, você pegou o celular pra ver o resultado final. Começou a dizer quantos por cento e quantos votos ele tinha feito e eu pedi que parasse.
— Amanhã a gente fala nisso.
— Tá bom.
Eu fechei o vidro da janela e desci toda a persiana, e você pôs um daqueles vídeos de white noise da internet pra gente não escutar mais nada da gritaria. O vídeo eram sons de chuva forte e trovejada. Dez horas no total. A gente se aconchegou com o gato, ele me incomodava um pouco. Eu sentia uma náusea tão ruim, como se estivesse em queda livre e tudo ao redor caindo

junto. Mas não falei nada e há tempos eu deixava de dizer tantas coisas que elas chegavam a formar um bolo acumulado na minha garganta, no meu peito. Acabei passando a noite em claro. Já você dormiu fácil, pesado, roncando com gosto.

Naquele último dia meu gato rondava meus tornozelos quando eu pedi pra você ir embora. A roupa ficou pronta na máquina e fui aproveitar o vento e estender. Enquanto fumava no pátio, notei que as folhas do manjericão estavam murchas. Fui ao cinema sem nem ler o cartaz do filme. Se tivesse lido não teria nem entrado: quem é que morre daquele jeito no meio de uma escola? De dentro do ônibus, olhei em volta pra ver se mais alguém reparava no moço que era revistado pela Força Nacional, bem contra a bandeira do Brasil pintada no muro do clube. Mas era só eu.

A ideia da comida árabe foi sua: vamos comer outra coisa, é sempre pizza ou chinês, pizza ou chinês. E vamos sair pra comer, não vamos pedir tele-entrega. Eu gostei. Senti um baita carinho, como no começo. Você me escutou quando eu disse que estava chato, que a gente tinha que fazer uns programas diferentes. E foi no restaurante, do nada, que você segurou a minha mão sobre a mesa — bem na hora que eu tinha finalmente chegado na parte boa do quibe, aquela mais crua do meio, e estava colocando a garfada na boca — e disse: eu quero morar com você. E eu parei e larguei o pedaço do quibe no prato, e você me conhece e sabe que não é por qualquer coisa que eu deixo de comer uma garfada pronta. E eu disse: manjericão. A primeira coisa vai ser um vaso de manjericão pra hortinha. Nem sei por que reagi daquele jeito, talvez porque eu já tinha bebido antes de sair de casa.

Combinamos uma ou outra coisa sobre quem ia pro apartamento de quem e, no meio de um silêncio nosso, a conversa da mesa ao lado se impôs. Era um grupo de amigos, um pessoal mais jovem que nós. Falavam de pena de morte. Um deles disse que andava armado. Eu olhei pra ele e você me chutou por baixo da mesa. Eu soube por quê: não fazia um mês da minha discussão com a sua mãe e ela tinha parado de falar comigo. Puxei conversa sobre um gato. A gente devia adotar um gato. E não parei de falar sobre gato, emendava uma palavra na outra sem nem saber aonde estava indo com a frase. Fingi não ver quando a mesa do lado se reuniu pra tirar uma foto, todos fazendo gesto com a mão imitando uma arma e sorrindo muito. Tagarelei tanto que deixei o resto da comida esfriar no prato. E não fez diferença, pois tinha perdido o apetite.

Quando vi a louça do café na pia da cozinha naquele último dia, reclamei, mas era com razão: você nunca lavou uma xícara que fosse. Por isso nem me importei muito quando concordamos que o melhor era você ir embora. O gato miava baixinho. Fui ao pátio e ventava que mal consegui acender o cigarro. Notei que o manjericão tinha morrido no vaso, mas fiquei com pena de jogar fora. Na roupa lavada, a sua calça ficou com um papel no bolso. Saí pra ver um filme e não me lembro dos atores. Lembro que detestei o final. Dei o troco do cinema a uma senhora na parada de ônibus. Cinco homens da Força Nacional revistavam um menino.

— Feliz aniversário de namoro.
— Eu não quis sair do sério, é que perder o passaporte, e logo aqui em Cuba, você imagina…
— Eu sei. Tudo bem.
— Feliz aniversário.
Eu te dei uma calça branca de presente. E quase nos atrasamos pro voo de volta, resolvemos transar bem pertinho da hora do checkout no hotel, e era complicado porque tínhamos nos queimado do sol em Varadero e precisávamos ficar acertando a posição, não pega aqui que dói, não encosta ali que arde. Mas

todo o voo eu dormi no seu ombro e foi tão bom, foi quase a melhor parte da viagem. A pior parte foi um pouquinho antes de pegar no sono, quando eu vi o jeito como você olhava a terceira taça de vinho que eu pedi pro comissário de bordo.

    A gente chegou no Brasil e tinha uma excursão de igreja no aeroporto. Todos de uniforme igualzinho. Os cabelos iguaizinhos. Cada um com um broche de bandeira do Brasil na roupa. E eu usando a camiseta da lojinha de souvenires, com a bandeira de Cuba e o Che. Um casal com um menino pequeno ficou nos olhando quando a gente passou pela excursão. A mulher do casal tapou o rosto do filho e virou as costas. O homem murmurou alguma coisa sem tirar os olhos de nós. Senti a sua mão mais solta na minha, como se tirando distância; entrelacei os dedos nos seus e não deixei você largar.

    Naquele último dia eu coloquei a minha xícara e o meu prato em cima da sua pilha de louça. A máquina avisou que o ciclo tinha terminado e interrompeu o miado do gato. Você disse que estava indo embora e eu respondi: tudo bem. O gato foi quem ficou chateado. Nem vi você sair, porque já estava estendendo roupa no pátio, e o melhor de tudo é que agora não preciso mais esconder o maço de cigarros e o isqueiro atrás do manjericão. Foi bom ir ao cinema depois de tanto tempo; deixei de ir só por sua causa, sempre ranzinza com o barulho dos outros. Mesmo pra ver um filme ruim que dói. A senhora pedindo dinheiro na parada de ônibus era negra. O rapaz de cabeça baixa contra o muro, tapando a pintura da bandeira do Brasil e cercado pela Força Nacional, também.

    Eu trouxe os mojitos pra mesa, devagar, equilibrando os copos com cuidado porque estavam cheios até a borda e ainda por cima vinham com sombrinha de papel dentro.

    — Eu te ajudo.

— Valeu!

A gente gritando pra vencer a música tum-tum-tum.

— Tomei um gole.

— Hein?

Cheguei mais perto.

— Tomei um gole do seu copo pra não derramar.

— Então é praticamente um beijo.

Eu nem acreditei. Até ali não sabia se você estava a fim ou não. Mas daí ouvir aquilo foi feito um estalinho jogado no meu estômago. Comecei a tremer e disfarcei segurando o mojito. Eu sorria olhando meio pra você, meio em volta. Não sabia o que dizer. Do meu lado um outro amigo da Gabi conversava alto com uma garota e entre um trecho e outro da música eu escutava ele perguntar se ela acreditava mesmo na força da gravidade, dizer que ninguém até hoje tinha provado que a gravidade existia, convidar pra um grupo de discussão de teorias alternativas. Eu dei uma risada nervosa e virei pra você, queria contar tudo aquilo, mas antes que começasse você largou o seu copo e me beijou assim em cheio, segurando meu rosto, e não me largava mais. E quando a gente se separou e voltou a respirar, eu não conseguia pensar em nada, nem na força da gravidade, nem na música, tudo tinha desaparecido em câmera lenta como nos filmes, e eu pedi:

— Passa a noite comigo hoje.

Naquele último dia eu lavei toda a louça, dei comida ao gato, estendi a roupa no pátio, tirei um minuto só pra fumar um cigarro. Ventava bastante. Quando voltei pra dentro, você quis conversar. Sugeriu a gente morar em apartamentos separados. Eu não tive resposta. Saí caminhando a esmo, entrei em um cinema e só fiquei até o final do filme por não saber o que fazer depois. A senhora que mendigava me olhou bem fixo nos olhos. Me preocupei com o moço de cabelo raspado dos lados que se deixava revistar pela Força Nacional, mas pensava mesmo é na sua calça branca que estendi com retalhos de papel pastoso ainda no bolso. Tinha algo escrito, tentei abrir pra ler, mas esmigalhou tudo. Eu imaginava se era algo importante. Quando retornei ao apartamento, o gato me olhava com tanto julgamento que eu virei de costas pra ele e fui pegar minhas coisas.

— Dá licença?
Eu passei e bati no seu joelho. Pedi desculpas. Sentei na poltrona do seu lado e você sorriu. Fiquei espiando o seu celular. Vi que você digitava "merda pra você", e o nome no alto era Gabriela.
— Você também veio assistir a Gabi?
— Sim. Se conhecem de onde?
— Da época da faculdade.
— Eu do trabalho.
— Ah.
Já estava quase começando. As luzes apagaram e começou um burburinho.
— Eu nem sabia que ela cantava.
— Quer um chiclete?
— Hein?
— Oi?
Tínhamos falado ao mesmo tempo. Demos uma risadinha. Aceitei o chiclete. Era de morango e meio ácido pro meu gosto. Mascamos em silêncio enquanto as conversas iam morrendo. Daí um segundo antes da cortina se abrir e dos holofotes acenderem, eu perguntei:
— Você vai na festa dela semana que vem?

Cheguei a suspirar quando finalmente consegui acender o cigarro contra o vento, depois de fazer o serviço da casa, naquele último dia. Enterrei fundo a bagana no vaso de manjericão. Pensei em convidar você pra pegar um cinema, vai que daquela vez você tivesse vontade. Mas, quando entrei, você me pediu que eu fosse *embora. Peguei só uma sacola. Disse que queria o gato, mas você falou que era seu. E ele ficou enrodilhado nas suas pernas mesmo. Fui ao cinema sem vontade. Me arrependi de não ter roubado a sua calça branca que estendi no varal do pátio. Uma moradora de rua com uma criança me pediu dinheiro na calçada, mas não dei e não sei por quê. De dentro do ônibus, vi cinco caras descerem de um carro preto e forçarem um menino contra um muro bem em cima da pintura da bandeira. Eram da Força Nacional e todos armados. Ninguém se importava, só eu. Enquanto tentava me decidir se voltava naquele dia ao apartamento, o ônibus se afastou. Foi quando eu ouvi o tiro. Dei um pulo e imaginei o rapaz morto contra o muro do clube. Chorei alto. Fiquei pensando se alguém em volta teve coragem de gritar.*

Eu nunca contei pra você, mas a minha poltrona não era aquela do lado da sua. Eu tinha visto você na fila do teatro. Entrei e esperei em pé até ver onde você ia se sentar. Daí fingi que o meu lugar era do seu lado e torci que não aparecesse ninguém pra sentar ali. É engraçado o que a gente guarda. De tudo, de tudo mesmo — desses três anos, do teatro, da festa da Gabi, da viagem a Cuba, do restaurante árabe, da primeira noite no apartamento, do último dia no apartamento —, se eu tivesse que escolher um só detalhe pra lembrar, seria uma coisa tão minúscula. Seria quando o seu dedo mínimo e o meu dedo mínimo se roçaram, no meio da peça da Gabi. O meu toque não foi sem querer, o seu até hoje eu não sei se foi, mas o que tenho certeza é de que você não tirou a sua mão. Ficamos nos tocando, um nada de pele com pele, mas pra mim foi uma das maiores intimidades que já tive com qualquer pessoa. Meu coração batia que parecia ocupar o meu corpo inteiro, um bumbo no lugar de todos os órgãos internos, não sei como você não escutou. Só nos largamos quando começaram os aplausos. Foi antes de tudo, antes do manjericão e da calça branca, do gato e da bebida, antes dessa porra de eleição, antes até da gente trocar nome e telefone; foi escondido e no escuro, e só nós sabíamos, ninguém mais enxergava; e foi como se ali entre os nossos dedos a gente já combinasse tudo o que ia acontecer, a gente já soubesse que ia se amar e se desamar lindamente enquanto tudo à nossa volta ia ruindo.

Queria te dizer uma coisa que fiquei pensando, naquele último dia, quando percebi o manjericão morto no vaso. Mas não tive tempo. Era o seguinte: você já parou pra pensar como é que as coisas desabam? De repente tudo vem abaixo. Mas só parece que é de repente, quer dizer, é de repente só no final, quando começa a cair mesmo. Mas começou muito antes e bem devagarinho. Uma rachadura que ninguém enxergou. Um pedaço que se solta e todo mundo acha que não é nada. Depois, quando tudo se precipita e só sobram os escombros no chão, as pessoas dizem minha nossa, como foi acontecer, etcétera. Ora, estava acontecendo o tempo todo. Só que fingiam não ver. Depois não adianta: com tudo despedaçado é impossível saber o que estava escrito.

A Gabi tinha me mostrado fotos suas e eu já sabia o seu nome. Ela tinha me dito que você ia estar na peça. Eu cheguei aquela noite já procurando por você. Entrei na fila só depois que você apareceu. Fiquei em pé junto do teatro, em frente ao cartaz, todo colorido com *Roda viva* no centro e os nomes do elenco, e alguém tinha escrito por cima: "peça de comunista".

Agora eu quase nunca penso em você, nem no vaso de manjericão, nem no papel destroçado do bolso de trás da sua calça. Eu penso em outras coisas nestes últimos tempos, eu vou aos protestos, eu tento resistir todos os dias. Foi até melhor você ter me mandado embora do apartamento aos berros naquele último dia, me cha-

mando de comunista. E eu senti orgulho de sair sem olhar pra trás, me segurei tanto e não olhei pra trás. Eu só queria eram os meus cigarros de volta. Queria ter dado o troco do ingresso do filme à moradora de rua e à filha dela que ficou me olhando, assim, com uns olhos pretos fundos de mágoa. E queria mesmo era saber se aquele moço do muro está vivo, mas aprendi que a gente acaba só tendo certeza das insignificâncias. As coisas grandes e graves a gente se dá ao luxo de fazer que não enxerga, pra depois duvidar se aconteceram de verdade.

―――

Eu nunca parei de beber. Enfiava o meu frasquinho de metal cheio de uísque no fundo da minha gaveta das meias. Foi a primeira coisa que joguei na mala quando você me expulsou. E posso não ter roubado a sua calça branca, mas roubei o brinquedo favorito do seu gato. Eu sempre odiei o seu gato. Odeio o seu gato quase tanto quanto odeio todo mundo que votou nesse homem, todo mundo inclusive a sua família, todo mundo inclusive — não dá pra acreditar, parece mentira como parece mentira o estampido do tiro — você.

―――

Queria que a gente pudesse voltar tudo desde o começo. Antes do ponto onde não teve mais volta. Mas passo as noites revivendo tudo na minha cabeça e não consigo saber onde é.

BEIRADA
ADRIANA LISBOA

O banheiro do bar da praça é fácil, ela reflete. O bar tem um grande pátio coberto e cercado, com duas entradas: a principal, voltada para a praça, e uma menorzinha, voltada para a rua lateral. Os banheiros ficam por ali. Então, é possível entrar discretamente sem ser vista pelos garçons que, ademais, a essa hora da tarde não têm muito o que fazer e ficam à toa observando as garotas que passam a caminho do metrô.

Ela olha, espera o melhor momento, é um vaivém de gente aqui fora, mais os carros e os ônibus e as motos dos motobóis, a atividade habitual da cidade. A bexiga cheia incomoda. Ela se apoia no tronco do jambeiro para subir os dois degraus do pátio do bar. Junto à raiz do jambeiro há uma série de guimbas de cigarro, algumas com marcas vermelhas de batom, e um ou outro papel amassado. Dois pardais bicam qualquer coisa por ali.

Entra no banheiro vazio, dirige-se a uma das privadas, fecha a porta. A tranca está quebrada, mas só tem ela ali. Levanta a saia, abaixa a calcinha, as coxas já não têm muita força para ficar se sustentando no ar enquanto ela urina. Mas aprendeu com a mãe que é assim que se faz em banheiros públicos, e é assim que vem fazendo há setenta anos. Ouve a urina caindo na água e lembra de ter pensado, em outra ocasião, num banheiro público cheio, que as outras mulheres faziam cada uma um ruído diferente. Um coro de urinas caindo na água.

Vai até a pia lavar a mão, espreme um pouco do sabão líquido que é de um verde perolado e tem um cheiro que lembra Pinho Sol. O banheiro ainda está limpo a esta hora do dia, o movimento pesado só começa mais tarde. Ela pega o rolo de papel higiênico acinzentado para secar as mãos, a esta hora ainda tem. Sabe que depois acaba, que os cestos de lixo transbordam, que as privadas entopem, mas nada disso importa. Faz anos que ela deixou de frequentar esse bar, qualquer bar.

Quando se vira para ajeitar o cabelo diante do espelho, vem a vertigem. A vista escurece, alguém soprando fuligem em seus olhos. Ela se apoia na parede com a mão. Sente a mão fraca, é preciso o trabalho de todo o antebraço para tentar amparar o corpo. Mas não basta. As pernas vacilam e ela termina por se sentar no chão.

Tudo acontece muito depressa. O mundo vira um túnel. Ela não perde a consciência, mas fica suspensa numa espécie de beirada, a ponto de se desmanchar por completo. Está ali e sente medo — um medo no osso, um medo de coração trepidando, de respiração curta, um medo que não é medo de nada, é só medo. Não há explicação para o que ocorre, não há espaço para tentar fazer sentido. Um lugar animal. O corpo e a mente se apertam num nó de escuridão e incompreensão.

Quando ela abre os olhos, não sabe quanto tempo faz que está ali, sozinha, sentada no chão de um banheiro vazio. Não sabe o que está fazendo ali. Olha ao redor, que banheiro é esse? A vista borrada. Levanta-se com dificuldade e vai até a porta.

Lá fora é dia, o que a assusta. A claridade é agressiva e incômoda. Ela vê um tronco de árvore e o trânsito que passa na rua, carros e ônibus. Percebe que estava no banheiro de um bar. O bar é grande, tem um amplo pátio coberto e as mesas, muitas, estão quase todas vazias. Ela não se lembra se estava no bar em companhia de alguém, sentada diante de uma daquelas mesas, mas não quer averiguar. Tem vontade de ir embora, não sabe ao certo para onde.

Desce os degraus até a calçada e hesita: em que direção deve seguir? Qual é o lugar seguro? Onde fica? Precisa ir embora dali. Tem medo de cair. Ao descer os degraus, olha para os próprios pés e nota que um deles está descalço. Meu sapato, ela diz, mas a voz não sai direito, a voz fica encaroçada dentro da boca como se ela estivesse mastigando mal as palavras. Meu sapato.

Toma uma direção qualquer. Farmácia, restaurante, agência bancária, comércio de celulares e acessórios, leia a Bíblia, shiatsu ayurveda aromaterapia, papelaria, loteria. O barulho da cidade, sua liga de vozes e motores e zumbidos, tudo ecoa quase subterrâneo. Como se ela estivesse na sala ao lado, só que não há sala ao lado, ela não está numa sala, está numa praça aberta. Não sabe onde está. Há uma voz de homem que se destaca do resto. A voz dele chega por cima dos outros ruídos, ele ganha, é o mais forte, está esbravejando e ela franze os olhos como se o barulho fosse algo do campo visual. As pessoas passam, o homem está parado, ela para diante dele. Olha para os próprios pés. Meu sapato.

Tenta acompanhar o que o homem diz. Não consegue. Uma palavra ou outra, ajudador, ela ouve, ele repete ajudador, ele diz obstáculo, diz vida por vida. Ela franze os olhos. Meu sapato. Ele diz a situação deles começou a melhorar compraram um carro novo e um apartamento, eles subiram, meu sapato, subiram como águias. Ela passa a mão pela cabeça, sente a aspereza do cabelo, você entrega tudo e Deus lhe dá tudo, o coque se soltou. O Demônio. Ele fala para a praça, as palavras vão tropeçando umas nas outras. O Demônio. Aquela voz carregada. Deixou de ser empregado e passou a ser líder. Ela passa a mão pela testa, esfrega os olhos.

Celular que toca. Amolador de facas. Ela atravessa a rua junto com a multidão de pedestres. Mas é difícil caminhar, as pernas estão descompassadas, o corpo está pesado. A voz do homem ficou na praça. Agora, é um ônibus que guincha dentro da sua cabeça. São pombos que batem asas dentro da sua cabeça. Um policial apita. Na portaria de um prédio, um canteiro com uma beirada onde ela se senta.

Respira fundo. Passa a mão pelo braço e ali está aquela mesma sensação que não reconhece. O braço não parece totalmente seu. O rapaz que abre a porta de vidro usa uma calça azul e uma camisa branca com umas palavras bordadas no bolso. Condomínio do Edifício Flamboyant.

A senhora não pode sentar aí não.

Mas ele não está bravo. Fala com um sorriso e a voz baixa. Poderia estar pedindo desculpas. Ela olha para ele e tenta dizer, o que é que ela tenta dizer, quais são as palavras que dão conta do que ela precisa dizer, não sabe o que é, não sabe quais são as palavras.

Aí na beirada do canteiro, ele diz. É que o síndico.

Meu sapato, ela diz, mas as palavras saem como se fossem sílabas soltas, sem qualquer relação uma com a outra. As palavras mal saem.

A senhora tá se sentindo mal, é?

Ela fecha os olhos.

Vem aqui, a senhora se senta aqui dentro, eu vou buscar um copo d'água, tá bem? A senhora quer um copo d'água?

Ele vai até ela, segura seu braço, ajuda-a a entrar e a se sentar. O sofá da portaria é macio, macio, ela afunda, afunda, o rapaz volta com um copo e lhe entrega. Ela segura o copo com a mão direita, ele ajuda, colocando a mão por cima da mão dela, ela leva o copo à boca. A água está fresca. Cobre com a mão esquerda a mão do rapaz. Vai tentar falar outra vez do sapato, o sapato que perdeu não sabe onde, mas neste momento só quer sentir a mão do rapaz na sua, os dois ali, a mão dela sobre a mão dele sobre a mão dela sobre um copo d'água. Mais nada.

O ASCO
DOS NÁUFRAGOS
CARLOS ANDRÉ
MOREIRA

Para Thomas Bernhard
e Horacio Castellanos Moya

Olha lá, Moreira, tá vendo aquele malandro ali na esquina, ele me pergunta, apontando com a mão que segura o copo de cerveja para algum ponto atrás de sua cadeira, onde se pode ver um homem magro, usando um blusão desbotado e um moletom cheio de manchas, passando um pé sobre o outro, calçando apenas chinelos apesar da noite fria, tentando aquecer-se com goles ocasionais em uma garrafa de vodca. Aquele ali, o malandro ali na esquina, Moreira, tá vendo, o sujeito literalmente pé de chinelo, que acha que eu não vi ele porque estou de costas, tá vendo? Aquele é um vagabundo mentiroso igual a quase todo mundo neste país. O malandro ali, Moreira, me abordou logo que cheguei aqui e sentei pra te esperar, porque é claro que tu ia te atrasar como todo mundo na merda desse país, Moreira, ninguém leva compromisso a sério, é um desrespeito, um bando de desocupados que se acham no direito de se apropriar do tempo alheio. Se tem uma coisa que aprendi nesses três anos morando em Miami é que time is money, baby, mas aqui ninguém se importa de te deixar esperando vinte e cinco minutos, Moreira, nem tu, veja só. Sabe o que são vinte e cinco minutos, Moreira? Com a velocidade das comunicações hoje, vinte e cinco minutos são uma eternidade pra fazer muitas outras coisas, ele me diz, e eu não respondo que essas mesmas telecomunicações céleres de hoje permitem que ele faça muitas dessas "coisas" pelo celular — aliás, é o que ele deve ter feito enquanto eu não chegava. Então qualquer um que não tenha a consideração de chegar no horário, Moreira, ele continua, é uma espécie de ladrão em pequena escala, e é nesse tipo de detalhe que a gente pode ver como foi se instalando aos poucos, nos últimos dezesseis anos, essa mentalidade de leniência com a corrupção, de simpatia pela quadrilha que se instalou no poder e promoveu o maior esquema de roubalheira já visto neste país, Moreira, uma roubalheira que só podia mesmo dar nessa quebradeira que todo mundo viu e que felizmente a gente tá se recuperando, ele interrompe o discurso, dá um gole na cerveja e parece tentar refletir em silêncio enquanto olha para o buraco redondo no centro da mesa de plástico com as cores de uma marca de cerveja diferente daquela que estamos bebendo, uma artesanal de garrafa bojuda e escura que ele já havia pedido quando cheguei — nesse ponto ele está certo, eu realmente me atrasei. Até tu, Moreira, ele prossegue, que é um sujeito inteligente, um dos poucos amigos que me sobraram nessa abjeção de país, até tu chega atrasado vinte e cinco minutos num encontro com um amigo que não te vê há três anos, não estou falando por mal, Moreira, gosto de ti, mas eu precisava apontar como não é coincidência essa tua atitude com as tuas manifestações, que eu já li e já vi, a favor da mentira e da inépcia daquela gente, não é por acaso, e não toma como ofensa, gosto de ti, Moreira, mas vê bem como os detalhes revelam o caráter, como o país andava doente com o tipo de mentalidade instalada pelo projeto de poder posto em marcha por aqueles criminosos que em boa hora os cidadãos de bem conseguiram expulsar da vida pública. Só lamento, Moreira, mas acabou a esquerda, meu amigo, essa gente aproveitadora que quer fazer caridade pra todo mundo com o dinheiro dos outros, o que já seria errado, mas que na verdade usa o discurso de caridade para mandar o dinheiro dos outros pro próprio bolso, a tal justiça social, uma impossibilidade no mundo real, Moreira, apresentada como desculpa pra um assalto à mão armada, real, no caso dos bandidos de quem esse pessoal tem peninha, ou metafórico, no caso em que inflam e alimentam o maior ladrão de todos, que é o Estado, essa quimera, essa fadinha benfazeja que todos querem ter como mãe, Moreira. Acabou isso aí, tá ok? Caridade é uma questão pessoal, Moreira, não assalto forçado. Toma o exemplo daquele malandro ali que eu te apontei, o malandro vagabundo literalmente pé de chinelo parado ali na esquina do outro lado da rua. Talvez tivesse sido diferente se tu tivesse chegado no horário, tu não tem cara de otário como eu, e eu já fui muito otário mesmo, tem que ser muito otário pra continuar pagando os impostos que se paga nessa merda de país, Moreira, a melhor coisa que eu fiz foi me mudar pra Miami pra escapar disso, mas mesmo lá não se consegue escapar, Moreira, as garras dos assaltantes estatais te alcançam, porque eu montei uma firma de importação, Moreira, e pra importar de lá pra cá sou roubado por essa taxa escorchante de impostos que não deixam o país avançar, é impossível empreender neste país, Moreira, impossível, e por isso é também impossível gerar emprego, e por isso tá cheio dessa gente pobre e bunda-suja reclamando de patrão. Reclamem de patrão, Moreira, reclamem, vão reclamando até o dia em que não tiver mais patrão, faliu, o negócio fechou, parabéns, proletário consciente bunda-suja mamador de teta vagabundo, agora te vira na rua pedindo esmola, iludido de merda, que nem aquele cara ali, ele finalmente retorna ao ponto original, aquele malandro ali, aquele vagabundo aproveitador, ainda parado naquela esquina como se não tivesse mais nada pra fazer, e provavelmente não tem mesmo, aquele cara chegou aqui mais cedo, me viu sozinho, e me viu sozinho porque meu camarada jornalistinha progressista súper ocupado não podia chegar na hora pra encontrar um amigo que mora no estrangeiro e que ele não vê há três anos, claro que não podia, Moreira, não falo por mal, gosto de ti, mas a verdade é essa, e com a tua demora eu fiquei vinte e cinco minutos aqui nesta mesa sozinho, cara de otário, como qualquer cidadão de bem que só quer viver sua vida sem ser perturbado, tomar sua cerveja, falar com um amigo que não vê há três anos, mas claro que ele não vai conseguir ficar de boa, porque não demora a aparecer, como apareceu, um fulano abusado como aquele malandro, aquele vagabundo aproveitador literalmente pé de chinelo, dizendo que só precisa de dois reais pra inteirar a passagem, porque mora na Restinga, ou na Cruzeiro, um desses lugares aí onde é melhor nem ir pra não tomar tiro de traficante. Ou talvez fosse o Partenon, ele diz, pensativo, e talvez reagindo a um involuntário endurecimento em meu semblante, que, sei, deve estar agora a meio caminho entre o horror e a indignação, ele emenda sei lá, Moreira, não me lembro o lugar exato, mas ele morava longe, foi o que esse malandro aproveitador disse ao me ver te esperando depois dos vinte e cinco minutos do teu atraso, por favor, doutor, doutor, me chamou de doutor porque é claro que malandro vagabundo não se puxa pra nada a não ser na bajulação, por favor, doutor, moro longe, preciso de só dois reais pra inteirar a passagem, preciso voltar pra casa pra ajudar minha muié, muié, falou bem assim, Moreira, porque é claro que a instrução formal passa longe desse tipo de gente, e já nem sei se é porque esse diabo desse país não tem projeto de educação, só de passar todo mundo de ano, ou se porque ele, como muitos que foram pra escola com a gente, Moreira, só queria ficar de gaitada e não estudar, sempre com uma desculpa diferente, ah, minha mãe doente, ah, meu lar desfeito, ah, eu trabalho pra ajudar em casa, o mais bizarro nesse país é que tu nunca sabe como se forma um aproveitador desses, porque parece que todas as partes do processo, escola, família, o próprio aproveitador, todo mundo ficou fingindo que formava um indivíduo enquanto ele se deformava sozinho, e isso claramente piorou nesses dezesseis anos de leniência e estímulo à vagabundagem e ao mimimi, Moreira, com o apoio de gente como tu, e não falo por mal, gosto de ti, mas tu sabe que é verdade, ele diz, antes de retomar: pois bem, o vagabundo aproveitador me trovou que ia pra casa ajudar a muié porque ela tava doente, e acho brabo esse malandro ter muié em casa, tava na cara que a grana era pra trago ou pra pedra, e é só aqui que acontece dessas, Moreira, porque é a cultura disseminada pela índole pouco afeita ao trabalho, te digo, tou morando em Miami há três anos já, e mesmo com aquela horda de latinos meio preguiçosos que eles têm por lá, a coisa é completamente diferente, porque a cultura do lugar é de trabalho e empreendedorismo, e isso muda tudo, isso transforma um país, Moreira, e é isso o que a maioria de vocês não entendeu na última eleição, ele emenda, a voz rascante de tanto falar, e toma um gole de cerveja antes de prosseguir. Vou ser o primeiro a concordar contigo que o cara é tosco, Moreira, eu sei disso, não tem tanto ingênuo manipulado como vocês acham que tem, na sua condescendência progressista, o cara é tosco, fala umas merdas, não sabe se comportar, todo mundo sabe disso, mas não é isso o que importa, importa é dar uma resposta, dar finalmente o choque de liberalismo que esse país precisa, Moreira, chega de todo mundo passando frio agarradinho no cobertor curto do Estado, tá na hora do Brasil ser um país de gente grande, que vai e faz e não fica esperando tudo na boquinha ou quer depender do trabalho dos outros, como aquele malandro aproveitador pé de chinelo ali na esquina. Não é questão de melhorar PIB, isso é a parte mais fácil, é mudar a mentalidade desse país em que ninguém quer ser responsabilizado pelos seus atos, em que a leniência da quadrilha no poder permitiu que certas coisas passassem do limite. Passaram do limite, Moreira, não tem outra definição. Olha o lance do racismo, da homofobia, qualquer coisa agora é racismo, qualquer coisa é homofobia, esse politicamente correto que está matando a opinião própria e que é contrário à realidade, os caras querem implantar uma verdade própria, Moreira. Tenho amigos gays, tudo, um deles tu conheceu, o Emerson, meu amigo desde o colégio, já no segundo grau dava toda pinta de veadinho, foi entrar pra faculdade e se liberou geral. Ainda assim respeitei, continuei amigo dele, convidava pro meu aniversário todos os anos e um dia, num dos meus aniversários que tu nunca vai porque tu é um amigo muito desatento, Moreira, não falo por mal, ele apareceu na minha casa grudado numa boneca barbudinha de calça vermelha, Fabrício, Murilo, um nome desses. E as bichas ficaram a festa inteira se agarrando pelos cantos do meu apartamento, tem cabimento isso, Moreira? Até a minha mulher, a Leandra, lembra dela, a ruiva que era toda metida a progressistinha, até ela achou um pouco demais, ficou a festa inteira me dizendo que aqueles dois estavam exagerando. E, como era muito natural, eu fui lá pedir pra eles baixarem a bola. Pra quê? O Emerson armou um escândalo, me chamou de homofóbico, saiu da minha casa gritando, Homofóbico, porra. Não me admira que aqui mesmo nesse bairro metido a boêmio em que tu mora a gente veja tanta putaria desenfreada, se o cara não pode mais reclamar dessas bichas nem na própria casa, na rua, então, perdeu-se qualquer limite. Homofóbico, eu, Moreira? Se eu fosse homofóbico não tinha convidado aquela gazela pra minha festa, e aliás não pretendo convidar nunca mais, mesmo que volte a morar nesta abjeção de país, que Deus me livre desta terra de malandros e vagabundos aproveitadores. E sabe o que é pior, Moreira?, ele me diz, ficando vermelho, a voz afinando um pouco com a raiva que ele já nem tenta conter. O pior é que a Leandra, a minha mulher na época, que tinha ela também achado ruim, depois da confusão disse que eu mandei mal. Eu mandei mal? Mandei mal foi em ter me casado com aquela vaca cirandeira que me levou até as cuecas no divórcio e que ainda assim é toda metida a feminista, dia desses estava olhando no perfil dela e tinha umas daquelas mensagens de "empoderamento", essa palavra horrorosa que elas nem se deram ao trabalho de traduzir direito, umas frases de para-choque sobre como uma mulher só precisa dela mesma... Ah, tá, eu é que não caio nessa, vagabunda do cacete, tu só precisa de ti e da casa que tu me levou, a mesma que o Emerson ficava lá se agarrando com a bichinha dele, e aí tu achou ruim e depois não queria admitir então resolveu encrencar comigo que fui o único a tentar refrear aquela pouca-vergonha. Mas claro que dei o azar do litigioso ir parar na mão de uma juíza. Perdi a casa, perdi o carro, sorte que eu sempre tive tino financeiro e ainda tinha uma grana investida que escapou da sanha daquela mocreia gananciosa. Maior sorte ainda eu não ter tido um filho com aquela idiota, porque do jeito que a juíza se comportou durante o processo ela teria embalado pra presente e entregue pra Leandra. Que filho, o quê, pensando bem, se pudesse ela teria cortado minhas bolas e entregue praquela vaca de presente. E sabe por que, Moreira? Porque o advogado da minha ex fez estardalhaço me chamando de "empresário" o tempo todo, dizendo que eu é que tinha melhor situação financeira, só porque eu ainda tinha o restaurante na época. Aí já viu, né? Juizinha metida a paladina da reparação social, ah, esse aí tem dinheiro, ele me diz, e segue, aumentando tanto o tom que um casal ao nosso lado nos lança um olhar incomodado e se levanta, indo sentar-se em outra mesa na calçada, alguns metros mais adiante, mais próximos do homem encostado no poste na esquina tomando uns goles da garrafa de vodca, e ele continua ainda mais exaltado, e é claro que ter dinheiro virou crime na bosta desse país. Nação de gente ladra e vagabunda, acostumada a achar que se alguém tem dinheiro tem mais é que perder na mão grande pra uma corja de desocupados que culpam quem tem dinheiro porque não conseguem ter. Que culpa eu tenho? As oportunidades tão aí, é só ralar como eu ralei, ninguém me deu nada de mão beijada. Comecei a atender no restaurante do pai desde cedo, desde os quinze anos lá no caixa, atendendo o público enquanto o pai gerenciava, passava de mesa em mesa, fiscalizando funcionários vagabundos, discutindo com fornecedor vigarista. E eu trabalhando ali no caixa, função de responsabilidade. Quem sabe se metade dessa gente pedinchona tivesse a disposição pra trabalhar um pouco não precisaria ficar se ouriçando toda pra arrancar na mão grande o dinheiro de quem tem, como a vaca mal-agradecida da minha ex-mulher. Ou como esse malandro vagabundo pé de chinelo que não deve morar longe nada, deve ser um daqueles que privatizaram o espaço público lá no Viaduto da Borges com suas barracas de saco de lixo e quinquilharias que impedem a passagem do cidadão de bem, esse vagabundo mentiroso e aproveitador me pediu dois pilas e sabe o que eu fiz, Moreira?, sabe o que este teu amigo que está ficando cansado desse teu ar superior de reprovação fez? Eu dei dez reais pra ele, o suficiente pra ele pegar uma lotação, se quisesse. Mas com uma condição: eu falei pra ele que estava acreditando na palavra dele, acreditando que ele fosse um cidadão de bem que soubesse o que é honra e decência, e que, portanto, eu não esperava ver ele por aqui no resto da noite, já que ele precisava de tão pouco e a muié dele tava doente, então ele iria direto pra casa, não iria? E eu prometi pra ele que ele ia se arrepender se estivesse mentindo pra mim, e ele arregalou o olho como se eu estivesse brincando e fez uma reverência toda formal e respeitosa, me chamando de doutor, já que essa gente não se puxa pro trabalho, mas se esforça na bajulação. Entende o quanto esse tipo de comportamento, com a inspiração oficial da quadrilha que se instalou no poder, contamina tudo, Moreira? A mentira, a falta de responsabilidade pelos seus atos, o logro pra cima de um cidadão de bem que todo mundo de repente se acha no direito de achacar só porque ele parece ter dinheiro e tem cara de otário como todo mundo que paga imposto nesta abjeção de país. Entende agora o que aconteceu, Moreira? O que tá acontecendo é uma mudança de mentalidade que vai levar anos, Moreira, pra que todo mundo volte a respeitar noções básicas de civilidade, decência, liberdade, ordem, volte a querer conquistar as coisas baixando a cabeça e trabalhando, não pedindo tudo na boquinha e querendo comover os outros com história triste e mimimi.

E agora olha lá, Moreira, tá vendo ou não aquele malandro ali na esquina, ele me pergunta, enquanto pela primeira vez desde a minha chegada abre o casacão pesado que estava usando e afasta o lado direito, deixando entrever o cabo de uma pistola acomodada em seu flanco. Eu sou um cara de palavra e aquele vagabundo aproveitador não é, então eu não tenho muita escolha a não ser esperar até um momento em que ele sair dali, porque o idiota acha que eu não vejo ele, mas vejo muito bem pelo reflexo da porta do bar, eu não tenho outra escolha a não ser fazer ele entender que estamos num novo momento, e que é hora das pessoas assumirem responsabilidade por seus atos, Moreira, e tu sabe que eu tenho razão. Só tenho uma pergunta pra ti, uma pergunta da qual depende tudo, no fim das contas, até o futuro da nossa amizade, ele continua, enquanto fecha o casaco e dá o primeiro sorriso da noite, em uma voz que de súbito ficou estranhamente calma, e agora, ele me diz, eu preciso saber se tu vem comigo.

EL NIÑO
MICHELLE
C. BUSS

Fazia dias que parecia que ia chover. Amanhecer após amanhecer, o céu acordava pedrento, anunciando o aguaceiro. Pela metade da manhã, nublava ou saía sol sem sinal de que choveria.

A primeira vez foi como um trovão, meu rosto queimava e eu não sabia se a ardência era só na pele, na carne, ou no coração. Um silêncio profundo tomou conta da minha garganta, um silêncio doído e estático. Na segunda vez eu já não sabia se o que eu ouvia e sentia era efeito da chuva que começava lá fora. Meu rosto latejava em vermelho; no peito, respirações curtas.

— Olha o que tu fez, Maria. Olha bem o que tu me fez fazer. Será possível que tu não entende?

A voz era dele. O chão coberto de cacos e pedaços de papel.

— Tu tá louca ou o quê andando com essa gente que não quer nada da vida?

O grito.

— A culpa é tua, Maria... tua culpa!

O toque nos meus braços, as mãos dele em torniquete.

— Tá me ouvindo, Maria?

Enquanto uma lágrima escorria pelo meu olho esquerdo, eu ouvia, além da janela, o barulho distante de trovões. A chuva então despencou de vez: se soubesse que ia chover hoje, não teria saído de casa.

Uma torrente de pensamentos desconexos: meu corpo imóvel. Era como estar ali e não estar, uma fronteira entre a ficção e a realidade na esperança de estar no lado da ficção. Até então, não tinha percebido o resto do meu corpo dolorido. Não tinha percebido o estrago na sala, especialmente nos livros despedaçados.

Um dos livros era de neuroanatomia, emprestado da biblioteca da faculdade; o outro, um presente que foi o estopim do temporal.

Desde o início do outono, na mochila, capa e guarda-chuva intactos. A umidade marcava as paredes dos prédios. O frio vinha chegando em meio às ondas de calor. Todos os dias, a previsão errava sobre a chuva. Numa tarde de tempo fechado em que eu decidira ficar em casa aproveitando para estudar para a prova de anatomia, entre momentos de foco e dispersão, Ana me escreveu.

"Tô preocupada contigo"

"Como assim, Ana?"

"Esse cara não te merece"

"Não é isso, Ana, às vezes ele só é meio exagerado, mas não é nada de mais"

"Exagerado, Maria? Esse cara é doente, só tu não vê"

"Ana, pensa que ele foi abandonado pela mãe, sabe... além disso, teve um pai complicado que o obrigou a fazer medicina e se casou depois com uma mulher transtornada... não é fácil pra ele. Por isso ele é do jeito que é"

"Maria, isso pode explicar o jeito dele, mas não justifica. Ele te tratar daquele jeito, amiga, te chamando de louca, te diminuindo na frente dos outros"

"É... mas ele só quer meu bem. Às vezes, eu piso na bola mesmo... ele só quer o melhor pra mim, por isso que às vezes é superprotetor. Não é por mal"

"Pisar na bola como? Sendo tu mesma? Vendo teus amigos? Dando tua opinião? Usando a roupa que tu gosta?"

"Não é bem assim, Ana"

"Isso ainda pode piorar, Maria"

"Piorar?"

"Agressões verbais e esse tratamento que ele te dá..."

"Não, o Pedro só anda muito estressado com a residência. Fica tranquila, Ana. É só um período difícil. E namorar é assim

mesmo, é ceder um pouco, se adaptar ao outro. É amar ou deixar. É só isso... Na real, tu nem deveria te preocupar com isso, amiga"
"Como não me preocupar?"
"O tempo fechou mesmo. Tá chovendo aí, Ana?"
"Ok, então"

Ultimamente minha respiração estava mais densa, o ar úmido pesava no meu peito. No jornal, a previsão do tempo marcava nuvens escuras e carregadas por toda região sul, no céu, quando muito uma garoa entrecruzada ao sol.

— Pedro, sabe, sei que tu não fez por mal falando daquele jeito na frente dos meus colegas, mas...

— Eu fui grosso, Maria? Pelo amor de Deus! Tu fala tanto em respeito, mas como que eu vou te respeitar se tu não te dá ao respeito, hein?

— É... é que...

— Não tem "é que", Maria. Tu deve tá ficando louca mesmo, porque eu ainda tentei te impedir de falar bobagem.

— Eu entendo, sabe, mas eu fico triste quando tu age assim...

— Tu é sensível demais.

— Talvez eu seja mesmo...

— Cansei disso, tu faz drama por qualquer coisinha, Maria. Parece até que...

Em um ato involuntário, meus olhos choveram.

— Ah, pronto, eu não disse?

Comecei a soluçar. Eu só queria me esconder.

— Shhh... calma... tá tudo bem. Às vezes eu acabo sendo meio duro mesmo. É coisa de homem... Mas tu sabe que não é por mal.

Pedro me abraçou.

— Eu te amo, minha linda. Não fica assim. Eu te amo, mas tu sabe o quanto tenho andado estressado. Tem que levar isso em consideração. Depois que a residência terminar, tu só vai ter o melhor de mim.

Ele segurou com seu olhar o meu.

— Tu só precisa ter paciência comigo. Tudo que eu faço por ti é por amor.

E me beijou. Silenciando qualquer protesto, acolhi seu amor naquele beijo. Além da janela, a ventania. Meus olhos dançavam com as folhas que se rebelavam contra a própria gravidade perdidas no vento. Será que finalmente choveria?

O final do outono foi atípico. A previsão do tempo continuava imprecisa. Em vez da chuva, vínhamos tendo garoas esparsas, umidade e dias quentes. Quando eu falava com minha família, que morava no interior, ouvia constantes reclamações de que o clima não propiciava uma safra boa para este ano. Minha avó, que sempre dependeu do resultado das colheitas para o seu sustento, construiu ao longo de sua vida uma relação muito íntima com a natureza. Ela dizia que conversava com as chuvas... Cresci vendo vó Jacinta ora amando, ora esbravejando contra a chuva. Desde pequena ouvia ela afirmar: a natureza mata tanto pelo excesso quanto pela falta.

Deixei de ver Ana com frequência. Pedro dizia para eu passar longe do pessoal das humanas, pois eram um bando de vagabundos que não se esforçavam por nada, e Ana não era boa influência para ninguém. Eu até achava que Ana, ultimamente, não andava com as melhores companhias, mas, mesmo assim, eu sentia falta da minha amiga.

Eu também sentia falta da Júlia, que, por não gostar do jeitão de Pedro, deixou de falar e de fazer trabalhos comigo nas disciplinas. Mas vi que Pedro tinha razão em não gostar dela: nos últimos meses, ela vinha defendendo criminosos nessa onda de direitos humanos. Antônio também se tornou distante desde que começou a comprar as ideias daquele pessoal politicamente correto, não tinha mais a mesma espontaneidade de antes nos corredores da universidade. Passou a ser desconfortável conversar com ele, pois parecia que ele estava sempre me julgando. Perdi a companhia do Felipe. Eu até gostava do seu afeto e me divertia ouvindo seus relatos de suas aventuras amorosas com outros meninos, porém Pedro possuía certas opiniões a respeito desse "tipo de gente", dizia que não tinha preconceito com o que ele fazia ou deixava de fazer em casa desde que não saísse por aí "esfregando" isso na cara das pessoas. Pedro dizia que a atitude de Felipe era proposital para chamar minha atenção. A um certo ponto, comecei a desconfiar disso, tamanha era a preocupação do meu namorado e o desconforto que me trazia manter essa amizade. As namoradas dos amigos de Pedro passaram a ser minhas únicas companhias.

O inverno chegou com algumas tardes de mormaço. Quando era possível, eu e Pedro passávamos o fim de tarde juntos na beira do Guaíba em Ipanema. O calor da mão dele aquecendo a minha, a cor dos nossos olhos se misturando. Uma vida toda no meu peito: apenas nós dois e a luz do sol entre nossos beijos. O sol dourando aos poucos as águas do rio, um sonho de verão em uma tarde de inverno. Era impossível imaginar essa cena sem Pedro. Estar ali, sozinha... eu, o pôr do sol e o rio... sozinha... minha sombra crescendo enquanto o sol se apagava nas águas geladas. Dentro de mim, um deserto de frio...

Em agosto, encontrei uma Ana apaixonada: o projeto de pesquisa que estava desenvolvendo, os livros que teria para ler, e Isadora, uma estudante de psicologia que conhecera. As histórias e o entusiasmo de Ana eram ecos de um país distante, uma terra estrangeira e desconhecida para mim. Ana estava tão bem. Estava tão...

Ana percebeu meu cansaço, meu rosto pálido, notou que eu havia emagrecido: "A faculdade de medicina é um desafio enorme, Ana. Nunca imaginei que seria tão difícil!". Ela fez que sim com a cabeça. Eu admiti: "Talvez eu precise descansar um pouco. É muita pressão. É muita cobrança. Eu não tenho mais tempo pra nada. Minha imunidade está péssima. Mas eu preciso me esforçar mais pra que dê tudo certo, não é?". Ana assentiu e me acolheu. Ana sentia...

Antes de nos separarmos, ela pôs em minhas mãos um pacote
— É pra ti, Maria.

O frio da chuva além da janela ia me encharcando aos poucos por dentro. Retumbavam trovões. No chão da sala a própria tempestade.

— Tu não me respeita mesmo, Maria. Não merece meu amor.
— Mas, Pedro, o que tem de mais a Ana me dar um livro de presente?
— O que que tem de mais? O que tu acha de eu sair agora dando presentinho pras minhas colegas de residência?
— Meu Deus, não, Pedro... Claro que...
— Sabe o que tu merece, Maria?

As folhas do livro foram caindo aos pedaços no chão. Pedro esboçou um sorriso irônico enquanto rangia os dentes.

— Não, Pedro... é um presente, por favor...

Não encontrei Pedro nos olhos dele.

A primeira vez foi como um trovão, meu rosto queimava e eu não sabia se a ardência era só na pele, na carne, ou no coração. Um silêncio profundo tomou conta da minha garganta, um silêncio doído e estático. Na segunda vez eu já não sabia se o que eu ouvia e sentia era efeito da chuva que começava lá fora. Meu rosto latejava em vermelho; no peito, respirações curtas.

Cacos de vidro misturados a sangue, folhas esparsas com esquemas de neuroanatomia, o vestido vermelho da aia de papel dividido ao meio, o celular com a tela quebrada no chão. Em mim, eu e o que sobrou de mim... as lágrimas chovendo sem parar pelos meus olhos, incontroláveis ao ritmo alucinante da respiração, ao ritmo de quedas d'água que explodem quando encontram o chão, ao ritmo de não saber o que será o amanhã. Pedro bufava, o sangue nas mãos e nos cacos da mesa de vidro.

De repente, no chão, o nome de Ana fragmentado começou a brilhar silenciosamente na tela do meu celular. Pedro pendulava o olhar entre meu corpo e o celular. Um antes e um depois. Pedro com os olhos molhados, o nome de Ana me chamando na tela.

Eu não conseguia ouvir meu próprio choro. Chovia tanto.

OS DOIS QUIETOS, UMA LUZ QUASE INEXISTENTE
ARTHUR TELLÓ

O que eu pensava sobre aquilo? Primeiro eu não pensava nada, o cansaço pesava meus olhos e baixava meus ombros. Há muito minha mulher tinha ido para a cama e só estávamos eu e ele à mesa, tomando uísque e mastigando um bocado de pão seco que sobrara do jantar. Aos poucos a toalha se cobria de farelos. Na penumbra, os olhos dele brilhavam cansados. Ele levantava o rosto em direção à janela em busca da luz dos prédios vizinhos, como se isso o ajudasse a respirar fundo e a encontrar a palavra exata. Segundo a versão oficial do Sistema, ele disse baixando o rosto, o Anísio morreu após cair no fosso do elevador do prédio do Aurélio Buarque de Holanda. Quando ele disse Sistema, a palavra soou um tom abaixo das demais, meu pescoço arrepiou e precisei tomar mais um gole de uísque.

Essas histórias a gente só pode contar assim, ele continuou, assim como estamos, os dois quietos, sob uma luz quase inexistente, porque os tempos lá fora são duros e não sabemos o que pode acontecer. Pedi licença a ele para passar um café, o uísque me deixara tonto e a história que ele me contava precisava de atenção. Com todo o respeito, vou continuar no uísque, disse ele, e, enquanto eu ajeitava o filtro de papel e colocava a água para ferver e três colheres grandes de café para ficar bem acordado, meu conhecido se acomodava na cadeira, estirava os pés e desfiava sobre a vida acadêmica do professor Anísio Teixeira. Em 1935, o educador foi um dos fundadores da Universidade do Distrito Federal, depois extinta em 1939, pelo Estado Novo. Em 1946, foi conselheiro da UNESCO e, em 1951, Anísio Teixeira criou a CAPES, para fomentar a pesquisa no Brasil.

Tudo isso foi dito em tom moroso, com a língua embargada. Sentei-me em frente a ele e tomei o primeiro gole de café. Eu precisava ficar desperto para coletar todos aqueles dados e escrever sobre eles depois. Quando a violência toma forma na nossa vida, ele disse, a gente não sabe como responder. A última vez que viram o Anísio foi no dia 11 de março de 1971. Ele saiu de uma palestra na Fundação Getúlio Vargas e foi até a casa do Aurélio pedir o voto dele para ser eleito para a Academia Brasileira de Letras. Eu não sei por que ele queria participar da Academia em meio à Ditadura, disse meu convidado entornando o copo e servindo-se de outro, mas é de acreditar que isso pudesse servir de símbolo dentro da situação do país, era como ter uma quinta coluna dentro de uma instituição de prestígio, quem sabe? O importante de toda história são os detalhes. Quem não enxerga os detalhes é como o próprio Édipo a não ver o abismo onde se meteu, disse ele, mas não vamos falar de gregos, nem de literatura ou outras bobagens. Essa história não toca a literatura, ele me provocou, mas a realidade e, quando a realidade te engole, há sempre violência. Em 13 de março de 1971, encontraram o corpo do Anísio sobre o platô do fosso do elevador junto à roldana, no prédio onde o Aurélio Buarque de Holanda vivia no apartamento de número 42. A principal causa da morte foi o esmagamento do cérebro, que liberou uma massa fétida no lugar, ele disse e ergueu o indicador apontando para as costelas, todas as costelas do lado direito do corpo estavam quebradas e mais uma do lado esquerdo, disse. A mídia oficial noticiou como um acidente, mas isso é uma puta canalhice. Desculpa o linguajar, mas é uma puta canalhice, tenho que dizer, ele disse. O homem falava com a cabeça baixa e parte da voz parecia sair com a ajuda da expiração. Fiquei mais sóbrio e bebi mais um gole de café. Aquele homem tinha se metamorfoseado aos meus olhos: enquanto falava, a história que ele contava o transformou em alguém enobrecido pela história contada. Eu me sentia contente por ouvi-lo. Ele continuou: mas olha como o Sistema era arrogante. Para parecer um acidente, puseram os óculos do Anísio sobre a viga de sustentação do elevador, mas os óculos estavam intactos, entende? O cérebro esmagado, as costelas quebradas e os óculos intactos, nem os aros, nem as lentes arranhadas. Isso ficou na minha cabeça, prosseguiu ele mais enérgico, com os punhos erguidos. Alguém teria colocado os óculos sobre a viga, é óbvio, ele disse. Anísio Teixeira, no dia 11 de março de 1971, teria saído da Fundação Getúlio Vargas e ido a pé ao prédio do Aurélio Buarque, que ficava a seiscentos metros da Fundação, distância que ele poderia percorrer, na idade que ele tinha, em no máximo sete minutos, disse. Ele sumiu e só foi aparecer no dia 13. Há boatos de que ele fora detido pela Aeronáutica, onde garantiram que ele voltaria em breve para a família. Eu não consigo tirar aqueles óculos da cabeça, ele disse. Assim como a corda do Herzog. Será que haveria alguém com consciência dentro do Sistema, querendo plantar provas dos seus crimes? Ou seria apenas resultado de arrogância e cegueira?

Terminei o café e me levantei. Havia menos luzes acesas nos prédios em volta. Não me virei para ele, mas, olhando a janela, perguntei por que ele me contava tudo aquilo. Sua voz se desenrolou lenta e pastosa, chegando de longe aos meus ouvidos. Ele me contava isso porque contar era manter os mortos vivos por mais tempo, ele disse. Porque eu era professor e escritor, e poderia passar essa história adiante. Porque precisamos prestar honra aos mortos para que eles durmam tranquilos. Porque faz bem a um velho contar sua vida. E porque, ele disse muito indignado, a Comissão Especial de Mortos e Desaparecidos Políticos continuou o trabalho de averiguação do assassinato, mas a presidente do órgão foi recentemente demitida pelo presidente Bolsonaro. Por isso, preciso falar, ele disse. E você precisa ouvir. Precisa ouvir e escrever sobre isso. Você precisa escrever esta minha pergunta. Não esqueça. Lá vai: Por que era preciso matar um educador? Por quê, você sabe?, ele perguntou, tomou o resto de bebida no copo, e a pergunta ficou suspensa no ar impregnando as paredes, as janelas, a mesa.

CASCO
SARA
ALBUQUERQUE

Desistir é coragem difícil
somos programados para tentar.
Jarid Arraes

Mulher, você anda tão sumida, Cleonice aposta que seria a única a ouvir essa frase repetidas vezes durante os abraços de reencontro, embora fosse provável que todo mundo ali também não tivesse se visto pessoalmente desde a última confraternização, há quase dois anos. Agora, porém, como deve ser a única desconectada das redes sociais, dela muitos nem suspeitam a data de aniversário.

Se o almoço deste domingo não tivesse sido cancelado, quando chegasse, atrasada pela demora na preparação do rocambole para a sobremesa, exceto pela ausência dos que moram fora do estado, os outros colegas da faculdade estariam largados à mesa, servindo-se de pães de alho e cerveja artesanal, já bêbados demais para se incomodarem com o saguão abafado pelo calor da churrasqueira, puxando na memória as farras coletivas que a turma viveu, e alguns até trazendo à tona detalhes insólitos para o remendo das histórias.

Oito meses atrás, quando muito da rotina de Cleonice era rolar o feed na tela do celular ou na tela do computador ou na tela do tablet ou na tela da tevê, ela havia postado um story de quinze segundos no Instagram: em tom pastel, um incenso de palo santo queimava ao lado de uma embalagem retangular com as demais varetas à vista, na qual se lia "afasta energias negativas", e no canto esquerdo, meio desfocado, um frasco de óleo essencial trazia a palavra "Força" no rótulo. Durante o vídeo, não só se ouvia o trecho de *Desconstrução*, como a letra da música aparecia na tela na medida em que a voz do cantor surgia: "Saiu de cena pra se aliviar / vestiu o drama uma última vez / se liquidou em sua liquidez / viralizou no cio da ruína / ela era só uma menina".

Quis excluí-lo assim que apertou o botão de "compartilhar" e, mais ainda, quando a internet ficou lenta de repente, como que ponderando sobre a necessidade do conteúdo que Cleonice pretendia ou não postar, demorando quase um minuto para concluir a publicação, enquanto o ícone de uma minhoca andava em círculos ao lado do verbo "carregando...".

Não que ela evitasse se expor em fotografias nas quais estava sempre muito jovial. Mas aquele story era tão deprimente, nunca tinha postado algo assim. Preferia as selfies com o rosto levemente inclinado para a direita, seu melhor ângulo, ou então as de biquíni em que secava a barriga escondendo os culotes e se valia do filtro de cores para suavizar os contornos das estrias e celulites.

Cedeu. Deixou o vídeo publicado, não sem averiguar, porém, quase de instante em instante, quem já o vira.

Se o almoço do domingo do mês retrasado não tivesse sido remarcado para este domingo de hoje que também já foi cancelado, talvez Cleonice houvesse desabafado a seus amigos que, naquela época em que o corpo queimava em febre como o incenso do story, o consultório odontológico estava dando cada vez menos lucro com o aumento de despesas que passou a assumir por causa do derrame do avô que, desde então, não podia se locomover, comer, nem urinar sozinho. As consultas, os exames, as sessões com os profissionais de fisioterapia, fonoaudiologia e psicologia custavam preços altíssimos e, a depender do sistema público de saúde, Seu Inaldo, com oitenta e um anos, seria o cento e quarenta e nove numa das filas de espera na categoria de pacientes prioritários. Parecia também sem sentido continuar matriculada num cursinho com o objetivo de estudar para concurso público, quando o governo ameaçava privatizar mais uma gama de setores. E no noticiário, como não se afetar com uma tragédia política atrás da outra?

O Brasil seguia no topo dos países que mais matam homossexuais no mundo e, às vésperas das eleições presidenciais, esse tipo de violência cresceu bastante por parte dos apoiadores do então candidato que liderava nas pesquisas, quem, ao longo da carreira, já havia dito "prefiro que um filho meu morra num acidente do que apareça com um bigodudo por aí". Cleonice nunca sentiu tanto medo de sair às ruas de mãos dadas com sua namorada. À medida que outubro se aproximava, o casal já tinha sido ridicularizado, ofendido, e até um senhor engravatado ousou se aproximar sem cerimônia, convidando-as para conhecer Jesus e se referindo à relação de ambas como doentia e pecaminosa, *Deus acima de todos*, ele saiu se benzendo, depois que elas o repeliram.

Àquela altura, Cleonice engordara sete quilos do dia para a noite. Não conseguia parar de comer. Tampouco queria parar de comer. Mas o estômago cheio em excesso a impelia a uma sequência de arrotos, escapando-lhe o ar algumas vezes, enquanto tentava segurar o bolo de alimento na garganta até não aguentar mais e vomitar tudo e ficar com muita fome, de novo.

Se o almoço de seis meses atrás não tivesse sido remarcado para o almoço do domingo do mês retrasado que foi remarcado para este domingo de hoje que também já foi cancelado, e se tivesse acontecido naquele sítio alugado, cuja diária foi paga graças a um sorteio-de-três-regras da internet: "siga o perfil; curta a foto-divulgação e marque outra pessoa no comentário", Cleonice teria confessado que, durante meses antes daquela sua postagem na qual a fumaça do incenso subia em espiral pendurada a um tecido acrobático invisível, embora a cabeça já doesse pelas poucas horas de sono, a primeira coisa que fazia pela manhã era desligar o despertador no celular e acessar, de imediato, todas as notificações dos aplicativos: várias notícias sobre queimadas na Amazônia, o aumento da inflação, do desemprego, das baboseiras ditas pelo representante da república no Twitter, aquele mesmo dos comentários homofóbicos no período eleitoral; quatro amigos lhe enviaram mensagens individuais, afora as não visualizadas nos doze grupos do WhatsApp; alguns seguidores curtiram sua última foto no Instagram, outros não só curtiram, como também comentaram; foi convidada para participar de oito eventos diferentes no Facebook, entre palestras de psicanálise, festas de aniversário, lançamentos de livros, oficina de cerâmica, financiamento coletivo para a construção de um novo teatro para a cidade, e para o intercâmbio de um colega, e para uma ação solidária de uma casa protetora dos animais; sua caixa de entrada de e-mails aumentou para cento e oitenta e cinco deles ainda não abertos; o Spotify avisou que o recém-lançado álbum *Margem*, da Adriana Calcanhotto, já estava disponível; o Uber Eats lhe presenteou com entrega grátis nos próximos dez pedidos, mas, minutos antes, o Rappi já tinha lhe ofertado vinte por cento de desconto em quaisquer compras pelos próximos dias; quatro dos youtubers que acompanhava haviam publicado vídeo novo no canal; o seu gerente do Bradesco lhe ofereceu empréstimo consignado via contato do próprio aplicativo; e precisava configurar o aparelho para a mais nova atualização do sistema operacional.

Só a lista de tarefas virtuais era enorme. Mas todos os seus conhecidos davam conta. Quanto mais deslizava os dedos pelo feed, mais se espantava com a infinidade de corpos tonificados e pele hidratada, gente viajando por todos os lugares do mundo, ralando na academia, natação, pilates, treinamento funcional, corrida, ganhando prêmios, comemorando aprovações numa segunda graduação, ou mestrado, ou doutorado, comendo pratos com nomes estrangeiros que ela nem arriscaria pronunciar, todos muito felizes no amor, nas relações familiares, brincando com cachorros, gatos, cavalos, peixes-boi e golfinhos.

Se o almoço deste domingo tivesse acontecido e Cleonice pudesse reconhecer os olhos daqueles amigos de longa data, se relembrasse na presença deles a saudade do afago, ela teria se surpreendido ao escutar, *mulher, você anda tão sumida*, e talvez respondesse, *eu estou bem aqui*, com uma entonação capciosa na pronúncia de cada palavra.

Depois de vinte e quatro horas, o que sumiu do seu perfil foi o story do incenso de palo santo pegando fogo.

Duzentas e setenta e três pessoas toparam com essa postagem.

Duzentas e setenta e três pessoas, dentre elas, seus dois irmãos, alguns primos e tios, colegas do trabalho, vizinhos de condomínio, o padeiro que a conhece desde criança, a professora do ensino fundamental, dois conhecidos do cursinho, a secretária da sua mãe e uma grande parte dos amigos que estariam neste abortado almoço de domingo, além de perfis de lojas e cachorros e possíveis fakes.

Nenhuma das duzentas e setenta e três comentou.

Nenhuma delas sequer reagiu à postagem com algum emoji.

Por sorte, a vergonha foi tola. Quinze segundos de holofotes e o story virou arquivo, mesmo que o incêndio em Cleonice tenha continuado por dias e dias após a queima daquele incenso.

―

Deitada na rede de balanço, escutando a voz de sua parceira cantarolar no chuveiro, Cleonice observa seu cágado brigando com uma abelha-uruçu.

— Às vezes, a gente precisa enfiar a cabeça dentro do casco, né, Dimitri?

No final da noite, ao passar a vista na única rede social que ainda mantém, ela solta um risinho ao se deparar com a antiga novidade: encontraram uma data que coube na agenda de todo mundo.

É curioso. Os finais dos finais de semanas tendem a ser sempre os mais solitários e ambíguos. Segundo as mensagens do grupo da turma, este domingo não rolou, mas, semana que vem, o famoso churrasco da balbúrdia "É proibido cochilar" vai sair.

NINGUÉM SEGURA A MÃO DE NINGUÉM
LEANDRO GODINHO

A voz de Adriana anunciando que não dava mais, que estava indo embora, daquela vez era pra valer.

Embora pra onde?, perguntei.

Embora daqui. Embora dessa merda.

E Adriana explodiu. Esse governo é uma imensa mamadeira de piroca. Eu não suporto mais olhar pra minha irmã no almoço da família e lembrar que ela votou nessa gente. E como você faz pra aguentar? Seus colegas todos no serviço público defendendo esse horror. Não entendo mesmo. Ele vai botar todos vocês na rua na primeira brecha. Você acha que porque passou num concurso há dez anos atrás ele vai te deixar na rádio? Ele vai acabar com essa merda de rádio pública, Afonso! Acorda!

Eu já conhecia todos os argumentos dela. Eu passei três quartos do ano de 2018 observando a onda chegar, e os meus colegas de futebol, de bar, de redação a dizer que eu exagerava, que não era pra tanto, que eu já estava entregando os pontos, que a gente iria pra rua virar votos. Eu já conhecia os argumentos.

Em novembro, com a tragédia recém-anunciada, Adriana me perguntou pela primeira vez em voz alta e olhos nos olhos se eu não queria sair. Sair? Sair, amor. Sair de onde? Ir embora. Como assim ir embora, ir embora de casa? Do país, amor, sair dessa merda. Embora pra onde, Adri?

Adriana então insiste. Você vai comigo pra Munique, eu tenho cidadania europeia, a gente se arranja lá. Em um ano você aprende a língua e daí as coisas vão acontecer.

Eu não posso sair dessa merda, eu disse. Quero dizer, claro que posso, mas e daí? O que diabos eu vou ganhar saindo daqui pra ser outro preto lavando prato, ou o que valha, prum bando de italianos, ou alemães, ou a merda que forem?

    2018 acabou e o ano seguinte parecia um grande desastre aéreo que todos nós havíamos parado no meio da rua pra ver como terminava, sem nos importarmos com o risco dele se dar sobre nossas cabeças. Maio chegava em seus últimos dias quando Adriana comunicou que estava indo embora.

    Você vai comigo, Afonso?

    Eu disse que não. Não, Adri. Não. Eu não posso.

    Você não quer, Afonso.

    Não, não quero. Você quer porque você pode, Adri.

    Eu posso tanto quanto você, Afonso. Porra. Você ganha mais que eu, cara! Tu não tem até dinheiro guardado em poupança?

    Mas o que eu não tenho é a segurança pra caminhar pelo Flamengo num domingo de tarde como se toda a minha família também estivesse pelo bairro, porque estão em Bangu, estão no Engenho Novo, em Padre Miguel. Então eu tomo cuidado a cada passo, e cumprimento cada guarda, flanelinha, vovó e porteiro, pra não despertar nos verdadeiros moradores, nas famílias com filhos e netos no São Bento, no Liceu Franco-Brasileiro e no Colégio de Aplicação da UFRJ, a suspeita de que eu fiz o segundo grau no Pedro II de São Cristóvão. Tateio uma espécie de monólogo cheio de palavras, mas que não quer dizer nada, e não digo que por mais que eu me esforce pra parecer o cara que ela namora, eu sei que no fundo eu sou só mais um silva que a estrela não brilha.

    Então a gente acaba aqui, Afonso.

    Eu fiquei ali parado, sem saber como estava de pé, respirando.

    Dois meses depois, quando Adriana perguntou se eu iria aparecer na despedida, marcada pra um sábado de noite num bar que ficava a duas quadras de onde a gente tinha morado junto, eu disse que não ia.

    Eu não queria ficar exposto naquela mesa composta pelos amigos de Adriana, mas dali a poucos dias, menos de uma semana, Adriana estaria a um oceano de distância. Pensar no oceano por alguns dias bastou pra eu ceder e aparecer na despedida.

    Afinal, aquele conjunto de ex-jovens trôpegos, a maioria já

embarcada na paternidade e na maternidade, outros em seus segundos casamentos, que confabulavam a respeito de seus passaportes portugueses e espanhóis, e suas bolsas de mestrado em Salamanca, e suas oportunidades de trabalho na Califórnia, e seus ramos familiares em Toulouse, eram, eu jamais tive dúvida disso, também meus amigos.

Inconformados com o horário da saideira no Flamengo, boa parte deles, eu incluso, migramos pro boteco preferido de Adri no Jardim Botânico, onde os garçons fizeram uma vaquinha pra dar de presente pra ela uma joia.

Fiquei ali vendo a minha ex-namorada ir embora a cada instante, a cada novo pedido e lembrança que surgia. Foi quando um trio de polícias entrou no bar, todos fardados. O carro estacionado na porta, a luz da sirene ligada.

O ruído da mesa se desarma sem que eles precisem se anunciar. Um deles vai até o balcão onde está o gerente cuidando do caixa, os outros dois caminham pra nossa direção. O Gordo de Bigode ordena a todos que apresentem seus documentos.

Nem todos saíram de casa com o RG ou CPF, alguns portam somente o cartão do banco e as chaves de casa. O Careca Com Olhos de Buraco Negro manda o segundo que respondeu estar sem os documentos ficar de pé. O homem da lei repara no rosto de Marielle Franco desenhado na camiseta do rapaz agora de pé. Ah, então tem um cheguevara aqui no bar! A namorada do rapaz agarra a sua mão e ouvimos o terceiro meganha gritar lá de trás.

Ninguém segura a mão de ninguém, porra.

Olha, meu senhor, eu não estou com documento aqui, me desculpa. Isso eu já sei, guevara. Mas, olha, meu nome é Eduardo, Eduardo Martins Campos Sales. Eu moro na rua aqui de trás, com meus pais, sabe. Estava demorando, hehe. Me desculpe? Demorou pro papai do guevara, o Campos Sales, aparecer aqui na conversa. Só estou dizendo que moro perto e posso pegar meus documentos em casa se precisar. Calma, meu jovem. Você nervoso assim, tremendo, vai acabar passando mal. Faz o seguinte: pega a sua namoradinha e vaza pra casa. E toma cuidado com onde você anda com essa porra de camiseta.

O Eduardo obedece, pega a Angélica pelo braço e sai do bar. Tenta se despedir de nós, mas não sabe como, e quando ameaça dizer algo, o Gordo de Bigode apenas faz um gesto com uma das mãos pra ele seguir andando. O Careca Com Olhos de Buraco Negro segue examinando os documentos da mesa. Todos podem escutar o Gordo de Bigode falar. Esse pessoal aqui do Jardim Botânico, Gávea, esse bando de filhinho de papai acha que polícia é só pra comunidade, só pra preto. Aí acha que pode tudo: homem com homem no meio da rua, mulher com peito de fora, cigarro de maconha. Semana passada a gente enquadrou uma turminha dessa achando que tudo era bagunça. Depois sofre um acidente, vai parar no Samu e a mãe em casa, o pai, não vão saber, porque tá sem documento no bolso.

O Careca Com Olhos de Buraco Negro olha os meus documentos. O Gordo de Bigode manda que toda a mesa vá embora, aí aponta pra mim e diz, o bigode largo por sobre os dentes amarelos, ele não. O Careca manda que eu me levante. Afonso Ribeiro Silva... é o senhor? Respondo que sim, da maneira mais silenciosa possível, o rosto não encarando nada que não fosse o chão. O polícia faz que não escuta e pergunta de novo, e eu vejo de relance que duas amigas tentam impedir que Adriana se intrometa naquele diálogo e a empurram pra porta e faço o movimento de me virar pra ela, tirar os olhos do chão pra dizer a ela que se acalme quando a mão dele vem aberta e me acerta a orelha esquerda e lá de dentro do buraco negro chega a advertência de que não mandou eu levantar o rosto, e acho que peço desculpas porque ele não me bate de novo, nem quando insinua que eu devo ser o cara da turma que arruma o bagulho. Todos vocês têm pinta de maconheiro, mas você, não, né, malandro? Você deve ser o cara que pode subir o morro e trazer a muamba pra galera, diz aí. Aposto que você deve até dar uma volta nessa pleiboizada e meter um ágio na transação, hein? Diz aí. E me afasta da mesa e diz pra eu tirar a blusa e ia dizendo pra eu abaixar as calças, quando o Bigode chega junto e manda parar. Ele abriu minha carteira pra pegar o dinheiro lá dentro e acabou achando a minha identificação de servidor público federal, jornalista, editor classe A4, olha essa caralha aí, vai dar merda essa porra aí.

Adriana e mais uma outra amiga tinham ficado ali pedindo explicações ao terceiro policial enquanto me esculachavam e é esse terceiro que vem até mim e pede desculpas por toda aquela situação. Não sabia que eu era trabalhador, mas que eles não podiam vacilar com essa vagabundagem na rua, e enfiou uma nota de cinquenta na minha carteira antes de me devolver como um gesto de boa vontade e então saíram os três, calados tal e qual entraram.

Adri me olha e quase sorri, isso é tão bonito que nem sei como não caio no choro. Pergunta se está tudo bem comigo, segura minhas mãos.

Agora já passou, eu digo. Agora eu vou tentar sorrir, sabe. Porque não te quero triste mais do que não te quero longe. Tomara que o sol não nasça tão cedo, pra você não ter que ir embora.

Ali ficamos em silêncio na mesa, de mãos dadas e os copos vazios. O sol, entretanto, já está nascendo.

PRECISO FALAR COM O GABI
VITOR NECCHI

É rápido demais pra eu entender o que se passa, então me desvencilho do lençol, salto da cama e fico em pé, certo de que vem um ataque. Não há outra coisa a fazer ante o estrondo rasgado que nasceu mínimo e se tornou ensurdecedor em uma fração de tempo impossível de estimar — qualquer período menor que um segundo só existe em aula de física. Enquanto o vidro da janela ainda treme, um novo estrondo ascendente abafa o anterior. E mais um. E no quarto trovão, constato: caças da FAB. Todo sete de setembro é a mesma aporrinhação, quando cedo sou acordado pelos aviões que antecedem o desfile dos militares numa avenida a poucas quadras aqui de casa. Pra piorar, neste ano o feriado cai num sábado. Pra piorar mesmo, nem minha ereção matinal resistiu ao estardalhaço das naves.

Gosto de acordar de pau duro. A tensão entre a vontade de gozar e a necessidade de mijar. A dúvida entre bater punheta ou manter o estoque cheio, caso consiga alguém pra transar. Por que desperdiçar porra, se houver chances de uma destinação mais nobre? A boca do guri que trabalha de chapista na lancheria da esquina e toca aqui no início da madrugada, quando se libera, e vem deslizar no meu pau as mãos cheirando a gordura. O cu rosado, macio e peludo do meu colega de centro acadêmico que pede pra eu comer ele no banheiro do terceiro andar, no meio da aula, quando tá quase deserto. A boceta da guria que descobriu que eu comia o namorado dela, daí ficou a fim de me ver socando no rabo do boy e na hora meti nos dois. Eu batendo punheta depois que aquele cara cheio da grana me pega com um carro que nem sei o nome, me leva pro apezão dele, serve uísque caro e deixo ele me comer porque o pau dele não é tão grande, então não dói muito, e gosto de gozar com um pau enfiado no meu cu. Ou algum boy aleatório qualquer que eu encontre no aplicativo de putaria.

    Se eu tivesse que trabalhar hoje, talvez me acabasse logo, mas é sábado. Ou melhor, feriado. Tanto faz, não tem aula, nem estágio. São oito da manhã e disponho do dia todo pra arrumar maneira mais interessante de gozar do que bater punheta lembrando de situações que fazem meu cacete endurecer.

    Nada mais previsível do que as manhãs de um veado de vinte e poucos anos que estuda arquitetura e mora no apê velho que uma tia do interior mantém no centro e empresta pros sobrinhos. Piso de parquê, banheiro revestido com azulejos amarelados, pouco sol, um vaso com espadas de São Jorge que sobrevivem a desleixo, cesto cheio de roupas sujas pra lavar na amiga que tem máquina, geladeira vazia, garrafas de vinho barato alinhadas ao lado do balcão da pia, livros empilhados no chão da sala. Ao lado da cama, um banco onde fica o celular ligado à tomada por causa da bateria viciada e uma lata pra guardar camisinha e gel.

    Nada mais brochante do que acordar com a barulheira de milico brincando de guerrinha no céu de Porto Alegre. Cambada de pau no cu, esses caras do Exército que agora vão desfilar, batendo os coturnos no asfalto. São tão babacas quanto os porco da Brigada. Numa daquelas passeatas contra o aumento da passagem de ônibus, o Gabi tava chegando em casa de noite com o namorado, nem tavam protestando, mas tavam de mão na esquina da João Pessoa com a República, aqui perto de casa, daí parou um carro da PM, os caras desceram gritando, empurrando os dois contra a parede, revistaram, mal deixaram eles falar, colocaram dentro do carro e levaram pra um posto policial perto do Mercado Público, bem no Centrão. O Gabi, que estagiava na Comissão de Direitos Humanos da Assembleia e é bem esperto nesses lances, tentou dizer que aquilo era uma conduta arbitrária, que ele tinha direito de saber o motivo da detenção, que não podiam recolher a identidade dele e, e, e mais nada. O tapa do soldado impediu que ele continuasse. E outro soldado deu uma rasteira que derrubou ele, depois um pontapé na barriga, que fez o Gabi se curvar enquanto soltava um gemido forte, e o cara dizia cala a boca, putinho de merda, se não eu quebro teu maridinho na sala aqui do lado. Ele ouviu mais desaforos até a chegada de um voluntário do grupo de advogados formado pra ajudar os manifestantes que conseguiu liberar os dois. Na noite do dia seguinte, fui na casa do Gabi, pra ver como ele tava, se tava mal, se precisava de algo, e enquanto a gente bebia um vinho vagabundo, ele disse que, pra complicar mais ainda o lance, o PM que bateu nele era muito gostoso e parecia ter um pau enorme. Só o Gabi mesmo pra olhar a calça estufada do brigadiano dotado que agrediu ele.

Quando ouvi essa história, fiquei de pau duro. Quando lembro dela, fico de pau duro. Melhor ir fazer café, tomar um banho e me aquietar. Melhor abrir o aplicativo e achar um boy pra hoje. Mas dá uma canseira.

Ver a tela do celular ocupada por uma sucessão de pequenos quadrados emoldurando rostos ou fragmentos de corpos não garante nada. Papo que não engrena, gente chata que não sabe lidar com o desejo, não encara que tá dentro de um aplicativo de pegação e que o lance deveria ser direto. Veado enrustido que se intitula discreto e não quer mandar foto de rosto. Cheirador que convida pra cheirar e foder — daí preciso lembrar o cara que pó brocha. Cara que quer trepar no pelo e escreve na descrição do perfil que não quer ser julgado por fazer bare. Desesperado que antes de dar oi manda foto do pau ou do cu — pra piorar, as fotos lembram imagens que mostravam no colégio durante as aulas sobre doenças venéreas. E no meio disso tudo, poucos caras que dá pra trocar uma ideia ou marcar algo.

Anônimo, 28, 183 cm, 78 kg, passivo. Feinho de barba, pegava fácil. Obedeço, 20, 170 cm, 51 kg, magro, versátil + passivo, foto da barriga. Sem condições de avaliar. Tiago, 25, 169 cm, 62 kg, branco, magro, solteiro, negativo, último exame em outubro de 2018, cara de baby. Pegava. Leito cu largão, 28, negro, "Querendo linguar um cu já largo (não me vem dizendo pra mim alargar ou que aguenta bem, não tenho tesão em apertado)". Socorro, quero distância. Alê de POA, 185 cm, 83 kg, homem cis, solteiro, negativo, último exame em abril de 2019, "Tenho idade avançada, preguiça extrema e hábitos diurnos. Curto 45, magrelos, cafunés, geeks e afins. Dispenso perfis sem rosto/em branco, foda pra ontem, casais, casados/comprometidos", traços asiáticos, simpático. Parece chato, acho que pegaria, mesmo assim, tô longe dos 45 anos que ele quer. K., 36, 182 cm, 79 kg, torneado, versátil, discreto, solteiro, negativo, "Não quero nem mando nudes", barbudo com cara de macho. Acho um saco quem não manda nudes, mas achei ele bonito. Doug, 39, 185 cm, 83 kg, "Sem foto nem puxa assunto". Não gostei do topete nem da cara espichada de quem fez plástica ou passa creme toda noite antes de dormir. Dotado, figura de uma berinjela ao lado do nome do perfil, ativo, negativo, foto fazendo rapel, o cinto de segurança delineando o saco. Não sei o que é mais brega, a berinjela ou a foto. Arerê, 30, 170 cm, 69 kg, torneado, versátil, negativo, uma linda foto dele na praia, sem camisa, bigode e óculos de sol. Quero passar o feriado da pátria com ele desfilando aqui em casa. Sem enrolação, 165 cm, 65 kg, loiro, comum, versátil, discreto, solteiro, negativo, último exame em fevereiro de 2019, foto mostrando o filete de pelos abaixo do umbigo desaparecendo sob a barra da cueca branca saindo da calça. Nada a declarar. Pau grosso, 26, 167 cm, 66 kg, comum, ativo, "Para passivos somente, moro próximo ao Clínicas não atendo ativos, nada de graça não vou em local de ninguém tenho o meu não quer pagar não chame não beijo só como deixo chupar aqui só para sexo e deu, sou homem tenho namorada!". Adorei a exclamação.

    Gosto do ronco da Bialetti, quando toda a água fervida na base atravessa o pó depositado na metade e enche a parte superior. Abro a tampa octogonal pra ver o vapor produzindo bolhas no cano de metal por onde vaza a infusão. Melhor presente já recebido de um namorado. Pensei em jogar fora depois da nossa briga. Ainda bem que me contive. Não sei como cheguei a namorar dois meses um bosta que criticava a parada gay. Pra ele, os participantes só querem se pelar e se agarrar em plena avenida e as bichas pintosas aumentam o preconceito dos outros contra os homossexuais que se comportam como pessoas normais. Pior foi quando me detonou na hora que eu disse que ia na manifestação em defesa das universidades públicas. Mandei ele embora no meio da discussão. Fiquei tão brabo, tão indignado comigo mesmo, que vesti as roupas espalhadas no chão, calcei o tênis e saí correndo, pra ver se me acalmava. No meio da caminhada, senti a porra escorrendo no meu rabo. Logo lembrei por que permaneci com ele durante dois meses.

    Hoje de tarde terá outra manifestação. Vai ser no Monumento ao Expedicionário. Nas comemorações do sete de setembro, durante uma semana, lá fica acesa a pira da pátria. Alguns soldados permanecem o tempo todo fazendo a guarda. Uma estrutura de metal, de dentro dela sai um fogo e vinte e quatro horas por dia uns homens fardados ficam estáticos, guardando a chama. Que troço maluco. Simbolismo demais pra minha cabeça. Na quarta-feira, depois do estágio, vinha a pé pra casa e passei por lá. Encarei um dos milicos, que fez cara de mau. Outro, posicionado atrás, não disfarçou o sorriso, quando me percebeu olhando pro volume da calça justa, como se ele tivesse engordado um pouco ou caprichado na academia na hora de exercitar as pernas.

    Será que é cedo demais pra encontrar alguém no aplicativo? Quase dez. Bobagem. Sempre tem alguém no mundo, a poucos metros de distância, a fim de sexo. Todo mundo quer sexo.

    Várias mensagens pra mim. Figurinha batida, papinho trouxa, já fiquei com este e foi ruim, perfil sem foto, perfil com frase motivacional, perfil com camiseta camuflada, cara mandou foto do cu antes de um oi, outro perfil sem foto. Mas tem o cara forte com camiseta camuflada. Não é apenas a camiseta. Ele tá com aquelas faixas grossas de lona que os milicos usam, como se fosse um suspensório, não sei o nome. Na mensagem, diz que gostou da minha foto. Pergunta sobre o que estou a fim. Bom papo e sexo. Pede mais fotos. Mando. Quer saber o que eu curto. Quase tudo. Ele não entende a resposta, então detalho. Curto comer, curto dar — desde que o cara não tenha um pau imenso —, adoro mamar, adoro ser chupado. Fetiches? Nada em especial, gosto de putaria. Tem local? Tenho, e tu? Não, sou militar e tô de passagem.

    Ele é militar e tá de passagem. Como assim? Ele diz que mora no interior e veio ajudar no reforço do policiamento em torno da pira da pátria, porque vai ter protesto. O mesmo protesto que eu pretendo ir. E o cara vai estar lá pra ajudar na segurança.

Que porra é essa?

Fecho o aplicativo e vou fazer outro café. Ajeito tudo e ligo a chama em fogo baixo, pra não queimar. Lembro do cara com o peito estufando a camiseta camuflada, a outra foto em que ele está de farda completa, com o pau duro pra fora da calça. E outra de cueca. E a do rosto. Não é bonito, feições meio grosseiras. E ainda me mandou outra foto sem camisa, peito peludo, parrudo.

Que porra é essa?

Antes da cafeteira roncar, abro o aplicativo de novo. Tem mensagem dele. Quer me ver, gostou de mim, do meu papo, não gosta de bichinha, me achou maneiro.

Maneiro. Que papo é esse? De onde ele é, pra falar maneiro? Não deve ser gaúcho. Deve ser do Rio de Janeiro e foi transferido pro cu do Rio Grande do Sul. Agora tá na capital, fardado e armado, pronto pra ir contra manifestantes, e quer foder comigo?

Que porra é essa?

Fecho o aplicativo de novo. Me aproximo da janela e tomo o café sem pressa, olhando a rua meio deserta. Lá no fundo, consigo ouvir a percussão da banda. De tanto em tanto, o toque do clarim. O cara disse que tá livre e precisa se apresentar só depois do almoço, pouco antes do protesto que está marcado pra metade da tarde. Daí ele vem aqui, fode comigo e sai, direto pro quartel, de onde partirá o caminhão que vai levar ele e os colegas pro parque, onde me programei pra ir de tarde protestar contra essa merda toda.

Esqueço do café e, quando percebo, tá frio. Odeio café frio. Vou pra cozinha e largo a caneca na pia.

Tu pode vir agora?, escrevo.

Demora alguns segundos e recebo a resposta. Pode, chega em poucos minutos. Mando o endereço e começo a preparar mais café.

— Toma com açúcar ou sem?

Pede três colheres. Aponto pra sala e ele sai da cozinha. Sento no sofá, mas ele não. Nem prova o café, deposita a caneca na mesa e começa a abrir a calça. Põe pra fora o cacete inchado e manda eu chupar. Segura minha cabeça, enfia o pau no fundo da garganta, me engasgo, tento me livrar, mas ele não solta meu cabelo, pressionando minha cara contra o corpo dele, e quando vou vomitar, ele dá um passo pra trás.

— Que foi, veado? Não sabe chupar macho? Não era isso que tu queria?

Antes de eu conseguir responder qualquer coisa, levo um tapa na cara.

— Tu tá louco? Para com isso.

— Tira a roupa logo.

Tento me levantar, mas ele barra meu movimento. Tento de novo, empurro o corpo dele, grito socorro, então ele pega a arma que trazia na cintura.

— Mais um grito e te apago.

Nunca tinha visto uma arma tão perto. Nunca tive uma arma apontada pra mim.

— Cara, que é isso? Eu só queria curtir contigo. Olha a loucura que tu vai fazer.

— Tira a roupa.

— Quê?

— Faz o que eu tô mandando.

— Se tu fizer merda, os vizinhos vão ouvir. Se tu atirar, alguém chama a polícia.

— Tira a roupa.

Minhas mãos tremem. Tiro a camiseta e permaneço sentado.

— Levanta e tira a bermuda.

— Cara, vamos conversar.

Ele aponta a arma pra minha cabeça.

— Agora.

Depois que fico pelado, ele diz:

— Vira e se debruça no encosto.

Ouço sirenes. Não tem mais o barulho da banda, nem do clarim. Deve ter acabado o desfile. Sinto o gelado da arma apoiada nas minhas costas. Encosto a cabeça no sofá, abafo meu grito e coloco a mão na testa pra não me ferir a cada estocada que me projeta contra a parede.

Ele desencosta a arma da minha pele. Tô tremendo. Me movo devagar e sento. Não olho, mas ouço ele fechando o cinto.

— Obrigado pelo café.

Sigo de cabeça baixa, consigo ver o vulto verde-oliva se afastando. Bate a porta. Em seguida deve atravessar a portaria. E eu preciso falar com o Gabi.

ESTRELAS NAS PAREDES
TAIASMIN OHNMACHT

Cárdia ensina o moleque.

— Moleque, não — diz ao filho. — Moleque são esses meninos que fogem da escola. Você tem nome: Pedro. Não aceite menos do que isso.

Cárdia ensina Pedro. Letras, números e palavras curtas. O nome próprio ele já sabe, para orgulho da mãe. Lembranças de si mesma na primeira série: a alegria de encontrar sentido em todas as letras que via pela frente, as tentativas de compartilhar o conhecimento recém-adquirido com os irmãos mais novos. Novos demais; seus irmãos preferiam correr pela casa ou revirar a cozinha em busca de mais comida do que a mãe de Cárdia deixara nas panelas.

— Meu filho, você tem que aproveitar e estudar, tudo é muito mais fácil agora do que foi para mim — Cárdia costumava dizer para ele.

E Pedro ficava imaginando uma versão pequena dessa mãe que conhecia, cuidando de seus irmãos mais novos ou limpando a casa de outras famílias. O menino gostava de ouvir as histórias que sua mãe contava e, à noite, com medo das sombras e do barulho da vizinhança, pedia para ela deitar ao seu lado, enquanto tentava adormecer. Então, Cárdia contava histórias de sua infância, de quando conversava com o avô, e ambos olhavam as estrelas à noite. O avô via em cada estrela a própria mãe botando fogo na lenha do fogão. Uma daquelas estrelas poderia esconder, na escuridão ao fundo, o corpo grande e macio da velha mãe aquecendo a comida e dando aconchego ao lar. Enquanto ouvia, Cárdia, com o dedo de sua pequena mão, traçava linhas imaginárias entre uma estrela e outra, convicta de que havia uma escrita naqueles pontos luminosos, misteriosas mensagens. Muito tempo antes do avô e da neta, viveu uma mulher que contava sobre um ventre grande e generoso que dera luz às estrelas e alma às nuvens, mas essa história Cárdia nunca escutou, tampouco Pedro, e o avô de Cárdia havia esquecido.

— Mãe, como se escreve estrela?

Apesar da penumbra do ambiente, resolve mostrar para o menino. Pega um lápis entre vários coloridos espalhados pelo chão e escreve em letras palito na parede ao lado da cama: E S T R E L A. Enquanto observa o filho reescrevendo letra sobre letra com a ponta do dedo, Cárdia olha desenhos e palavras no trecho de parede permitida aos traçados do filho. Ela está certa de que a parede conta algo, talvez um dia consiga ler o conjunto. Naquela noite, ela dorme ali, junto ao filho.

Cárdia estudou. Parou e voltou muitas vezes, conforme permitiam horários e rotinas de trabalho. Quando terminou o ensino médio, Pedro já morava em seus braços. Foi assim que conseguiu deixar para trás o cuidado com casas e roupas alheias, para passar a vendedora de negócios alheios.

No metrô, de volta para casa, todos olhavam freneticamente o celular, menos ela, pois sabia o que ia encontrar, e o que não queria ver. A imagem de uniformes ensanguentados, crianças mortas e desculpas oficiais. E nada acontecia, nada. O metrô continuava andando e parando nas estações programadas, e pessoas entravam e saíam. Mães que seguravam seus bebês nos assentos reservados pareciam ciosas, mas quão ciosa ela poderia ser com seu filho que cabia cada vez menos no seu colo? Aquelas mães, aquelas pessoas percebiam que nenhum lugar seria seguro depois que seus filhos deixassem seus braços?

Depois da escola, Pedro era cuidado pela vizinha até Cárdia chegar em casa. Aonde estaria protegido? Pedro era um menino, não um moleque, estudava, tinha uniforme e mochila, mas as imagens na tevê a faziam questionar o que garantiria um futuro ao seu filho. Já na sua rua, vendo a silhueta de sua casa ao anoitecer, olha para o céu escuro.

Com a noite avançada, abraçada ao filho, Cárdia divaga enquanto olha para as inscrições na parede, quando é capturada por um desenho feito logo abaixo da estrela grafada em grandes letras. Duas figuras humanas em palitos, entrelaçadas, parecem sentadas com as cabeças e grandes olhos voltados para cima. Ao lado de cada figura, letras tremidas indicam com setas a quem representam: Pedro e mamãe.

Cárdia lê, e faz sentido.

A GRANDE BELEZA
YURI AL'HANATI

Olho no espelho para o meu peito. A lâmina passa lentamente sobre a pele amarela e fina. Qualquer descuido pode resultar em um corte que demorará semanas para cicatrizar. Estico as partes mais flácidas para que não haja perigo de acidente. Retiro todos os pelos ao redor dos mamilos e ao longo do esterno. O resultado transmite certa juventude, mas as manchinhas marrons que se espraiam não sustentam a ilusão. Subo os olhos do reflexo do peito para o meu próprio olhar. O que vejo é o que já sei. Envelheci.

Hoje minha mulher não está em casa. Foi se misturar. A integração à comunidade é um processo difícil e contínuo, mas fazemos a nossa parte. Aproveito a casa toda para mim. A biblioteca, a cozinha com móveis de madeira bege, o deque extenso que se exibe para os vizinhos. Um deque é motivo de orgulho para um brasileiro. No Brasil não há tantos deques quanto há vontades de se possuir um deque. As casas terminam nos portões, enormes e monstruosas estruturas que guardam em si o real. Aqui não. Neste continente em que vivo, deques são espaços de contemplação aristotélica. O meu é de mogno, uma madeira tão americana quanto uma madeira é capaz de ser. Sento na cadeira que deixo estrategicamente posicionada ao lado da porta e acendo um american spirit para ver o crepúsculo. É a minha hora favorita do dia, quando a luz baixa, mas as tábuas de madeira do piso ainda estão quentes e aconchegantes. O cenário que se desdobra à minha frente nunca deixa de me encantar. A pequena estrada que passa por aqui, o pequeno bosque negro ao fundo, um frondoso e velho bordo, agora com suas folhas muito verdes. Sopro a fumaça, que embaça a visão das coisas. Por um breve instante a fumaça parece entrar no ritmo do canto das cigarras e se mistura à paisagem. Penso ver anjos empoleirados nos galhos do bordo e me divirto com essa ideia. Logo a garota vai chegar.

    Não há como viver aqui sem um carro. A história da América é a história de suas estradas, seus carros, suas potências em atos e seus poços de petróleo perfurados dia e noite. Por isso sei que, por mais vagabunda que seja a vagabunda, por mais vagabunda que seja sua carreira, ela virá de carro. Ressarço seus gastos com gasolina, é claro, ninguém precisa pagar para vir até aqui quando sou eu que solicito. Talvez tenha um Prius, talvez um Corolla, um desses carros que trocam estilo por eficiência, aerodinâmica por autonomia, arte por preço bom. E que se queime gasolina para vir até aqui, ora bolas. Um carro elétrico é uma confissão de subserviência às demandas europeias de perfumaria socioambiental, o equivalente a mover o peso do mundo sob um canudo de plástico que, banido das lanchonetes, faz as vias de alavanca de Arquimedes. A grande patifaria progressista. Ninguém liga de trocar de tevê, fazer subir a conta de luz, ciente do fato de que há uma usina de carvão ou petróleo ou urânio a puxar sua produtividade em direção ao zênite em nome de uma vida mais confortável. Eu não caio nessa e espero, sinceramente, que ninguém mais caia. No Brasil, se tudo der certo, não cairão. Eu digo que não, mas eu mando naquela merda. Se eu disser que sim, a cobrança aumenta. E o intelecto não funciona sob a pressão da cobrança. Só é possível pensar plenamente quando se está livre de todas as amarras do ser. Por isso, penso deste lado de cá. Porque pensar lá é estafante. Pensar lá é um eterno não pensar.

    Acho que agora tudo vai dar certo. É claro que eles não têm um centésimo da minha capacidade, mas hão de servir. O que não servir trato de resolver daqui mesmo. É uma questão de fazer indicações acertadas no mesmo ritmo e vigor que se mina o caminho das indicações erradas. Livrar-se de toda influência indesejada. O intelecto brasileiro necessita de um facão para abrir caminho pela mata virgem de si próprio. Como seria bom se pudessem passar um tempo aqui. Meus alunos, de vez em quando, aparecem. Querem autógrafos, fotos, conversar sobre alguma questão. Atendo a todos, certo de que é nesse diálogo que as ideias se perpetuam, certo de que o que move estas almas em dúvida até estes confins da Virgínia é o amor. Se não a mim, pelo menos o amor ao conhecimento. Esconde-se muita coisa sob o manto mesmerizador da obscuridade filosófica. A minha abordagem, se fosse resumir em uma única palavra, é esta: honestidade. Uma abordagem honesta das questões fundamentais. É isso que os move. É isso que enche minha caixa de e-mails com convites para palestras, conferências, simpósios, congressos e cursos online. Penso de forma honesta e solitária. Prefiro assim. Está provado que duas ou três mil cabeças pensam pior do que uma. E arrisco dizer que há poucos viventes que partilham do meu amor ao pensamento na mesma proporção e intensidade. Vivo sob estes símbolos. Honestidade e amor.

    O american spirit crepita entre meus dedos enquanto os últimos raios de sol desaparecem no oeste. Acendo a citronela porque o verão é brabo nesta parte do estado. O cigarro é o remédio primordial, a cura e a fumaça ancestral do homem. Poucas coisas pequenas me dão tanto prazer. O quanto o hedonismo desenfreado do homem avançou para além do cigarro. Droga, meu Deus, pra que tanta droga? Se soubessem como um cigarrinho, só um cigarrinho bem apreciado, já levanta o espírito, ficaríamos todos bem. Meu peito fica com a sensibilidade aguçada por causa da raspagem e preenche minha atenção com o toque da flanela sobre a pele. Sinto-me fresco e limpo, sempre fresco e limpo. O que mais o homem civilizado pode desejar senão um sentir constante de frescor e limpeza? Por quantos anos rastejamos rumo à civilização, geração após geração, sem um momento de frescor e limpeza sequer. Penso nisso enquanto vejo faróis de carro virarem a curva no horizonte em direção ao meu deque. É ela.

    Ela nunca é a mesma. Peço variedade sempre que possível e nunca tive problemas nesse sentido. É uma rotatividade enorme, acho que consideram essa casa um rito de passagem necessário para os imperativos da profissão. Alguma comoção acontece em meu íntimo quando percebo que o carro é um Pinto. Já não fabricam mais desses, e o que estaciona na beira da pequena estrada que liga minha casa à civilização é claramente um modelo de terceira ou quarta mão. A pintura de cor heterodoxa já desgastada pelo tempo diz com todas as imperfeições que a dona daquele carro está atrasada na corrida capitalista por uma vida melhor. Precisa de mim tanto quanto eu preciso dela. Precisa de dinheiro. Não se pode andar com um Pinto nessas condições.

    Ela é morena, de traços latinos. Mais uma. O país que recebe imigrantes assina seu atestado de sucesso e eficiência. Ninguém migra para lugares derrotados. Aqui ela encontra as respostas para todas as suas demandas humanas, todos os seus sonhos de consumo, todas as suas esperanças de uma vida melhor. Poderia dar-lhe uma aula que explicaria o fracasso de seu povo, mas me abstenho. Temos uma agenda.

    Demonstra poder no vestuário: sobretudo preto leve (em pleno verão), chapéu fedora levemente masculino e botas de vinil com os canos longuíssimos, como se escolhesse minuciosamente a menor quantidade de peças de roupa necessárias para cobrir todo o seu corpo. Gosto assim. Mais importante do que bela, é harmônica. Distante do idealismo platônico, ela é surpreendentemente pequena. Uma mulher bonita e bem proporcionada, mas pequena, pertence ao campo do Gracioso, mas não ao do Belo, que exige, entre outras coisas, grandeza. Miranda, ela diz se chamar, é graciosa. Sabe quem eu sou porque avisaram, e sabe do que eu gosto. Ofereço de maneira cortês uma bebida, que ela recusa. Elas não podem beber, eu sei disso. Têm medo de serem drogadas, ou de serem enganadas de alguma forma — com notas falsas ou algo assim. Mantêm em seu tom de voz um profissionalismo distante e uma simpatia acolhedora que convivem misteriosamente. O segredo da profissão: aproximação e repulsa vivendo em equilíbrio. Claramente já decifraram boa parte da vida nessa política de trato com seus johns, e não à toa estão imunes aos ataques que ocorrem todos os dias pelas vias diretas ou sistêmicas. Buscar o sol sempre, mas pela sombra.

    Ela examina a casa. Sabe que há uma família morando ali. Sabe que estou sozinho em casa. Sabe que não cabe a ela fazer julgamentos do que quer que seja. É uma prestadora de serviço, supridora das demandas íntimas, brotadas sabe lá de quais nascentes psicológicas do ser. Nietzsche achava que sabia. Freud tinha certeza. Mas é balela. O que faz o homem precisar de um mulherão daqueles em meio a um cômodo e feliz matrimônio é o lado escuro da experiência, aquele que não ousa dizer seu nome. Ela não julga. Eu tampouco. Suas conclusões sobre mim são inúteis de qualquer forma. Como não pode fazer nada a respeito, não está em posição alguma de pensar qualquer coisa. Tudo o que infere não passa de divertimento interno, uma autorrealização pequena de quem se julga sagaz pela leitura, mas se sabe impotente em ato. Para lhe fazer justiça, também aqui sou escravo do momento. A explicação que busco nas minhas vontades não faz diferença, porque cá estou, cenicamente rendido. Não sou o meu cérebro nesse momento. Sou apenas um velho rendido.

Foi instruída. Tira o sobretudo para revelar uma combinação de renda — um tanto recatada para padrões brasileiros, mas um escândalo nessa parte do país. Ela sorri diante do meu sorriso de canto de boca. Consegue sentir o cheiro do cigarro em meu hálito, tenho certeza. Tenho certeza também de que não se furta à repulsa instintiva de seu corpo rijo e jovem diante da minha cútis imperfeita que, mesmo limpa, recende a queijo rançoso, alcatrão e talco. Mais uma vez, entretanto, nada faz a respeito. Sorri e atropela sua vida sentimental interior em nome do dever. Como eu amo a América! Sua calcinha é sustentada nas laterais por um fino fio preto de seda e, enquanto ela caminha na minha frente em direção ao quarto, constato mais uma vez a estarrecedora beleza do corpo feminino. Pobre do veado que não sabe apreciar um monumento dessa natureza! Que sinta atração por outro homem, vá lá, pode acontecer, mas que não fique de pau duro diante de Miranda, é pura e simplesmente uma deficiência amenizada pela condescendência da pós-modernidade frívola e infantilizadora. É por isso que Platão preferia os meninos. Jamais encaixaria Miranda e sua gostosura diminuta em seus ideais. Tolo. Ela examina as paredes na penumbra e eu acendo a luz do abajur para que ela possa ver a pilha de livros em meu criado-mudo e a belíssima reprodução de Blake que deixei de frente para a cabeceira. A verdade de Blake passa por meio segundo diante de seus olhos, mas seu intelecto não é capaz de reter a informação. Provavelmente não sabe quem é Blake. Talvez saiba quem é Newton, mas não se atreve a correlacionar com a figura retratada. Decide achar o quadro bonito e apenas isso. Enquanto ela admira a reprodução, eu tento me despir de maneira atrapalhada. A inteligência corporal não acompanha a evolução da mente, pelo contrário: atinge um ponto ótimo ainda na juventude e depois se desprende das próprias lições, suicida rebelde. Tropeço na bainha das calças e por um momento saltito num pé só, procurando o equilíbrio. Ridículo. Um único quadro capturado pela posteridade seria o suficiente para me desacreditar como intelectual para sempre, por mais que uma coisa nada tenha a ver com a outra. A cueca é larga como uma fralda e as coxas brancas revelam pelancas flácidas nas partes internas. Depois de tudo o que li, escrevi, aprendi e ensinei, minha carne é esse atropelo da vida sobre seu máximo aproveitamento. Como odeio este corpo.

 Deito nu na cama. Ela olha para mim como um mecânico olha um carro. Está repleta de desejo por eficiência e de desejo pelo objeto que sou, mesmo ciente de que esse desejo nunca será de cunho estritamente sexual. Seu desejo passa por sua vontade de ser uma boa vagabunda, por seu medo de receber uma reclamação na central, por sua misericórdia diante de um homem aquebrantado pela vida e possuído por uma dor da alma que precisa aplacar. Por isso beija por alguns instantes o meu peito recém-depilado, certa de que sua língua encontra em minha pele a alegria de lamber uma bola de basquete esquecida na garagem. Apenas o suficiente para se certificar de que eu me sinto completamente à vontade em sua presença, e nem um beijo a mais do que o necessário.

 Ela sorri diante da sensação de minhas microcontrações relaxando por completo enquanto tira lentamente sua calcinha e se posiciona de cócoras sobre mim. O que eu vejo é o sublime: a reprodução de Blake tapada por aquele cu enorme, o belo que se locupleta do belo. Turvo a visão de propósito na esperança de obter, na ausência de detalhes, o quadro todo diante dos olhos. Não se deve encarar diretamente nem o sol, nem a morte. Nem o cu que se abre para despejar sobre mim a merda que aquele organismo preparou durante toda a tarde. Eis a grande beleza da vida. Sinto o calor de seu dejeto preenchendo a parte sensível de meu peito, e flexiono o pescoço num abdominal displicente para ver sua produção. Minhas manchinhas de pele completam o quadro, o horror vacui que habita agora minha caixa torácica me coloca em comunhão com a parte da vida que reluto em comungar. Como é bom, meu Deus, como é bom. Meu velho pênis entumece diante da ideia. Ela tremula com um leve nojo da situação, mas olha para trás e sorri diante do meu êxtase e diante da coerência entre meu corpo velho e seu tolete de bosta sobre mim. Agora ela já não pode agir nem por um minuto sequer como se não estivesse no controle da situação, como se não soubesse o que fazer a partir daí. Isso mataria tudo. É preciso liderar, mesmo em meio à completa escuridão. De minha parte, sinto uma vontade imensa de espalhar com as mãos o conteúdo sobre todo meu corpo, mas é preciso respeitar a hierarquia da criação. Contemplo e regozijo diante do que está feito. Ela se levanta, recomposta, apanha o dinheiro que deixei no criado-mudo, veste a calcinha e se dirige à entrada, onde deixou todas as suas outras peças de roupa. Não diz uma palavra. Ouço seu caminhar de volta ao carro, a porta metálica que se abre e se fecha. Dá a partida no Pinto e me deixa, o roncar de seu motor velho ao longe ressoando em meus ouvidos enquanto sua bosta enorme e marrom esfria em cima de mim.

 Deixo o êxtase perdurar por mais alguns minutos, antes que a culpa me consuma por inteiro. É uma sensação esquisita, de uma hora para a outra tudo aquilo que eu mais desejei se torna o motivo da minha maior vergonha, um constrangimento similar ao de despertar de uma hipnose completamente nu em meio a um auditório lotado. Delicadamente agarro as fezes com as mãos e me dirijo ao banheiro, onde as despejo na privada. Agacho o mais perto possível da latrina para que nada escorregue nessa hora e, por um momento, vejo a mim mesmo como uma corruptela imoral da reprodução de Blake. Vejo a merda de Miranda boiando do mesmo ângulo em que Newton vê seus diagramas. Tal pensamento me distrai momentaneamente do rubor que me domina.

Corro para o chuveiro. De repente o cheiro se torna um problema. Por menor que seja, não posso conviver com ele, e esfrego com unhas e pedra-pomes toda a minha pele carcomida pelo tempo, até que tudo se resolva debaixo de uma vermelhidão irritadiça, a água amarronzada a levar tudo para o ralo. Tento desassociar de mim mesmo e não pensar no meu eu anterior ao ato com impulsos inquisidores. Tento ver a coisa como algo que eu precisava viver, e que já vivi e que, por isso mesmo, pode permanecer no passado. Mesmo ciente de que não vou parar nunca. Dissipo os pensamentos como se dissipa a fumaça, sacudindo o ar para que nada se plasme em definitivo. Meu foco volta para a rotina. Sento ao computador para responder a alguns e-mails, ler o que estão falando sobre mim. Certifico-me de que não é preciso destrinchar tudo o que se vive, tudo o que se gosta. Eu finjo superação. Mas nunca vou parar. Não se preocupem, eu sei que vocês também nunca vão entender.

AQUELA MESMA CORRIDA DE SEMPRE
LU THOMÉ

Primeiro foi a unha do canto externo do menor dos dedos da mão esquerda. Uma batida, uma defesa sem luvas na cara do gol. Sei lá. Do machucado mínimo, apareceu uma ponta saliente e afiada. Não demorou muito pra me encher: abocanhei e puxei num impulso só, percorrendo toda a curva do osso. A pele sangrou um pouco. Mas pensei: unha cresce. E a dor era suportável. Como todas as primeiras dores são. É vida loca, mano.

Chave, ignição, giro, zarpar e acelerar.

A minha mãe sempre me disse que passa. Passa, filho. Trocar os livros pelo cavalo de aço e ser cachorro doido. Passa. Ganhar cinco estrelas ou meter o pé na lata de um mané no congestionamento. Tudo passa. Lembrei disso quando quebrei todos os dedos. Se ainda fosse de um soco descontrolado no muro da vizinhança com a raiva que às vezes esvai por um ou outro poro e que é apenas cansaço. Mas não. Ralei a goiaba. Foi um acidente estúpido de moto no cruzamento daquelas avenidas sem semáforo. Tivesse vermelho, amarelo e verde piscando em cada esquina de merda, poderíamos nos concentrar em coisa mais útil do que o próprio corpo sendo arremessado na direção do asfalto. E ainda fiquei semanas sem trampar e entregar, por oito ou dez pilas, troços, envelopes, caixas ou sacos de supermercado com as alças amarradas e levando nem imagino o que dentro. Kamikaze.

Sessenta. Setenta. Oitenta. Noventa. Dois mil por hora.

Depois foi o punho. Da queda na calçada, correndo atrás do ônibus. Imagina que, naquele dia, a sorte teria sido embarcar no busão atrasado e lotado. E segurar a coluna pelo caminho de buracos e solavancos. Acabei na emergência. Documentos, laudos, fotografias de uma viagem que não continuou. Numa sala de espera parecida com essa. Paredes brancas, cheiro frio de éter, poltronas, vaivém de macas, cadeiras de rodas e muletas. Somos todos castigados ou amparados pelo ferro nosso de cada dia.

Freia, freia, freia.

De uma só vez foi o antebraço e o cotovelo. Os cabeças me falavam que o azar não batia na minha porta. Ele já era um inquilino devendo vários aluguéis e sentado de cuecas no sofá puído da sala. Pra garantir, esfregava os dedos na imagem de São Jorge no criado-mudo. E pedia, em voz baixa, pra me manter guerreiro na luta, com espada e força. Eu seguia sonhando com barões na carteira, só que o fogo expirado pelo dragão parecia chamuscar meus cabelos.

Sinal fechado.

Tipo um calor de vírus se espalhando e me deixando sequelado. O ombro foi o próximo. Ontem. Escápula fraturada em diferentes lugares, com esta nuvem preta subindo pelo braço e se aproximando do crânio. Mantenho a cabeça inclinada na direção das chances que não recebo mais e dos olhares tão tortos quanto a minha espinha. Deixo estar. Busco o meu perdão aos domingos, no culto, surrupiando duas ou três notas do dízimo que passa pela minha frente feito tentação diabólica. Não fossem os comprimidos no sangue, juraria que o filho, de onde estiver, pisca rapidinho pra mim. Lá do monte com a cruz fincada no chão, com todo mundo fingindo que não está pregado na mesma madeira, entre assobios e alívios que logo passam. Entre um afago e um prazer que não duram mais do que meio segundo. Entre a dor forte e o coração contaminado.

Litros e mais litros de gasolina a preço de ouro.

Ergo a chapa do raio-x, escondendo a lâmpada mais forte do teto. A luz irradia pras bordas e eu só intuo o sol que talvez brilhe lá fora. Enquanto a sombra me abraça e eu penso: agora o quê? A vida é uma pergunta de para-choque de caminhão. Atrai e hipnotiza, mas não tem resposta definitiva. Incomoda, provoca, desafia e ri da nossa cara. E, se nos distraímos, acaba em beijo no chão. Pobre é como cachimbo: só leva fumo! Não importa.

Alguém senta ao meu lado e fala de direitos. Minha bolsa está cheia de deveres e impostos descontados. Isso, sim. Na hora do aperto, lutamos sozinhos. Sem grana, sem assistência. E, no fim de tudo, chega o patrão e diz que quer conversar. Chegar num acordo. Que acordo, quando o não é igual a "tá na rua"? Só digo sim. A todos os absurdos. Sigo sem escolha.

Em frente sempre.

Sou prego, com o martelo pronto pra acertar a cabeça. Só espero a chamada da senha. O painel deixou de apitar. A moça no banco da frente disse que chegou e o visor mostrava o trinta e três. Sou o noventa e um, marcado no papel amassado e molhado pelo suor. Talvez não demore tanto. Talvez seja simples. Talvez seja preciso apenas resistir. Virar o líquido de uma vez. Em recipiente de extrato de tomate, taça de cristal ou com a palma das mãos curvadas. Deixar que o veneno queime a garganta. E sobreviver.

Troca de marcha. Primeira. Segunda. Segue.

E logo voltar pra rua. Viver um dia que vai bombar. Com a sujeira nas calçadas, a fumaça dos escapamentos, o burburinho apressado de quem corre feito formiga, de um lado pro outro. Age feito máquina e engrenagens. Tem contas e contas e nada e nada pra quitar elas. Quem toma café da manhã com o medo de não conseguir mais. E divide com a solidão uma fatia magra de uma sobra de pizza no jantar. Quem não sabe que ainda há tempo. Há tempo? Quero acreditar que sim. É nóis.

Mais uma curva.

AS QUE NÃO ESTAVAM NOS JORNAIS
LEILA DE SOUZA TEIXEIRA

> *Havia matérias nos jornais, é claro.*
> *Corpos encontrados em valas ou na floresta,*
> *mortos a pauladas ou mutilados,*
> *(...) mas essas matérias eram a respeito de outras mulheres.*
> *(...) As matérias de jornais eram como sonhos para nós,*
> *sonhos ruins sonhados por outras.*
> *(...) Éramos as que não estavam nos jornais.*
> Margaret Atwood

> *Quando um homem mata uma mulher.*
> *(...) Morremos todas junto. Juntas.*
> Waleska Barbosa

Quem dorme com estes berros rasgando a madrugada? Poderia ser a vizinha de cima. Ou a do apartamento aqui ao lado. Interessa de onde vem a súplica quando nela há tamanho desespero?

O alaranjado dos postes invade a sala, esparrama retângulos ferruginosos no teto, alastra-se pela parede. Ferrugem tem gosto de sangue. Ou é o oposto? As lâmpadas a vapor de mercúrio concedem, aos moradores de Brasília, o conforto visual necessário para descansar. A distância das grandes vias, o conforto sonoro. À falta de motores e de buzinas, como fingir não escutar cada pontapé, cada lamúria, cada agressão, o baque, seguido pelo barulho de vidro estilhaçado? Arremessada contra a cristaleira? Ou terá sido o espelho? Dentro de um dos retângulos ferruginosos, as sombras da grade da janela formam uma flor.

Não fosse a ferroada nas têmporas que quase me impede de abrir os olhos, não fossem a dificuldade para respirar, as agulhadas nos braços, nas coxas, a vertigem, eu levantaria daqui. Chamaria a polícia. Acabaria com a violência toda.

Acabaria? Tatiane, Lívia, Jaqueline, Francisca, Joseana, Isabel, Noelí já não haviam denunciado seus companheiros antes de serem mortas por eles, como dizem os jornais? E se, do lado de lá do telefone ou do balcão da delegacia, encontraram uma voz masculina questionadora? Tem certeza de que aconteceu assim? Quer mesmo dar queixa? Isso é coisa pra se resolver dentro de casa, minha senhora. Precisam se reconciliar. Será que não fez por merecer? Afinal, se o crime for feminicídio ou estupro, ou ambos, é sempre bem provável que a culpa seja da vítima.

E se, do lado de lá, encontraram uma voz feminina, perguntando as mesmas coisas? Mulher está livre de reproduzir machismo e misoginia? Espere até amanhã de manhã, quando a Delegacia da Mulher abrir. As coisas melhoram. Nem vai mais querer fazer B.O. Dê tempo ao tempo.

Tempo ao tempo? E a dona dessa voz, que chama por ajuda, ainda estará viva amanhã de manhã para dar tempo ao tempo?

Se Felipe, em vez de mim, denunciasse a mesma coisa em relação a um vizinho qualquer, talvez a atitude do policial de plantão fosse outra. Juntos, poderiam fazer piada do escarcéu, mulher é tudo histérica, gritam por qualquer coisa, ela deve estar naqueles dias. Juntos, fingiriam que histeria masculina não existe, homem não, nunca grita, jamais faz escândalo, no meio da rua, no supermercado, antes de espancar a namorada a caminho da igreja. A voz de Felipe ecoa. É histeria, cala a boca, chega de histeria.

Devo ter apagado. Pelo vão que consigo criar entre as pálpebras, me concentro na geometria ferruginosa estampada no teto. A flor de sombras se move lenta e giratória. Já nem sei se é ela. Ou se sou eu.

Se tenho certeza de alguma coisa é do queixo, das bochechas, latejando. E de escutar, lá no corredor, a ladainha do porteiro. Finalmente, subiu. Veio acompanhado do síndico. Alguém reclamou pelo interfone.

Só agora? Depois de quase três horas? Ou este relógio sobre o tapete está tão quebrado quanto eu?

Tento compreender o que dizem, mas a conversa é longínqua, maçaroca de ruídos graves sem sentido. Só faltava se queixarem do distúrbio, está incomodando os vizinhos, precisam respeitar o horário de silêncio, o condômino trabalhador tem o direito de dormir. Mas não. Ainda existe um pouco de humanidade em meus compatriotas. Pelo tom apaziguador, os dois parecem tentar acalmar o monstro. Distingo apenas um, por favor, homem de Deus, maneire com a moça aí. Não compreendo a resposta, tampouco o que Deus tem a ver com tudo isso.

Furioso, o monstro rosna o que devem ser ameaças e insultos. Não identifico as palavras, apenas o ódio. Velho e indesejado conhecido. Tanto tempo escamoteado pela mitológica, nunca de fato existente, cordialidade brasileira. Agora escancarado, incitado por outra espécie de mito.

De novo o silêncio lá fora. Inacreditável que o síndico e o porteiro tenham partido. O que estão pensando para deixarem uma pessoa vulnerável à própria sorte assim? O mesmo que declararam aos repórteres os vizinhos de Amanda, esganada pelo marido a quem tinha pedido divórcio? Em briga de marido e mulher, ninguém mete a colher?

Deveria meter. Se metesse, minha mãe quem sabe não tivesse apanhado tanto, o casamento inteiro, só se libertado com a viuvez. Se metesse, quiçá, Cristiane, Letícia, Tais, Jhanayna, Bruna, Luana, Maria Carolina, Renata, Geni estariam vivas.

Será que os vizinhos das casas ao lado ignoravam minha mãe suplicando misericórdia a meu pai? E os vizinhos de Lara, Natália, Ronaldina, Heloiza as escutaram gritando por ajuda enquanto eram mortas a facadas pelos ex-maridos? De que adianta a ONU, a Anistia, o escambau dizerem, o lar é o local mais perigoso para as mulheres, se ninguém neste país acredita?

Minha mãe era de outra época, dependia financeiramente de meu pai, não teria para onde ir caso o abandonasse. Nem as irmãs poderiam recebê-la em seus lares, meus tios não aceitariam mulher desquitada morando de favor. Sem escapatória, restou a ela, por três décadas, aguentar e esconder. Os hematomas, sob a maquiagem; a depressão, atrás de sorrisos amarelos pálidos; o pavor, camuflado em gestos impessoais e comedidos.

Comigo foi diferente. Rompi com Felipe na primeira vez em que me agrediu. Não chegávamos a dois anos de namoro, e o reencontro inesperado com um ex-colega de faculdade quase me custou a língua. Felipe aguardou o rapaz, cujo nome eu nem lembrava, ir embora. Deixou eu me aproximar, fingiu um beijo e, indiferente às centenas de pessoas ao nosso redor na festa, me atacou a dentadas. Seis pontos e oito semanas depois, a cicatrização só conseguia consertar a ferida na carne. Mesmo assim — talvez porque homens descontrolados fossem presenças naturalizadas em minha família; talvez porque ser submissa tenha sido me ensinado também fora de casa; talvez por mera, simples e burra piedade — quando ele apareceu implorando, balancei. Chorou feito criança, sou mesmo um idiota, foi a bebida, me tira o controle, tantas coisas já vivemos juntos, sempre fui carinhoso contigo, apoiei tua mãe durante o luto, não me julgue por uma coisa isolada, errar é humano. Junto com anel e gargantilha de prata, trouxe um cartão cor-de-rosa, rabiscado por pedidos de indulto e promessas de mudança. Reatei, como fizeram Jeniffer, Elaine, Maria Francisca, Antônia e Mariana, sem imaginarem o fim da próxima briga, quando seriam alijadas até da oportunidade de perdoar ou não.

A batida da porta me sobressalta. O som dos passos se distanciando também. O monstro fugiu? Medo de que porteiro e síndico tenham chamado a polícia? Ou fadiga? Arrebentar o rosto e o corpo da ex-namorada cansa? Eu dormiria assim, espiando a flor de sombras e a ferrugem retangular no teto. Dormiria, profundamente, a despeito das chagas, infligidas nas costas e na existência.

Há oito meses, na tarde em que Felipe me empurrou da escada na passagem subterrânea do Eixinho, achei que ia morrer. E, não fosse o vendedor de pamonha intervir, não fosse a dona da farmácia gritar à viatura estacionada na quadra comercial, quem sabe eu tivesse morrido. Para minha sorte, resta humanidade em alguns, ainda que em poucos, dos meus compatriotas.

Antes de agarrar meus punhos e me jogar do degrau mais alto da escadaria, meu então pretendente a noivo vociferou. Sua burra, fica repetindo tudo o que lê na internet, não tem cérebro, não sabe pensar por conta própria.

Eu apenas mencionara uma postagem, empoderamento feminino, denúncias de abusos. Nada sobre os safanões dos últimos tempos, meus braços cobertos por mangas longas mesmo no calor. Nada sobre a mordida, a língua sem conserto, deformada. Nada sobre o afastamento compulsório de minhas amigas, as chantagens emocionais, as acusações de que eu só fazia estragar o namoro.

Atônita, não compreendia a desproporcionalidade da ira. Eu devia ter feito algo sem perceber, uma coisa mais séria para merecer aquilo.

Em algum momento entre os degraus sujos de mijo, os curativos no hospital e a mensagem o proibindo de se aproximar de mim outra vez, percebi que não. Não havia feito nada de errado. O problema não era eu. Se retirei a queixa-crime, não foi para o eximir de culpa, mas pelas mesmas razões de Neide, Adriana, Maria Paula, Joycelene, Mira. Para nunca mais ser obrigada a encontrar com o monstro.

Esta noite, quando Felipe chutou a porta do meu apartamento e, à força, entrou de novo na minha vida, desengasguei da resposta presa desde a tarde na escadaria do Eixinho. Se eu não tivesse cérebro, se não pensasse por conta própria, me contentaria em repetir o que as mulheres da minha família fazem há gerações. Foi tudo o que pude exprimir antes de levar o primeiro soco. Depois, como há oito meses, só conseguia pensar que ia morrer.

Enfim, poderei descansar? Ou ele retornará, movido por mais um pico de testosterona?

E se tiver a lucidez psicopata de eliminar vestígios? Voltaria para forjar um suicídio, um pulo do quarto andar, imitando o marido algoz de Jéssica? Não batia bem da cabeça, a pobre, nos últimos dias andava muito descontrolada. E todo mundo acreditará: nada mais fácil do que classificar uma mulher como louca. E todo mundo repetirá a mentira, até que as testemunhas e as câmeras do pilotis, do elevador, do bloco ao lado provem o contrário.

Aqui, a fraude precisaria ser diferente. As grades na janela em andar alto num local com índices baixíssimos de roubos e furtos, enfim, servem para alguma coisa.

E se incendiar o apartamento, como tentou o assassino de Teresa? Queimar os vestígios junto com o corpo da ex-noiva? E se vier para esquartejar: meter pernas, pés, cabeça, em um saco, afundar tudo no Paranoá, como fez o companheiro de Lucinda?

Na lista, trinta e quatro vítimas de feminicídio em Brasília desde 1º de janeiro de 2019, omitem-se as identidades dos assassinos, namorados, maridos, companheiros, atuais ou ex. Por isso esqueço os nomes deles? Ou porque, a mim, é como se não fossem indivíduos? Mas uma coisa una? Tentáculos do monstro maior e obscuro, que nunca deixou de nos assombrar, mas que, nos últimos tempos, nos últimos tuítes, irrompe, condecorado, aplaudido, institucionalizado pelos pronunciamentos oficiais dos cidadãos de bem?

Hoje, entre uma bordoada e outra, Felipe repetiu o discurso de ojeriza ao empoderamento feminino. Antes do primeiro desmaio, pensei em perguntar, mas não tive chance. E este outro empoderamento? O dos tentáculos do monstro maior, escondidos por anos, e que, agora, emergem dos bueiros, do esgoto, das cavernas fétidas, da lama podre que jamais deixou de cobrir o país? E este outro empoderamento? Dos monstros menores porém igualmente letais, que ressurgem, exibindo com orgulho suas próprias brutalidades?

Já que ninguém veio em meu socorro, preciso me arrastar daqui, encontrar o telefone, lamber sozinha minhas feridas. A cristaleira parece intacta. Os vidros espetados nas nádegas, na cervical, nos ombros, devem ser do espelho. Giro meu corpo com imensa dificuldade. Fraturas nas costelas? Sem dúvidas, nos dedos da mão esquerda.

Quem é esta mulher fragmentada sobre o tapete? O nariz, osso caído para um lado, cartilagem para o outro, não é meu. Tampouco os olhos, edemas gigantescos, pretos arroxeados, onde desaparecem os cílios. A boca estraçalhada não é minha. De quem são esses cacos ferruginosos, restos de ser humano, espalhados pelo chão da sala? Poderiam ser de minha mãe, da vizinha do quarto andar, da moradora do apartamento acima do meu, de uma das mortas computadas pelo Distrito Federal ou por qualquer outra unidade federativa.

A cada nova manchete de feminicídio, eu costumava me perguntar. Antes de serem reduzidas a número naquelas listagens vergonhosas, quando liam na internet ou ouviam no rádio, o número de agressões a mulheres no Brasil chegou a quinhentas por hora em 2018, setenta e seis por cento dos agressores são parentes, amigos, conhecidos, o índice foi histórico em 2019, casos sobem em setenta e três por cento nos primeiros meses de 2020; quando viam a barbárie toda: alguma das futuras vítimas imaginou que seria transformada em estatística? E eu? Se ele voltar, acabarei como Letícia, Ronaldina, Bruna, Tatiane, Lívia, Jaqueline, Isabel, Cristiane, Jéssica, Tais, Jhanayna, Lara, Natália, Amanda, Teresa, Jeniffer, Neide, Maria Paula, Adriana, Mariana, Lucinda, Luana, Elaine, Geni, Francisca, Maria Francisca, Joycelene, Antônia, Mira, Heloiza, Renata, Noelí, Maria Carolina, Joseana? Serei mais um rosto de mulher assassinada pelo fato de ser mulher, sorriso erradicado, extinto, estampado no jornal, noticiado pela reportagem da televisão?

IMPEACHMENT
GUTO LEITE

faz quatro anos que ela me deixou de mala e cuia, na época não achei ruim, aquela maneira austera de me cuidar de longe, de me desejar quase envergonhada, sua mania de justiça, sua intolerância patológica à corrupção, era pessoa pra se admirar, não pra se amar, que amor exige roupas mais largas, ignorâncias, ela era como a embira sempre tesa do arco, parecia não poder desperdiçar tempo com nada, no carro, ouvindo as notícias, nos voos, um livro mais frívolo pra pousos e decolagens, e o computador a postos pra quando se apagava o sinal do cinto, tinha isso também, como já falei, essa obediência às regras acordadas, caso discordasse, movia mundos e fundos para mudá-las, mas mesmo nessas cruzadas, resignada, legalista, se não tiver regras feitas pra todos, o que é que nós temos, ela dizia, aproveitando o almoço pra debater, agora me parece que eu também estimava nela essa inocência, essa confiança infinita na diligência do outro, como se todos, em alguma medida, tivéssemos algo do seu rigor, nunca passou por sua cabeça o mundo todo improvisado, indefinidamente por fazer, remendo sobre remendo, ninguém entendendo bem o que quer que seja, esse puteiro, vá lá, com o perdão do termo, talvez injusto, que já fui em puteiro mais organizado que cartório, acho de verdade que ela acreditava que cada um traz dentro de si um senso de ordem pública, que divisa o limite justo até o outro, é ou não é coisa apreciável, e pior, ela nunca perdia tempo se lamuriando quando se decepcionava, não sou disso, e parecia uma espécie de trator ao contrário, reconstruindo montanhas, replantando árvores, ressubindo casas, quase imune ao placar adverso, e se ampliando, quase insensível à perversão e ao descuido dos outros no dia a dia, tampouco gostava de futebol, uma vez combinei com os amigos de irem em casa pra ver inter e boca, tá bem, mas amanhã vou cedo pro ministério, sem barulho depois da meia-noite, primavera, você sabe, o calor temperado pela brisa do lago, a vitória do colorado, a cerveja, a carne, meia-noite e cinco vejo ela abrindo a porta da sala com aquelas luvas enormes de micro-ondas, pegou minha churrasqueirinha e jogou na água, outra vez, numa reunião do partido, a jéssica, uma morena cheia de voltas, resolveu brincar, mas vocês estão fazendo o orçamento sem considerar a comissão, e levou uma sapatada na cabeça, quase deu processo, essa criança ela tem dentro dela, sempre teve, embirrada, impulsiva, inquebrantável, não tem como não gostar de alguém que leva sua criança tão à superfície, mas guardada, como se o tempo todo estivesse com ela algo que perdemos, algo como uma esperança, uma bifurcação, mas ao mesmo tempo o horror da vida tivesse postado ali um vigia, que não dorme, armado até os dentes, nunca senti ter feito nela uma carícia, nunca, isso de atravessar a pele e todas as defesas, nunca, nunca, nunca, nunca, transávamos como dois edifícios, fazer amor é coisa pra pequeno burguês, essa ternura que vemos nos filmes, que comentam conosco, que sentimos nos jovens casais apaixonados, ela reservou pra nossa filha, desde pequena mas até agora, mulher feita e mãe, nossa filha é a merecedora exclusiva do amor sem ressalvas, mas econômico, de que ela dispõe, faz quatro anos que ela foi embora, quatro anos que me separei de minha companheira, enquanto estive com ela, aprendi a aceitar certas distâncias dentro do sentido de estarmos juntos, sempre disseram, com maledicência, que não nos amávamos, amor, o que é, de lá pra cá, não diminuiu um isso da minha admiração, mas preciso confessar um certo alívio, melhor, levar mais leve os anos que me restam, na semana passada, me contaram, rindo, que ela está namorando uma mulher, vê se pode

DEBATE
CARLOS EDUARDO
PEREIRA

O filhote de cretino começa. Eu proponho, como ponto de partida pra esse nosso debate, o reconhecimento de fatos, nada mais do que fatos.

E continua: em seu depoimento no congresso americano, o senhor Mark Zuckerberg, CEO do site de relacionamentos Facebook e acionista de outras empresas no mesmo setor, ele ouviu de um senador que seus concidadãos estão preocupadíssimos com o grau de viés e censura política dessas suas empresas.

Segue com o filhote de cretino alegando que o mestre bilionário do Face admitiu a parcialidade do segmento, respondeu que entende mais do que perfeitamente essa preocupação, até porque seu Facebook, e, aliás, a indústria da tecnologia de forma geral, estão todos situados geograficamente no Vale do Silício, na Califórnia, que é um local de tendência extremada de esquerda.

O filhote de cretino meio que arregala os olhos na cara torta e repete: escuta bem que eu não vou repetir, tendência extremada de esquerda.

De algum jeito essa gente acredita que esse senador republicano, bastou que ele falasse assim como falou pra demonstrar que de maneira rotineira, proposital — vocês conseguem perceber? —, bastou que ele falasse assim que já virou verdade que o Face restringe ou suprime as notícias e os conteúdos à direita, agora vejam vocês, conteúdos como postagens de influenciadores digitais conservadores.

Consta até que Zuckerberg, ele teria confessado, chorando que nem um maricas, ele confessou a suspensão da conta de mais de trinta pages de orientação religiosa (consta até que de matriz neopentecostal), e confessou bloqueio de publicações de repórteres da Fox News, e também confessou ter tirado do ar uma página de apoio ao governo do Donald Trump, que contava com pra lá de dois milhões de seguidores, sob o sórdido pretexto de que o conteúdo da página era, abre aspas, inseguro para a comunidade, fecha aspas.

Percebam que estamos diante das espécies mais perniciosas de censura: a religiosa e a política. Censura que viola os direitos humanos e as garantias mais fundamentais de liberdade de crença e liberdade de expressão.

E isso, pessoal, nos Estados Unidos. Vamos lembrar que o hino americano exalta a pátria deles como "a terra dos livres" — esse troço é bonito, não é? — "o lar dos bravos". Diante desse caminhão de evidências, apontando pra práticas políticas censoras e tendenciosas, que notadamente prejudicam a circulação das ideias mais conservadoras, o Mark Zuckerberg não quis responder a uma última pergunta, por ser talvez desconfortável: se o Facebook já baixou seu sarrafo de censura sobre algum congressista democrata, partido que tem esse nome, Democrata, e faz oposição ao governo atual, ou se o Face levantou sua chibata contra organizações engajadas pela massificação do aborto.

A resposta seria bem curta e muito óbvia: Não.

Zuckerberg parece que disse não basta que conectemos pessoas, precisamos garantir que essas conexões sejam pra lá de positivas, assegurar que essas pessoas não estão usando sua voz pra machucar outras pessoas, espalhando a desinformação. O filhote de cretino diz não sei pra vocês, mas pra mim — e agora fazendo aquele sinalzinho com os dedos no ar envolvendo as expressões machucar as pessoas, ofender as sensibilidades —, pra mim esses conceitos são vagos, muito vagos, são subjetivos. Certamente alguém pode sentir-se agredido com as minhas posições, por exemplo, contra as cotas raciais. Isso faz de mim um racista? Um agressor? Eu mereço censura? E o que dizer desse conceito aí de desinformação? Tem problema se eu defendo o tratamento da população com cloroquina? Se eu defendo o fim do isolamento horizontal? Eu nem respondo se você me pergunta se isso é desinformação. A pergunta que cabe, de verdade, é a seguinte: quem vai ser o juiz sobre o mérito da suposta desinformação?

Diante dessa zona cinzenta, o grande mestre do Face viu-se pressionado a responder ao senador, que insistia: você e seus mil não-sei-o-que-de-conteúdo se sentem preparados pra qualificar, sei lá, centenas de milhões de usuários como bons ou ruins? Ao que o grande mestre limitou-se a afirmar que existem coisas inequivocamente inaceitáveis, como o terrorismo.

Daí eu lhes pergunto, e é claro que já sei a resposta, mas alguém ainda pode duvidar, eu pergunto pelos mil diabos qual seria a equivalência entre terrorismo e conservadorismo, pelo amor de deus?

De forma bem contraditória, o grande mestre do Face encerrou o seu depoimento perante o congresso dizendo o seguinte, entre aspas: eu sou bem comprometido em garantir que o Facebook seja uma plataforma pras ideias todas, todas elas.

Não.

Isso não é verdade.

Não é verdade, Mr. Mestre do Face.

E essa não verdade é basilar pras principais plataformas de rede social, e de streaming, que existem. Há um claro viés de censura a ideias conservadoras. Há clara produção de conteúdo progressista na internet, com destaque desproporcional a perfis, canais e posts ligados à esquerda política. Isso está mais do que claro, não está?

E essa visão política enviesada, ela não se impõe de uma forma orgânica, as plataformas o fazem artificialmente, seja por algoritmos, seja por ação humana de curadoria.

Isso não é uma interpretação. Isso é um fato. Incontroverso. Vocês não enxergam?

Como o mestre do Face foi puxado à frente do congresso americano com a cabeça erguida como ergue-se a cabeça de um cão, teve seu nariz esfregado na mais densa verdade, ele teve que reconhecer, foi obrigado, vejam bem, o principal acionista de redes sociais no mundo inteiro, em seu depoimento oficial ao parlamento americano, teve que reconhecer que é isso mesmo: essa nossa verdade é uma verdade absolutamente incontestável.

Essa é a premissa-base, acrescenta o filhotinho de cretino, à qual me referi no início lá da minha fala: pra que haja alguma discussão minimamente séria, um debate maduro sobre liberdade de expressão na internet, é preciso admitir, sim, que a liberdade não é plena nas redes, e, há muito tempo, favorece de maneira totalmente injusta esse lado canhoto do espectro político.

O filhotinho segue estão me acompanhando? Por que que pode ser tão perigosa a questão da censura? Vai, pode falar: por que diabos? Eu soube pela imprensa que foi libertado um dos quatro oficiais de polícia no caso do suposto enforcamento em Mineápolis. Entendem o que eu digo? Na América, a justiça decidiu reduzir o valor da fiança dos quatro acusados, a partir da pressão diretamente exercida pela família de um desses acusados sobre a corte americana responsável pelo caso. Conseguem alcançar? A família de um cidadão de bem americano, diretamente, sem a interferência de setores tidos como filtros da sociedade, ela subiu uma page de angariação de fundos e assim todos nós, parentes, amigos, simpatizantes, todos nós que acompanhamos o noticiário sem cair na influência de uma grande mídia, a família organizou um crowdfunding, eu daqui do Brasil, da minha casa, ou melhor, da rua, eu estava na rua nessa hora, na rua, do meu celular, eu pude ajudar facilmente na liberação do rapaz. E vocês podem contribuir também, a campanha contra o Vírus Floyd-19 continua de pé. Viram como foi positivo? É a Janela de Overton aberta pra ambos os lados. Um pensamento livre de influências nocivas construídas pela grande imprensa foi capaz de produzir liberdade, e isso pode influenciar, não, não, inspirar, um movimento que é capaz de inspirar as pessoas do mundo real, atitudes concretas gerando outras tantas atitudes concretas, como deve ser.

Pra concluir sua fala, e ceder a vez pra seu debatedor, o filhote de cretino diz eu sei que pode ser que eu tenha me alongado um pouco, que eu tenha excedido meu limite de tempo, mas vocês vão me permitir um comentário lateral, na verdade um episódio anedótico complementar, bem rápido, na linha dessas fake news, que aquele que discute tomado pelo espírito da honestidade intelectual não tem como não concordar com o que eu digo, com as posições que eu costumo adotar, uma piada rapidinha, mas antes, um furo, só um comentário em cima do que acabam de mandar pra mim, a respeito de uma renomada jornalista, eu sei que muitos de vocês, quase todos, a conhecem, então, um comentário apenas, essa jornalista acaba de ganhar um prêmio internacional de jornalismo, por liberdade de imprensa, vejam só vocês, e eu me pergunto que liberdade é essa, se é a liberdade de acusar sem provas e ainda receber um tapinha nas costas corporativista de seus pares, tanto da mídia nacional quanto da internacional, porque nem ela nem o periódico pro qual ela escreve apresentaram provas que embasassem a sua matéria, tanto que o TSE arquivou o processo relativo à chapa do então candidato Jair Bolsonaro à Presidência da República, o que houve na verdade foi a chapa adversária, do então candidato Fernando Haddad, ele foi multado por impulsionamento irregular, e mais pra frente ele foi condenado por falsidade ideológica pra fins eleitorais, e eu fiquei pensando na Janela de Overton, que mencionei ainda agora, se vocês conhecem, se dominam o conceito, é o caso da proposta de uma reengenharia social, é um conceito que demonstra quais tipos de posições são tidos como aceitáveis pra sociedade, por exemplo, se uma figura pública deseja ser bem quista pela população, ou pela grande maioria dela, então suas opiniões precisam variar apenas dentro de uma certa janela, extrapolá-la pode significar rejeição, mas é um conceito complexo, precisa ter um padrão cognitivo mais elaborado, estudar muito tempo pra entender alguma coisa desse pensamento, deixa pra lá, mas só pra exemplificar, usando a sociedade americana como referência, eles não cogitam a flexibilização, ou a mitigação, do conceito de propriedade privada, você pode ser um esquerdista nos Estados Unidos, mas se falar em socialização, tresspassing, né, como eles falam, você está excluído do debate público, ou seja, através do viés é possível ir delimitando a opinião pública e ir criando uma espécie de novo normal, vejam que apenas nesses minutinhos desse nosso encontro aqui eu fui capaz de trazer uma série de ideias conservadoras, de cunho do liberalismo clássico, de cunho político, religioso, que estão sendo reiteradamente censuradas por essas empresas, por esse oligopólio das mídias sociais, eu vou trazer daqui a pouco algumas falas do Trump que destacam justamente isso, um grupo de interesse que está literalmente viciando a opinião pública, mexendo o tempo todo nisso que nós conhecemos no mundo acadêmico como Janela de Overton, você começa a sobrecarregar as pessoas com informações, um palavrório danado, uma verborragia que visa a, posso dizer assim, simplificando pra vocês, uma nova formação da opinião pública com a devida restrição de ideias no debate, o que é perigosíssimo, é de um cinismo que eu vou te contar. Ah, a anedota, né, uma daquelas respostas meio intempestivas, meio ácidas, do Trump, de um presidente que tem, sim, dessas coisas. E daí? Um jornalista questionou por que que ele não deletava sua conta no Twitter, e ele respondeu que se a imprensa fosse justa, ele faria isso imediatamente KKK. Entenderam? Imprensa justa, essa é boa KKK.

VERME
CLAUDIA
NINA

Seria um banho como qualquer outro, não fosse ela notar, na saída, olhando para baixo, no cantinho de fora do boxe, um ponto mínimo no chão. Seria um ponto mínimo no chão como qualquer outro, não fosse o detalhe: o ponto se mexia, tinha vida.

Ela decidiu deixar o ponto vivo ali, corpo estranho, sem que nada alterasse sua rotina. Foi o que fez. Que diferença faria aquele mínimo andante, deixa ele existir, não fará mal algum seu rastejar pelos ladrilhos, pensou. Seguiu a vida maior, gigante, tinha muito o que fazer, o trabalho, as crianças, a casa por arrumar. Tentaria esquecer a imagem do ponto que se mexia, escuro, no contraste do branco do chão. Teve um pequeno nojo daquilo e por isso não conseguiu olhar de perto nem tentou esmagá-lo, o que iria expor as entranhas do que parecia ser um verme, e ela não estava disposta a conhecer as entranhas dos seres que rastejam. Deixou quieto o bicho andante que, por algum tempo, sumiu da sua vista. Até que, outro dia, sentada na beirada da cama, viu novamente o ponto escuro que, desta vez, não andava mais a esmo — parecia ter um destino.

A direção era um furo na madeira da porta do banheiro em frente à cama. O esconderijo. Ela tentou esperar que saísse, mas talvez ele tenha se suicidado ao entrar em um oco de madeira sufocante. Não quis sondar os mistérios dos pontos mínimos que rastejavam no ladrilho — deixou quieto e seguiu sua vida gigante.

Um dia, o que viu rastejando já não era mais um ponto e sim uma vírgula — finíssima linha movente que agia rápido.

A sensação de asco foi ainda maior, o corpo do verme crescia dentro da sua própria casa. O que fazer? Ela pensou em agir tão rapidamente quanto o bicho rastejava, mas se lembrou de que estava atrasada. E ainda não estava preparada para ver esmagado o verme, expor suas vísceras, sujar seus ladrilhos, que trabalheira.

Deixou livre o verme que crescia a olhos vistos.

O que surgiu na sequência foi um pesadelo — não sabia de fato se estava acordada ou febril. Não há certeza se as cenas que ela viu foram reais. A partir daquele momento, perdeu a capacidade de entender.

Quando acordou e abriu os olhos, em uma manhã que poderia ser como todas as outras, mornas, antes do banho, ela conseguiu ver, da cama mesmo, o quadro que se formava: de dentro do vazado da porta, para onde tinha entrado o ponto mínimo que antes pensou ser um suicida, moviam-se centenas de outros vermes-vírgulas, minhocas, corpos ágeis e rastejantes em uma espécie de calma fúria organizada — teriam um destino?

Era uma legião que em pouco tempo começou a se espalhar pela casa tomada. Ela mal teve tempo de se levantar, pegar as crianças e fugir, não sem antes sentir nos pés a agonia da pele dos bichos. Trancou a porta para que os seres multiplicados não conseguissem chegar ao corredor caso tivessem inteligência de abrir o trinco ou atravessar pelas frestas. Alcançou a portaria ofegante e vitoriosa.

A sensação de vitória durou pouco. Logo ela percebeu o óbvio: havia deixado a casa sob o poder dos que rastejam. Era preciso voltar e lutar.

Fez uma convocação urgente, a invasão se espalharia rápido. Alguns vizinhos de prédio e de rua se juntaram e, em bando, subiram ao apartamento, embora suspeitassem que talvez nada existisse e tudo fosse um delírio. A história parecia tão absurda que eles só aceitaram subir porque a mulher estava prestes a entrar em colapso. Não tiveram como recusar a ajuda.

Quando todos subiram, uns de escada, outros de elevador, e a porta do apartamento foi aberta, a verdade descoberta enfim: só a mulher via os bichos multiplicados tomando conta do sofá cinza de veludo, mergulhados no aquário das filhas, invadindo a geladeira. Os vizinhos não viam. Para eles, estava tudo normal, nenhum quadro alarmante.

— Vocês não estão vendo os bichos rastejantes que invadiram a casa? — a mulher gritava em desespero.

— A senhora está completamente louca — responderam.

Saíram raivosos, porque haviam perdido tempo, que mulher estranha, alarmista, praguejavam alguns mais irritados.

Como só ela conseguia ver o que ninguém percebia, a mulher precisou criar forças e meios para resistir. Mesmo que a guerra durasse cem anos, não poderia permitir que seu espaço e de suas filhas se transformasse em um viveiro de bestas miúdas.

E pensar que tudo começou um dia com um ponto mínimo, solitário, no ladrilho do banheiro. Se ela o tivesse esmagado. Afinal, mesmo pequeno, mínimo, solitário, já era um invasor.

Os que não enxergavam não sabiam que as larvinhas ainda não haviam crescido o tanto que prometiam. E, em breve, tomariam também os sofás de suas salas, mergulhariam nos aquários de seus filhos, invadiriam as geladeiras de suas cozinhas.

Eles não enxergariam.

EDÍFICIO SUNSHINE
GABRIELA RICHINITTI

Mirtes abria espaço entre os patriotas que já se alinhavam na praça, estalando palmas no ar e gritando o nome do homem que os salvaria. A emoção palpitava sob a camiseta amarela, estampada com o rosto sorridente do Patriota. Imaginou seu coração dentro da cabeça dele, como se fosse a substância viva dos sonhos que partilhavam: os sonhos de um país próspero, guiado pela ordem e pela moral. Enxugou o começo das lágrimas com o dorso da mão, esquecendo-se de que pintara todo o rosto com as cores da bandeira. Participava do momento mais importante da história do país — talvez do mundo — e estava do lado certo.

Naquela noite de verão, o lado certo ficava à direita de um jovem alto, de ombros largos, com cara de médico. Era emocionante ver aquela juventude bonita e educada já envolvida na luta pela salvação do país. A salvação do mundo! Quis que a tevê a entrevistasse para dizer isso: a esperança está nos jovens, eu sou apenas uma velha emocionada. No fundo, pressentia que a esperança estava nela, em Mirtes, uma das mais ativas lideranças do movimento patriótico. Uma mulher que, aos sessenta anos, abandona uma vida perfeita para salvar a Nação. A âncora da tevê comentando a reportagem: que coisa fantástica essa Mirtes, que mulher bonita, cheia de energia, cheia de propostas! Seu rosto bravo e indignado estampando também as manchetes dos jornais. Mirtes diz que o Patriota vai livrar o país dos comunistas, dos ateus e dos devassos. Varreu a multidão em busca de alguma equipe de filmagem, mas só encontrou os rostos pintados de seus irmãos de luta e do Patriota, reproduzido em camisetas, bonés e bandeiras.

Começou a se alongar, girando o pescoço, estendendo os braços, abrindo trinta por cento de um espacato, pulando sobre os tênis esportivos. Repassou a coreografia em gestos curtos para não tropeçar no moreno bem-apanhado. Passara as últimas semanas ensaiando diante do espelho, com sua melhor calcinha, o corpo balançando de um lado para o outro. Havia um momento em que o parceiro do lado devia içá-la do chão, na hora em que cantavam juntos somos gigantes. Quem a pegaria pela cintura, elevando-a sobre o mar de patriotas? Olhou para o jovem, estudando a linha de músculo que corria pelo braço. Seria ele, o moreno com cara de médico.

Um homem gritava no alto-falante, dando as últimas instruções. Uma enorme fotografia do Patriota — o rosto másculo, lábios e olhos estreitos — ergueu-se diante da multidão, que a ovacionou. O ciúme ferveu no peito de Mirtes. De certa forma, o Patriota lhe pertencia. Ela o descobrira muito antes de todos, quando ele ainda fazia parte do baixo clero da política, pregando inflamado contra os comunistas. Avaliou uma mulher à sua frente, de shorts curtos exibindo as pernas cobertas por uma penugem dourada. Ela agitava os braços de um modo lascivo, repugnante: para se oferecer, esse tipo vulgar parasitava até os atos políticos, brotando como inço. O Patriota saberia reconhecer uma mulher de valor, uma mulher dedicada à família e à moral, que poderia portar-se com dignidade nos compromissos oficiais. Uma mulher como Mirtes, muito mais decente do que aquelas garotas vulgares que se comportavam como feministas. Investigou as axilas da menina; estavam bem raspadas, mas podia apostar que as partes baixas...

A coreografia teve início. Mirtes lançou os braços para o ar: primeiro o direito, depois o esquerdo, punhos erguidos, um giro sobre o corpo. Ensaiara a dança à exaustão, toda ela coreografada sobre uma poesia onde cada rima se encaixava: o patriota, o patriota, vai lá e vota, no patriota, ele vai fazer o exorcismo, do socialismo, do comunismo. Isso era a arte verdadeira, a arte política, isenta do mau gosto difundido pelos depravados que hoje ousavam chamar-se de artistas: mais uma estratégia comunista para corromper e doutrinar as crianças, transformando-as todas em homossexuais ou feministas... feministas homossexuais e peludas!

Pintados e vestidos com as cores da bandeira, os corpos sobrelevavam-se em ondas coloridas. Mirtes não errava nenhum passo, treinada pelas videoaulas e pelo ritmo adquirido nas aulas de zumba que fazia às terças e quintas-feiras. Os braços fortes do rapaz agitavam-se sobre ela; logo chegaria o momento em que ele a tomaria pela cintura, erguendo-a acima de todos. O Patriota com certeza veria as imagens do ato, veria aquela mulher fascinante destacar-se entre a multidão, fazendo o gesto com o polegar e o indicador, que era uma apologia ao armamento dos cidadãos contra os bandidos que os comunistas tanto protegiam. O Patriota se apaixonaria, identificando em Mirtes uma das últimas mulheres decentes do país; combativa, bela, respeitável! Pediria aos assessores que lançassem uma campanha nas redes sociais: quem é a patriota misteriosa que estava no ato do último sábado? Milhões de compartilhamentos o levariam até ela. Seria a melhor Primeira-Dama da história, leal e orgulhosa do seu homem.

O verso da glória chegou. Juntos somos gigantes. Mirtes confiou o corpo a um salto lateral convicto, esperando sentir as mãos do moreno com cara de médico em sua cintura. O rapaz, no entanto, ignorou esse passo da coreografia e apenas pulou de braços erguidos, aterrissando com os enormes tênis de corrida sobre o tornozelo de Mirtes, que tropeçava às cegas no desnível entre a realidade e sua própria expectativa. Com as mãos espalmadas no concreto, experimentava uma dor progressiva subir pela perna.

— Sai daí, gorda velha. Tá atrapalhando desde o começo.

Algo que não chegava a ser um chute atingiu sua lombar.

Mirtes engoliu toda sua humilhação e mancou em direção à linha de frente. Não desanimaria por causa do comunista homossexual infiltrado que acabara de derrubá-la. O mar de patriotas continuava empenhado nos gestos maquinais da coreografia. Uma saraivada de braços e pernas a atingiam e a sensação de que atravessava um campo de batalha era estranhamente encorajadora. Algumas pessoas a empurravam e murmuravam xingamentos, outras apenas fingiam não perceber.

Ao chegar à primeira fileira, viu as câmeras. Uma injeção de adrenalina atravessou o corpo dolorido. Era a oportunidade para que o Patriota a descobrisse, para que o país inteiro soubesse quem ela era: uma mulher sábia, diferente de todas as outras, liderando a salvação do país.

Repetindo os movimentos da coreografia, tomou a frente da multidão. Gritava o nome do Patriota com toda a força, fazendo gestos de armas com os dedos, como se atirasse para todos os lados. Morram, comunistas! Os cabelos cor de palha tapavam quase toda sua visão. O Patriota vai acabar com tudo que está aí, com toda essa sujeira, com as feministas, com a ditadura gay! Algumas câmeras esqueceram-se do ato e focaram na performance particular da mulher. Ele foi enviado por Deus! Mirtes tinha as mãos nos joelhos e chorava. Nós vamos salvar esse país das mãos do diabo e do comunismo!

———

No dia seguinte, o vídeo circulava pela internet, alcançando a marca de milhares de visualizações. Mirtes não se arrependia de nada; apenas esperava que o Patriota entrasse em contato, elogiando sua bravura e amor à causa, propondo uma visita para saber como ela estava passando. Ser uma mulher inteligente e firme em suas convicções não era algo fácil; muitos comentários ofensivos chegavam até ela, de comunistas e gays que tentavam sufocar a mais brilhante liderança do movimento patriótico. Durante os dias que se seguiram, vasculhou as redes sociais do Patriota à procura de alguma alusão a ela. Quem é essa linda mulher que estava no ato de ontem? Gostaria que me ajudassem a encontrá-la...

———

O Patriota foi eleito duas semanas mais tarde, num domingo mormacento. Houve muita comemoração pelas ruas e Mirtes estava lá, com o rosto pintado, convicta de ter sido peça fundamental para a salvação do país. Às vezes, as grandes lideranças atuam apenas nos bastidores, sem receber o devido reconhecimento.

Com o passar dos meses, no entanto, o Patriota foi perdendo lugar em sua vida. Uma versão dublada de *Casos de amor em Istambul* começou a ser transmitida na televisão e Mirtes achou que merecia um descanso dos estudos políticos; afinal, já fizera sua parte. Estava encantada com o turco Ezel, o moreno de olhos verdes que protagonizava a novela; em seus devaneios, ele percebia que a mocinha Sacide era apenas uma turquinha fútil com delírios de independência, enquanto ela, Mirtes, era uma mulher à moda antiga, decente, madura e preparada para tomar conta de um homem de verdade. Passava muitas horas à janela do apartamento, imaginando como seria maravilhoso se o turco Ezel tocasse seu interfone. Mirtes morava no segundo andar de um prédio antigo que ficava na zona industrial, onde os dias eram ocupados pelo ritmo de engrenagens e empilhadeiras. Fora do expediente das fábricas, as ruas mergulhavam no silêncio, isolando os poucos moradores da região em seus compartimentos domésticos.

Por isso, quando o interfone de Mirtes soou numa terça-feira fria de julho, foi como se alguém apunhalasse a madrugada pelas costas. Ela se levantou confusa, calçou os chinelos e cambaleou até a sala, onde o aparelho regurgitava silvos ácidos. Observou-o por alguns instantes; lá embaixo, no escuro, o turco Ezel, com seus cabelos pretos, olhos verdes...

— Alô — ela disse, e pigarreou para corrigir a voz. — Alô?

Do outro lado, uma respiração hesitante. Alguém parecia raspar o bocal do interfone com a unha.

— Alô? Alô? Alô? — Mirtes não conseguia conter a ansiedade.

— Major? — disse uma voz masculina.

— Quem?

— Quem fala?

— É Mirtes.

— O Major...

Mirtes tentou pensar nos seus vizinhos; sabia apenas da velha doente do 302, onde se revezavam enfermeiras, e de um estudante que, no momento, estava morando no exterior. O apartamento 301, bem como o apartamento térreo, destinado a um zelador que nunca existira, encontravam-se desocupados. Não havia nenhum Major.

— Não tem nenhum Major...
— Não é aqui o Edifício Sunshine?

Mirtes precisou pensar um pouco; aquele era mesmo o nome do edifício.

— Sim, mas eu moro aqui.

Uma respiração pesada e, em seguida, uma tosse seca:
— Qual o nome da senhora?
— Mirtes.
— Dona Mirtes, a senhora me desculpe o inconveniente.

Um baque encerrou a conversa.

Mirtes ainda passou algum tempo parada diante do interfone, tremendo de frio dentro da malha soft do pijama. O Patriota também era Major, não era?

Voltou para a cama e adormeceu imaginando que, na rua escura, o turco Ezel andava em círculos, penalizando-se por não ter encontrado coragem para dizer que a amava.

No dia seguinte, por volta das nove horas da noite, Mirtes assistia a *Casos de amor em Istambul* na sala quando estranhos sons começaram a atravessar as estreitas paredes do apartamento. Uma furadeira muito potente, grandes móveis de metal sendo arrastados e, por fim, um plangor que vinha das entranhas de um grande animal. Um animal esfolado, com os pelos negros úmidos de sangue e círculos de carne viva onde pedaços de pele haviam sido arrancados. Mirtes apertou os olhos: que imaginação terrível ela tinha. Devia ser apenas uma televisão em outro apartamento, talvez o apartamento da velha doente; aqueles gemidos não eram mais reais do que o turco Ezel, que agora beijava Sacide com ardor.

Os uivos tornaram-se gritos. E havia uma trepidação incômoda, que Mirtes sentia na planta dos pés. Dobrou os joelhos e acomodou as pernas sobre o sofá. Tentou concentrar-se na novela, mas os berros desesperados que atravessavam as paredes sobrepunham-se às declarações de amor de Ezel. Caminhou até a porta e espiou pelo olho mágico. O corredor alongava-se na escuridão. Mirtes abriu a porta devagar; o tremor perpassava as estruturas de cimento. Um ruído elétrico precedeu uma série de ganidos sufocados. Subiu as escadas até alcançar o terceiro andar; o 302 estava quieto, a velha provavelmente alucinava com a morte. Na outra extremidade, contudo, tremulava um filete de luz azulada. Era o apartamento 301, logo acima do seu. Estava vago há mais de dois anos.

Deteve-se no corredor por quase um minuto, magnetizada pelo zumbido elétrico e pelo frêmito luminoso, até que um grito rompeu a frágil estabilidade. Mirtes começou a correr com as mãos nos ouvidos, o coração galopando; tropeçou nos degraus do prédio, torcendo o tornozelo. Sentia a laje fria trepidar sob as mãos espalmadas.

Na manhã seguinte, acordou com a cabeça latejando. Dormira muito mal, apesar de ter se convencido de que exagerara a respeito dos barulhos da madrugada. Há muito tempo não tinha vizinhos ativos, devia ter perdido o costume. Animou-se um pouco e decidiu que prepararia um bolo de frutas para dar as boas-vindas aos novos moradores do 301.

Subiu as escadas mancando, com o bolo ainda quente nas mãos. As engrenagens das fábricas operavam o ritmo do dia. O 301 estava silencioso.

Pôs o dedo na campainha, mas não pressionou. Ainda pensava no que diria aos novos vizinhos quando uma forma alongada junto a seus pés lhe chamou a atenção. Apertou os olhos em meio à claridade difusa do corredor; não conseguindo divisar o que era, agachou-se com dificuldade sobre os joelhos, acomodando o bolo na mão direita. Pegou o pequeno objeto mole e se demorou um pouco a observá-lo: um cilindro de carne, coberto por uma gosma escura, com uma ferida onde deveria haver uma unha.

Atirou para longe o dedo decepado e deixou o bolo de frutas cair no chão. Rastejou para o lado oposto, enquanto bolas de ar e bile forçavam passagem pela garganta.

Naquela mesma noite, quando as fábricas silenciaram, o barulho do apartamento 301 retornou ainda mais insuportável. Batidas, tremores, objetos pesados caindo no chão, gritos que agora pareciam vir de muitas gargantas. Alguém pisava com pesadas botas de ferro. Mirtes telefonou para a polícia, que prometeu averiguar. Você estava assustada, dona Mirtes, com certeza não era um dedo, com certeza não estão matando ninguém no seu prédio, tente se acalmar, nossa imaginação às vezes vai muito longe. Na terceira vez, informaram que não cabia à polícia resolver aborrecimentos de vizinhança e que tudo poderia ser discutido na próxima reunião do Edifício Sunshine. Antes de desligar, o policial do outro lado da linha emitiu um som nasal que soava como uma risada.

Mirtes aumentou o volume da televisão até que as declarações de Ezel a Sacide fossem tudo o que era possível escutar dentro do apartamento. Dito a essa altura, o amor soava mais como uma ameaça. Ezel ameaçava Sacide com a violência dos seus sentimentos. Os olhos da mocinha não estavam úmidos de emoção, mas de terror. Já não amava mais o turco, já não amava mais o Patriota: tinha-lhes horror. Ligou um velho rádio a pilha no volume máximo, sintonizando em qualquer estação, apenas para somar mais um elemento àquela orquestra perversa.

Voltou a sentar-se no sofá e, por algum tempo, permaneceu ali, com o rosto escondido entre os joelhos. O turco Ezel gritava, pancadas reverberavam pelas paredes. Um fremir elétrico transmitiu-se à sua espinha e então as luzes faltaram. A televisão apagou-se como um olho que se fecha e as trevas desceram sobre o Edifício Sunshine. Gritos de gente vinham de todas as direções, cruzando-se na escuridão.

O velho rádio a pilha tocava o hino nacional.

TRAVESSIA
HENRIQUE SCHNEIDER

Os assuntos eram poucos desde o início e há muito já haviam se esgotado. Por isso, andavam agora num silêncio sem desculpas, parte porque ambos eram calados e não havia mesmo o que falar e outro tanto porque certo nervosismo crescente parecia lhes engolir a voz. A Fernando, de uma vez por todas, agora escapavam a leveza tranquila e a certeza de invencibilidade que possuem apenas aqueles que têm vinte anos, e o seu lugar era ocupado por um medo ainda sem nome; a Jorge Augusto, pesavam a gravata e o casaco que lhe vestiam tão bem no cotidiano da exatoria, mas que agora, enquanto rodavam por essa estrada reta e sem fim, pareciam escancaradamente ridículos.

— Fernando! — chamou Jorge Augusto, de repente.

— Sim? — assustou-se o rapaz, que apenas observava o verde interminável que margeava o caminho, paisagem tão nova e desabrida aos seus olhos juvenis.

Jorge Augusto soltou uma das mãos do volante e, sem dizer nada, deu um tapinha preocupado no braço do caroneiro.

— Desculpa, tio — apressou-se Fernando. — Eu sei que não posso responder quando me chamarem assim. Mas é difícil. Fui Fernando a vida inteira.

— Te concentra — disse apenas Jorge Augusto. — Tua vida não tem mais este nome, por enquanto.

— Sim, senhor — respondeu Fernando, caindo outra vez no silêncio.

Jorge Augusto olhou de esguelha para o moleque ao seu lado, tão cabeludo e frágil, e outra vez não quis evitar a pequena onda de carinhosa admiração que tinha pelo amigo de seu filho. Marcelo e ele haviam sido colegas desde a infância, jogando bola nos campinhos polvarentos do IAPI, indo juntos à escola, brigando a socos de quando em vez e disputando sem brigas as primeiras namoradas. Marcelo se decidira pela matemática, Fernando caíra nos mundos da filosofia — e desde então, Jorge Augusto não sabia precisar bem, a vida do garoto havia dado a volta. Mas era ainda um menino.

— Qual é mesmo a tua idade? — perguntou.

— Vinte e um. Faço vinte e dois em dezembro.

Um menino — considerou o motorista. Mas um menino que já havia encarado a morte — ou, no mínimo, chegado bem próximo a ela. Mas que sobre isso nada falava.

Fernando abriu um pouco o vidro do carro e sentiu no rosto a força quase acariciante do vento, enquanto olhava aquela paisagem interminável e épica, verde e delicadamente ondulada, que recém agora conhecia e não sabia quando tornaria a ver. Isso é o pampa, pensou, tentando relaxar um pouco.

Os dias depois da prisão tinham sido tensos demais, o medo morando em seus olhos e em todos os olhos próximos. Os homens haviam invadido sua casa aos gritos, quatro ou cinco sem nenhum pudor ou freio, surdos aos apelos e lágrimas do pai e da mãe. Deram risada quando o pai gaguejou sobre um mandado, rasgaram os livros todos que encontraram no quarto de Fernando e então o levaram aos pescoções para dentro do camburão. Na saída, um deles ainda tivera a lembrança — sabe-se lá se por certa humanidade ou por violência ainda maior — de avisar os pais que em breve trariam o seu filho de volta, era só o tempo de salvá-lo do comunismo. E riu. Saíram com a caminhonete cantando pneus e com a sirene ligada, como se estivessem celebrando vitória, e então o levaram para algum lugar que Fernando achava que talvez fosse uma delegacia. Ninguém o fichou, nem perguntou o seu nome ou pediu qualquer documento. Apenas o empurraram aos trancos até uma cela pequena e sem janelas (ai, todo este pampa, agora) e um deles lhe ordenou que ficasse quieto naquela escuridão úmida, que daqui a pouco o doutor Almeida ia chegar e veriam o que fazer.

E quando chegou o doutor Almeida, foi o breu.

O breu.

Mesmo agora, limpo e sentindo o vento fino que lhe sacudia os cabelos enquanto atravessava o pampa em direção à vida, Fernando não conseguia lembrar bem daqueles três dias em que estivera preso. Lembrava apenas das primeiras perguntas, das primeiras pancadas; depois, tudo havia se transformado numa massa homogênea de desumanidade tão forte que sua memória se obrigara a esquecer. Lembrava apenas com força, como se a frase ainda estivesse sendo dita, o que um dos homens falara no momento em que haviam decidido soltá-lo:

— Na próxima vez, a gente vai te matar.

O passaporte falso havia sido providenciado pela organização; o encarregado da tarefa tinha inclusive colocado o carimbo de entrada no Uruguai, com data e tudo. A foto era igual a este rosto que agora sentia o vento do Rio Grande do Sul pelas últimas horas; Fernando tentara deixar a barba e o bigode crescerem, mas as faces eram imberbes demais para tanto.

— Falta muito, tio? — perguntou ele, sentindo um suor desconhecido nas mãos.

— Não. Aqui já é a estrada entre Bagé e Aceguá. Daqui a pouco é o destino — respondeu Jorge Augusto.

O destino, pensou Jorge Augusto. Não era o destino que o havia colocado ali, mas sim o carinho que tinha pelo menino que crescera um pouco em sua casa e agora torcia as mãos úmidas ao seu lado. Fora Marcelo quem o havia convencido: Fernando estava com uns problemas graves (Marcelo não dissera quais, nem ele mesmo sabia ou queria saber) e, por segurança, precisava sair do país — teria até que trocar de nome por um tempo. E necessitavam de alguém que não levantasse suspeitas para levá-lo até a fronteira: não podia ser nenhum cabeludo, nenhuma calça boca de sino ou minissaia. Jorge Augusto — os quase trinta anos de fiscal na exatoria e um currículo onde não havia faltas ou atrasos e sobravam elogios e distinções, o abraço dos chefes, o respeito dos colegas e a opinião ponderada, os comentários políticos bem pensados e medidos, nenhuma palavra contra o presidente — era a pessoa certa. O filho lhe dissera que seu trabalho seria apenas levar o amigo até Aceguá. De lá, ele atravessaria ao Uruguai, onde o esperavam. Era seguro, garantiu Marcelo, e os pais de Fernando pagavam a gasolina.

— Bem capaz! — ouviu-se dizer Jorge Augusto. — Bem capaz que eu vou deixar eles pagarem a gasolina! — e naquela hora percebeu que havia concordado com a missão.

Chegaram em Aceguá por volta das seis e meia da tarde, quando o sol começava a baixar e emprestava momentaneamente à grandeza dos campos uma beleza avermelhada e ainda maior. Este pampa é uma coisa infinita, pensou Fernando, enquanto olhava as poucas casas terrosas perdidas naquele povoado também perdido, três ou quatro ruas de chão batido e uma pobreza mansa e tranquila na qual o tempo demorava a passar. Meia dúzia de gatos pingados estavam na rua naquela lonjura que se recolhia cedo, e todos saudaram a passagem do carro com certa curiosidade. É por esses pobres que lutamos, pensou Fernando.

— É bem no fim da rua principal, uma casinha branca com cerca amarela. Não tem como errar. É lá que me esperam — explicou Fernando, perguntando a si mesmo o quanto daquele campo que enxergava ao longe era brasileiro, o quanto era uruguaio.

O carro atravessou com vagar a rua empoeirada, mas o trajeto era tão pequeno que em menos de dois minutos já estacionava em frente à casa. A cerca de um amarelo sujo, o branco encardido das paredes, meia-água com fumaça saindo pela chaminé de latão — era ali. Fernando desceu do carro e bateu cinco palmas tímidas, nervosas. Uma janela abriu-se pela metade e dois olhos desconfiados e secos perguntaram o que seria.

— É aqui que vende lenha? — perguntou Fernando.

— Não, não é. Por aqui ninguém vende lenha — à senha e à contrassenha, os dois homens se tranquilizaram. — Já vou abrir — disse a voz, lá de dentro.

O homem vestia bombachas de lida e calçava um par de alpargatas de corda que talvez houvessem sido azuis, mas que agora tinham apenas a cor do pó avermelhado do lugar. Fumava cigarro de palha e ao seu lado, manquitolando um pouco, vinha um cachorro velho e magro, da mesma cor das alpargatas. Cumprimentou Fernando com um aperto de mão, mas não disse nada; apenas olhou desconfiado para Jorge Augusto, como a perguntar o que aquele outro estava fazendo ali.

— É meu vizinho — entendeu Fernando. — Tudo bem.

— Buenas, então — falou o homem, estendendo o cumprimento a Jorge Augusto. E depois, abrindo um certo sorriso: — Querem entrar? Sempre tem um mate pronto.

Jorge Augusto agradeceu, mas disse que não podia se alongar; ainda precisava voltar até Bagé, onde passaria a noite, e amanhã cedinho já partiria para Porto Alegre. Precisava descansar e espichar o corpo, comentou, já não tinha mais idade para empreitadas assim tão longas.

Fernando foi até o carro e, do banco de trás, puxou a mochilinha na qual carregava umas poucas mudas de roupa, a escova de dentes e dois livros. Colocou a mão no bolso da calça pela centésima vez na viagem, apenas para verificar novamente se o passaporte falso estava mesmo ali, e fechou os olhos por um instante, como a certificar-se de que tudo aquilo valia a pena. Valia.

Quando abriu os olhos, Jorge Augusto estava à sua frente. O outro companheiro permanecia parado no portão, o cachorrinho manco sentado ao seu lado.

— Estou indo, então — disse Jorge Augusto, e de repente enxergou Fernando com uns olhos novos: à frente dele, não estava mais o moleque que jogava bola com seu filho naquelas tardes tranquilas e passadas; agora, quem estava ali era um homem feito, franzino e corajoso, pronto para enfrentar aquela travessia e encontrar o desconhecido apenas com a mochila, alguns companheiros necessários e uma enorme vontade de mundo. Não entendia bem a luta de Fernando — melhor mesmo não entender, os dias não estavam para isso —, mas adivinhava que era uma luta boa.

— Obrigado, tio — agradeceu Fernando, estendendo a mão.

Naquele instante, Jorge Augusto esqueceu a seriedade de fiscal de exatoria. Agarrou a mão de Fernando e puxou-o para si, num abraço emocionado em que se sentia também um pouco pai e que era, ao mesmo tempo, carinho e agradecimento.

— Não há de quê — disse ele, enquanto apertava o outro com a força de tio emprestado contra o peito. — Quando puder, manda notícias pros teus pais. E te cuida, Fernando.

O outro afastou-se carinhosamente do abraço, agarrando a mochilinha que havia largado no chão.

— Ernesto, tio — corrigiu ele. E, enquanto colocava a mochila às costas e já se dirigia ao portão da casa, onde o companheiro e o cão o aguardavam: — Meu nome agora é Ernesto.

O HOMEM DE BEM
MARCELO SPALDING

A crônica de uma pequena cidade brasileira conta que há remotos tempos vivera ali um certo homem de bem, o primeiro do gênero de que se tem notícias. Ocorre que a cidade era conhecida de norte a sul do país como antro de subversivos. Por lá, antes da sua chegada, as bibliotecas estavam sempre cheias, árvores nativas eram preservadas, armas eram proibidas e, imaginem, professores eram parados nas ruas por alunos agradecidos e até davam entrevista para a rádio local. Tudo isso explicava o ilustre doutor Simão Broncosauro, nosso homem de bem, ativista da moral e dos bons costumes, contratado especialmente para reestabelecer a ordem na pequena cidade.

— A ordem é o caminho mais seguro para o progresso — bradou Simão enquanto olhava suas cartas em busca de uma rainha.

— E o progresso é a ocupação mais digna de um homem público — exultou Crispim, o vereador, sem notar que o doutor baixava uma canastra quase completa.

— Alto lá, doutor, este cinco não é de paus, preste atenção — protestou o boticário, atento ao jogo e às moedas sobre a mesa.

— Queres que eu te dê um de paus, Simãozinho? — ironizou Soares, o vendeiro.

— Ora essa, estás me confundindo?

Riram todos, riu o vereador, riu o boticário, riu o vendeiro e riu o doutor. Um riso aliviado de quem não precisava mais se preocupar com essas bobagens de politicamente correto. Mas naquela tarde a partida não terminou, Simão era chamado com urgência no gabinete do prefeito.

O homem de bem entrou sem pedir licença, cumprimentou

o prefeito com um aperto de mão forte, porém rápido, e acomodou-se numa bela poltrona. O outro começou agradecendo pelos anos de esforço em prol do progresso da cidade, pela ordem e disciplina, contou uma longa história sobre a origem da sua família, lembrou seus tempos de quartel, falou da esposa bela, recatada e do lar para finalmente confessar que vira seu filho lendo.

— Mas se foi por pouco tempo isso é normal — tentou contemporizar Simão.

— Por duas horas.

O doutor jogou-se para trás na poltrona, fez um sinal da cruz, suspirou fundo e coçou as partes. Ensaiou uma longa explanação sobre o perigo do verniz artístico que os subversivos tentavam dar à balbúrdia, à safadeza, sobre a praga do multiculturalismo, do globalismo, do socialismo e de todos os ismos. Encerrou o discurso suando e exalando um cheiro ruim o suficiente para que o prefeito abrisse as janelas. Ao voltar à sua cadeira, perguntou:

— O que então o senhor sugere, doutor Simão?

— Sugiro a ampliação imediata da Casa Verde e Amarela, a fim de tratarmos também os subversivos potenciais, aqueles que ainda não praticaram ato algum, mas estão em vias de praticá-lo.

Casa Verde e Amarela foi o nome dado ao asilo, por alusão à cor das janelas, que pela primeira vez apareciam verdes na pequena cidade. Em frente foi erguida uma enorme bandeira nacional, e um letreiro com as inscrições Ordem e Progresso instalado na fachada.

Primeiro, tinham sido trancados na Casa os políticos da oposição, grevistas, hackers, jornalistas, umbandistas, homens que viviam com homens, mulheres que viviam com mulheres e jovens que se negavam a servir o Exército.

A partir da nova demanda do prefeito, estudantes, professores, defensores do meio ambiente em geral, críticos da cloroquina, ateus e até aqueles que se negavam a afirmar que a terra era plana foram invariavelmente levados à Casa e submetidos a rigoroso tratamento. Ao cabo de cinco meses, estavam alojadas umas cento e oitenta pessoas na Casa; mas Simão Broncosauro não afrouxava, ia de rua em rua, de casa em casa, espreitando, interrogando; e quando colhia um enfermo, levava-o com a mesma alegria que outrora os arrebanhava às dúzias.

Considerava seu trabalho concluído quando foi ao gabinete da prefeitura novamente. Entrou sem pedir licença, pôs os pés em cima do sofá e o prefeito, sem esperar a pergunta, disse:

— Não adiantou. Ontem foram três horas. Três horas lendo escondido, sabe o que é isso? Um livro daqueles bem grossos. — Os dois balançaram a cabeça, coçaram as partes, e o prefeito continuou: — Pelo menos eu descobri quem emprestou o livro para ele.

Foi duro ouvir aquele nome. O doutor tossiu, pediu para o prefeito repetir e, quando não restava dúvidas, prometeu uma providência para aquele mesmo dia. Ou aquela mesma noite, quando se encontrariam para a habitual rodada de canastra a dinheiro.

— Soares, olha que porcaria de jogada! Não sei por que insistes em vir jogar se não ganhas nunca — desafiou Simão.

— Ora, meu doutor, venho pela companhia dos amigos, é claro.

Não restava dúvida. Nosso homem de bem apenas esperou a partida terminar para comunicar ao seu amigo Soares que teria de encaminhá-lo à Casa Verde e Amarela. Discutiram e, em meio à briga, o vendeiro saiu com essa:

— Não, não nego que emprestei aquele livro para o filho do prefeito. Mas não era um desses livros subversivos, era apenas uma historinha, fantasia tola, sobre um tal admirável mundo novo.

Simão sequer permitiu que o outrora amigo continuasse. Encaminhou-o à Casa e ordenou uma busca em sua residência, exigindo que todo e qualquer exemplar de livro que não a Bíblia fosse recolhido.

Ainda naquela noite, deduziu que havia outros locais da cidade com balbúrdias, que não bastava filmar os professores, vigiar a imprensa, acabar com a verba do cinema local, pagar alguns gringos para bombardearem as redes de boas e edificantes notícias, bajular bispos e padres, aumentar o salário (mais uma vez) dos juízes, acabar com a exigência de ponto eletrônico para os médicos e promover a maior parada militar de todos os tempos. Não, a ameaça contra os homens de bem era muito antiga, uma conspiração planetária que havia manchado aquela cidade. Era preciso endireitá-la de qualquer jeito, não deixaria que ninguém denegrisse sua imagem, isso sim seria muita judiaria. Foi então que Simão resolveu quintuplicar a capacidade de seu empreendimento.

Um caso em especial chocou a cidade e aumentou muitíssimo a importância do homem de bem. Cansado de fazer buscas entre os contatos do filho do prefeito, doutor Simão resolveu prender o próprio jovem, talvez fosse ele o responsável pela balbúrdia. Chegou à hora do café na casa do prefeito, expôs seus motivos e pediu que o jovem o acompanhasse. Até aí tudo corria bem, o rapaz reagiu como se esperasse por aquilo. Mas por ter chegado na casa àquela hora, reparou que a esposa do prefeito usava um velho e surrado robe azul, e o prefeito, um pijama de seda rosa.

— Não teve jeito, meu amigo — contou o ativista para o boticário no dia seguinte. — Quando vi tamanha inversão, fui obrigado a levar a família toda para a Casa. Onde já se viu homem não usar azul e mulher não usar rosa?

A notícia da alienação do prefeito, sua esposa e seu filho apenas aumentou a fama do doutor na pequena cidade. Seu telefone tocava sem parar com denúncia de irmãos contra irmãos, filhos contra pais, esposas contra maridos, colegas contra colegas, alunos contra professores. Mas não bastasse o número assombroso de alienados, Simão era diariamente surpreendido com posts defendendo a natureza, lamentando a falta de fiscalização nas estradas, repercutindo mais uma morte acidental de criança com arma de fogo e falando de uma tal gripezinha. Naturalmente o doutor considerou aquilo muito estranho e, aos poucos, estes também tiveram de ser alienados. Inclusive seus parceiros de jogo. O boticário foi flagrado compartilhando um post sobre ervas indígenas medicinais, e o vereador curtiu uma postagem do presidente da França. Em pouco mais de um ano, quatro quintos da cidade estavam dentro da Casa.

Se o alvoroço dos internos era grande, a aflição do egrégio Simão Broncosauro é definida pelos cronistas da pequena cidade como uma das mais medonhas tempestades morais que têm desabado sobre o homem. Mas as tempestades só aterram os fracos; os fortes enrijam-se contra elas e fitam o trovão. Simão pensava em toda sua ciência e seu empreendimento enquanto embaralhava as cartas para uma partida sem apostas, sem conversas, sem companheiros. Olhou para os lados e sentiu falta da atenção do vendeiro, do sorriso fácil do vereador, da desconfiança do boticário. Lembrou do prefeito, que confiara nele a sorte de tão proeminente cidade. E sentiu uma ideia que surgia encabulada sob seus sólidos preceitos morais.

Na manhã seguinte, para espanto geral, decretou que os internos da Casa Verde e Amarela seriam todos postos na rua.

— Todos?
— Todos.
— É impossível; alguns, sim, mas todos...
— Todos.

Por um dia a cidade voltou a sua rotina normal, à exceção do homem de bem que abria e fechava suas redes sociais em busca de uma resposta. Passou o dia nessa busca incessante até ser interrompido pelo boticário, pelo vendeiro e pelo vereador.

— Voltas ao carteado hoje, doutor?

Sentiu uma estranha vontade de largar tudo e abraçar demoradamente um por um dos amigos, talvez beijar-lhes a face, confessar a estima. Mas o homem de bem, com os olhos acesos de um novo tipo de convicção, a convicção científica, trancou os ouvidos e brandamente os repeliu. Fechada a porta da Casa Verde e Amarela, entregou-se, quem diria, ao estudo e à cura de si mesmo. Dizem os cronistas que ele morreu dali a dezessete meses, no mesmo estado em que entrou, sem ter podido alcançar nada.

AS IFIGÊNIAS
ALTAIR
MARTINS

Elas ganhavam menos que nós simplesmente porque a lei interna era reta como um tiro: mulheres não têm barba. Mas naquela manhã histórica, quando Ifigênia Freitas apareceu na Firma com pelos muito espessos lhe cobrindo a parte inferior do rosto, julgamos que fosse o mesmo caso daquelas figuras que se expõem no circo, mulheres cuja aberração é tão particular que excita a curiosidade e vende ingressos. Em síntese, trata-se de mulheres normais à luz da natureza, cuja displicência acaba por produzir, aqui e ali, casos anômalos como o de Ifigênia Freitas — nascem mulheres ou pequenas demais ou gordas demais ou que desenvolvem barba. É tão comum quanto a calvície feminina — olhamos para a mulher sem cabelos, pensamos "ó, uma mulher careca!", a esquecemos a seguir, e ela vai rodando seu bambolê na cintura, sobrevivendo. Mas não pareceu ser este o caso para as outras funcionárias: talvez porque nunca tivessem ido a um circo ou visto uma mulher careca, as colegas de repartição de Ifigênia Freitas pararam de imediato suas funções para ver aquela mulher de barbas. Houve gritaria, e um grupo de religiosas se aglutinou para exigir respeito. Pois elas agarraram Ifigênia Freitas com força e, ao som de salmos, a arrastaram até o departamento de pessoal para cobrar as providências devidas.

— Eis a mulher e eis a barba, mostraram.

Ifigênia Freitas foi recebida com reservas. Primeiramente suspeitamos de que se tratasse de uma barba falsa, coisa de teatro ou de cinema. Mas um exame cuidadoso provou que a barba não só era verdadeira como uniforme. Na Firma, a gritaria das religiosas continuava intensa, quase uma greve, e então Ifigênia Freitas foi levada até a gerência de pessoal.

— Temos que demiti-la porque está com barba, o gerente comunicou.
— Foi um descuido, ela disse, e baixou o rosto.
— Ora, ora, você está feia.
Ifigênia Freitas olhou firme para o gerente. Ele vacilou um instante (há desses instantes na História), depois levantou-se e apertou a gravata.
— Não admitimos isto aqui. Vá para casa e só volte à Firma quando estiver devidamente barbeada.
E Ifigênia foi. Antes do intervalo da manhã, voltou imberbe e passou por uma vistoria metódica, quando verificamos que um pelo restava na fronteira com a costeleta, um pelo evidente de barba e não de costeleta. Ifigênia Freitas olhou-se no espelho, confirmou o pelo e, com uma pinça, arrancou, entregou ao inspetor e foi para a mesa de telemarketing para recuperar o turno da manhã. Foi acompanhada de perto pelo grupo das religiosas que, examinando seu rosto, deu um passo atrás e permitiu que ela passasse. Ao meio-dia, contudo, Ifigênia Freitas estava com uma barba rala, mais forte no buço, o que provocou nova ladainha de cânticos e salmos e previsões de fim de mundo. Uma das religiosas chorava e pedia que deus fizesse algo.
Mas deus não fez. A barba de Ifigênia Freitas continuou a crescer até o fim do dia, afrontando o seu gerente de departamento. Durante o serão, instauramos uma comitiva urgente e, ponderando os riscos, decidimos que, como Ifigênia era a melhor operadora de telemarketing, não poderíamos perdê-la por uma tolice qualquer de ter ou não ter pelos na cara. Além disso, Ifigênia Freitas trabalhava sem ser vista pelos clientes, e não havia mesmo diferença entre a voz de alguém com e sem barba ao telefone. A alternativa adotada foi a de aumentar o seu salário, promovendo Ifigênia Freitas à chefia da seção.
Entre nós houve quem apontasse que seria um erro, que a primeira mulher barbuda e chefa viria a confundir a ordem das coisas, que pessoas parariam de comer carne por alguma filosofia, que algumas mulheres decidiriam abortar e que haveria homens que, além de desejarem homens, fariam sexo com homens,

mulheres com mulheres e até haveria quem fizesse sexo com os dois, alternadamente e ao mesmo tempo.

Ora, desde que a lei era lei, as mulheres entravam na Firma para trabalhar ou como faxineiras ou como telefonistas ou como operadoras de telemarketing ou na cozinha ou na lavanderia. Em todos os casos, se um homem quisesse o emprego que fosse, era incentivado a cultivar a barba para ganhar o dobro. Mulheres na gerência nunca houve, porque nenhuma mulher com a competência de manter uma barba havia aparecido.

Mas, a partir de Ifigênia Freitas, descontroladamente o número de mulheres barbudas foi crescendo, e vimos que algo inédito e perigoso estava para acontecer: a barba nas mulheres já não era um fenômeno individual, mas coletivo, e mais presente que nos homens (entre nós ainda insistiam em aparecer homens imberbes que simplesmente mantinham indiferença quanto aos privilégios de sua natureza). Além disso, fato totalmente avassalador, as barbas das mulheres eram mais volumosas e eficazes que as nossas, pois cresciam uniformemente de um turno para o outro. A primeira leva de barbudas foi demitida, mas isso, além de não impedir que novas barbudas aparecessem na Firma para ocupar o lugar das anteriores, fez evidentes três fatos novos: 1) as novas barbudas seriam demitidas sumariamente até que restassem apenas as religiosas na Firma, e 2) como as religiosas só trabalhassem sob as ordens dos homens, acabariam por diminuir o ritmo da produção, acarretando efeitos de greve parcial. 3) Homens foram contratados para substituir as barbudas demitidas e comandar as religiosas, mas os resultados insatisfatórios puseram a Firma na linha da bancarrota. Então fomos obrigados a contratar novas barbudas, agora com salários iguais aos nossos. Cumprimos a lei.

Não demorou muito para que essas mulheres — as barbudas passaram a ser chamadas de ifigênias pelas religiosas — alcançassem cargos elevados e, dali a pouco, assumissem gerências na Firma (já tinham formação suficiente para isso, claro). Porém Ifigênia Freitas foi mais longe: a primeira chefa de seção foi a primeira a tornar-se gerenta de operações. Houve religiosas que fizeram greve de fome, mas, como já eram anêmicas, o protesto acabou ineficaz.

Quanto a nós, aos poucos fomos sendo substituídos por mulheres mais barbudas e mais capazes, e tivemos que aprender a faxina, os serviços do telefone, da cozinha e da lavanderia. Ainda aí, o número de mulheres barbudas aumentava. Fomos nos tornando primeiramente obsoletos e, mais tarde, escassos. As ifigênias tinham mesmo tomado nossos lugares.

Uma comitiva de religiosas exigiu uma reunião com o presidente da Firma e expôs uma solução a que escutamos atentamente.

— Ganhamos o que ganhamos porque deus quer, a religiosa-líder principiou.

— Não temos barba também por ordem dele, outra continuou.

— Assim sendo, a lei deve ser mudada, em nome dos costumes da família e das pessoas de bem, disse por fim a líder.

O presidente ainda pensava quais eram essas pessoas em nome das quais a líder falava, quando ela declarou a ementa da nova lei.

— Que as mulheres só podem merecer salários iguais aos dos homens se fizerem algo que só os homens podem fazer.

Virou as costas e saiu, cercada pelas companheiras de reza e choro.

Pedimos café e nos dividimos numa longa pesquisa para encontrar o que, enfim, justificaria nossa hegemonia salarial. Enquanto nossos cargos iam ficando à disposição, ponderamos que, bem, não podíamos engravidar ao passo que as mulheres engravidavam, não era assim? Mas logo ficou claro que aquilo constituía antes uma desvantagem e, na hipótese de acabar em lei, a jurisprudência de um só caso de mulher grávida a exigir direitos especiais seria o caos. (Houve quem formulasse o pesadelo de uma licença-maternidade durante a qual mulheres gozariam de meses sem pisar no trabalho, mas isso nos pareceu coisa de livro). De nada adiantaria, também, fazer como os médicos, que ganhavam mais porque declaravam veementemente ter estudado mais, nem propor que urinar de pé fosse exclusividade nossa, porque era fácil imaginar que as mulheres só urinavam sentadas por questões de conforto e estética. Pesamos seriamente a excelência de termos um pênis, a bengala de Freud, e mais abaixo os colhões, mas aquilo soava indelicado e poderia parecer machismo. Antes que o turno da manhã começasse na Firma, expusemos, no hall de entrada, numa tela eletrônica reforçada por fôlderes educativos, as mudanças na legislação interna, declarada em primeira voz pelo presidente da Firma:

— As mulheres não podem ganhar o mesmo que os homens porque precisam beber água.

Houve um silêncio curto, quebrado por algumas ifigênias que logo alegaram, aos gritos, que os homens também precisavam beber água, mas foram abafadas pelo grupo das religiosas com um salmo antifeminista muito longo e repetitivo, que recomeçava a partir da palavra fé. Ainda assim não permitimos que as manifestantes ficassem contrariadas: reunimos as líderes e explicamos que as mulheres — era fato — não podiam viver sem água. Ifigênia Freitas contestou por quê.

— Por pura ciência, o presidente declarou.

As ifigênias não aceitaram e gritaram que era o momento de uma mudança profunda do sistema, que a igualdade de serviços pressupunha igualdade de ganhos. Aumentamos o tom, e o presidente declarou com firmeza que aquelas coisas não se conseguiam de uma hora para outra a socos e pontapés, assim como os chipanzés não viravam gente quando chegava a primavera.

— Vejam a escravidão: de modo pacífico os escravos acabaram libertos.

Focos de luta espocaram, e nos retiramos inconformados com a ingratidão. As ifigênias mais exaltadas aprisionaram as religiosas, tomaram setores da Firma, quebraram tudo na cozinha e incendiaram o ônibus de transporte. Como a ironia é mesmo feminina, a violência veio a atingir sobretudo as ifigênias, que tiveram de vir a pé para a Firma, na manhã seguinte, portando suas viandas para o almoço. Advertíamos que eram protestos pouco civilizados, além de deselegantes para a maioria, que era mãe de família. A violência é uma janela que só se abre, apregoamos em cartazes educativos por toda a Firma. Não toleramos a selvageria primitiva, repetíamos constantemente pelo alto-falante.

Advertíamos que os homens ganhavam mais e no entanto casavam com mulheres para que tudo voltasse a ser repartido em casa. Equiparação salarial, as ifigênias gritavam. Mas que espécie de lugar se tornaria aquela Firma, onde acreditávamos viver sob livre-arbítrio, se não aceitássemos a lei nem o sucesso alheio? A atitude pior de uma pessoa má é cobiçar o que é dos outros e não desfrutar do que tem. Ter e não aproveitar, aquilo era a avareza.

Concluímos que faltava às ifigênias visão sistêmica, pois não alcançavam entender os necessários sacrifícios para que a Firma não parasse de crescer e que, sem Firma, elas ganhariam, por obviedade, o mesmo salário dos homens — o salário-zero.

A bem da verdade, muito antes da barba de Ifigênia Freitas provocar a desordem, as mulheres já recebiam atendimento especial. Quando havia reclamações, aconselhávamos a ouvidoria. Recebíamos quem quer que fosse e dizíamos: Pronto, estamos ouvindo. E ouvíamos questões pessoais das funcionárias e ficávamos literalmente lá, ouvindo e ouvindo e comentando sim, ahã, sem dúvida. Ao final, entregávamos um protocolo de "ouvida" e passávamos à funcionária seguinte. Não sossegávamos enquanto todas não fossem atendidas. Por exemplo: certa vez um grupo veio ao departamento de pessoal para declarar simplesmente Estamos aqui, quer queiram quer não, e já não podem fingir que não nos veem. Queremos justamente ser vistas, uma delas declarou constrangida. O que era um disparate: olhávamos para elas todos os dias. Gostávamos de vê-las trabalhando.

É preciso dizer, também, que sempre tratamos as funcionárias e os funcionários da Firma com isonomia, abordando cada uma e cada um com nome e sobrenome. Exigimos, claro, o uso do uniforme em todas as atividades, não importando o setor: homens deviam portar barba, manter os cabelos curtos e vestir paletó e gravata (na cor azul); as mulheres deviam vir maquiadas, usando saia, blusa (cor-de-rosa), meia-calça e salto alto. Entregamos uma cesta de Natal todo fim de ano para cada funcionária e cada funcionário sem discriminação dos produtos. No Dia das Crianças e na Páscoa, coelhos e palhaços eram contratados. Só o que reivindicamos, sempre, foi que as funcionárias e os funcionários produzissem mais e melhor. Incentivamos os elogios dos homens às mulheres e vice-versa. Dispúnhamos de banheiros femininos e masculinos bem sinalizados. E a liberdade de escolha, tanto esportiva quanto de credo, era estimulada no convívio diário. Nunca usamos de violência na Firma, nem verbal nem física. Sempre foram proibidos o furto e o estupro. Nenhum salário era pago atrasado. Havia flores no jardim de entrada e ar-condicionado central. Dávamos bom-dia pelo alto-falante todas as manhãs, mesmo que estivesse chovendo.

Quando as religiosas foram libertadas, a rebelião das ifigênias foi amornando, e o decreto de hidratação se estabeleceu de vez. Um grande investimento hidráulico deu começo a um novo tempo na Firma. Bebedouros em aço inox foram instalados pelos corredores, pelas seções, em cada sala, e câmeras registravam imediatamente o rosto das mulheres que iam beber, barbudas ou religiosas. As imagens eram enviadas instantaneamente ao RH, com registro de horário e quantidade de água ingerida, para o devido enquadramento na nova legislação. Por exemplo: de acordo com a litragem consumida, computavam-se horas de trabalho descontadas, num cálculo em que um copo de cento e cinquenta mililitros equivalia a meia hora não cumprida ao mês.

Todavia, quando os salários voltavam à normalidade, estourou uma greve de sede relâmpago: algumas funcionárias se negaram a beber água e morreram em três dias. Uma mulher, entretanto, uma única, a mesma Ifigênia Freitas, resistiu por seis meses até ser promovida novamente a chefa de seção, e resistiu mais um ano até chegar a gerenta de operações e, depois de vinte e cinco anos sem beber um só copo d'água, entrou na sala da presidência e declarou com uma decência que surpreendeu a todos:

— Passei metade da minha vida sem beber água por esta Firma.

Depois empurrou nosso vice-presidente da cadeira e assumiu o posto inédito de vice-presidenta da Firma. Ainda assim, não guardamos ressentimento: o presidente foi o primeiro a apertar sua mão, dizendo que ela poderia, enfim, beber um merecido copo d'água se quisesse, era prerrogativa do cargo afinal. Ifigênia Freitas julgou que era um truque e não aceitou. Depois, convencida de que enfim beber água era uma vitória não sua, mas da categoria, aceitou beber enquanto trabalhasse. Ocupou a cadeira por uma tarde, modernizando a gestão. Morreu na manhã seguinte, em casa, de insuficiência renal.

    Ifigênia Freitas foi enterrada sob uma tempestade inclemente. A Firma enviou uma coroa de flores com uma faixa onde se lia "Disciplina e trabalho firme". As companheiras de causa fizeram questão de ir ao seu enterro sem guarda-chuva e pareciam surradas pela força do temporal. Três delas superavam os dez anos sem beber água e uma, quase quinze anos de sede, já era nossa gerenta de operações. Abraçadas e em silêncio, elas estavam tão leves que pareciam flutuar a partir das cinturas, e flutuaram mesmo, como se se antecipassem numa nova greve contra uma nova lei. Mas foram arrasadas pelas religiosas, que, em cortejo, chegaram cantando aleluia, aleluia, aleluia de boca bem aberta para a chuva, e as puxaram de volta ao chão.

A DANÇA DA HORA
CLARICE MÜLLER

A tosse é a primeira a se manifestar. Antes de abrir os olhos, conferir a hora no rádio-relógio e tatear com a ponta dos pés os chinelos que nunca estão na posição certa, a tosse avisa Malu — e ao prédio inteiro — que mais um dia está começando e que a pesteada do 403 fará sua parte na orquestra matinal com todos os sinais da idade e da péssima saúde que a faz refém da maior rede de farmácias do sul do país, da qual se encontra tão dependente que questiona sua decisão de ter trocado as drogas ilícitas pelas lícitas, que sequer dão barato, além de custarem uma fortuna. Reflexões para antes do café, cada vez mais ralo, porém ainda imprescindível. Até pouco tempo atrás, a xícara cheia até a borda era acompanhada da leitura do jornal da manhã, mas um dia bateu asco pela imundície que ele propagava e, quando ficou claro que todo mundo mente e que as fake news eram a regra, não a exceção, passou a pilha de jornais velhos para a vizinha cachorreira do 209 e nunca mais abriu uma página de qualquer diário. O universo digital mereceu igual tratamento. Desconectou whats, face, insta, todas as redes e grupos de uma vez só. A partir de então, para falar com ela, um simples telefone. Recado, novidades, etc. — carta, pra quem lembra o que era isso. Para saber das coisas em geral, elementar: ir para a rua, ver, ouvir, sentir. Não exige prática nem habilidade perceber a merda em que nos encontramos. O cheiro grita.

A decisão provocou revoada de amigos batendo à sua porta, mas não durou muito o turno das visitas. Jairo foi o único a não se dar por vencido. Décadas percorrendo a mesma estrada, não deixaria sua velha parceira de guerra partir para essa tolice, justo numa idade em que conexão é fundamental, ainda mais morando sozinha nesse condomínio em que até o uber recusa corrida. Ele chega despejando planos, soltando o verbo enquanto tenta encontrar um canto onde sentar no meio da papelada e da sujeira que toma conta do apartamento. Malu percebe a repugnância dele: faxineira bolsominion de carteirinha não dava. Mas ao menos deixava a casa limpa e tua tosse era menor, ele contrapõe. Ela responde com mais tosse. Ele dá de ombros, já é bem grandinha pra se cuidar, agora vê se te liga e volta pra rede, fico preocupado contigo aqui sozinha. É tocante a preocupação dele, tem vontade de cobri-lo de beijos quando age assim, carinhoso, atento, e é isso que planeja dizer, mas a voz não sai, a língua parece pesar uma tonelada, os olhos teimam em fechar, está tudo borrado, feio. Melhor dormir por aqui mesmo, se os outros deixassem, não ficassem dando tapas na cara, erguendo suas pálpebras de qualquer jeito, chamando o nome dela aos gritos, ela não é surda, pra que tanto escândalo?

Quando o cenário recupera sua nitidez e a voz sai cristalina como sempre, a mulher de jaleco branco chama Jairo e aponta o criado-mudo, onde remédios de todas as tarjas ocupam a superfície. Lexotan, Prozac, Rivotril, Zoloft. A vontade de Jairo é de jogar tudo no lixo, levar a amiga para uma clínica ou hotel e dar um jeito nessa bagunça toda. A médica dá alguns conselhos, que serão ignorados, estende para Jairo uma receita e a equipe médica sai. Ele tenta moderar a voz, falar com paciência, assim como ela promete cumprir tudo que a médica mandou e voltar a consultar com o psiquiatra regularmente e não se entupir de remédios, mas diga, sinceramente, o que se faz com essa dor que espezinha nossos sonhos, do que é feito com o país, o mundo, o planeta? Não há resposta para essa pergunta. Há dias em que Jairo também deseja um coquetel poderoso para sair do ar ou, no mínimo, não se importar tanto. Talvez seja hora de o Brasil mostrar sua cara, mesmo que essa medusa seja capaz de nos matar. Talvez seja hora da humanidade ir pro pau e as baratas tomarem conta. Com um legado desses, melhor acabar de vez. Mas aí uma lembrança os socorre: passeata das Diretas Já, aquele mar de gente tomando as ruas do Centro, bandeiras, apitos, faixas, uma alegria só, amigos e gente conhecida por todos os lados, acenando e cantando uma mesma canção, a lancheria ficando pequena para abrigar a turma que compareceu em peso, o povo se espalhando pela Osvaldo atrás de uma cerveja e um canto onde festejar o brilho da noite. A humanidade era bela. O resultado demorou a aparecer, mas veio. Agora, porém... O entardecer traz sombra para o quarto, que não precisa da falta de luz para estar mais triste. Ele se estende na cama ao lado dela, dormem de mãos dadas.

A aurora ainda se aninha nos braços da madrugada quando despertam ao som de um funk estridente (funk é todos os ritmos que não apreciam). O alto volume do som faz com que se dirijam à janela, Jairo pronto para correr com o desgraçado filho da puta, mas o que veem é um homem que enlaça uma mulher e, colados, se põem a dançar de tal modo que não dá para parar de ver, não dá para reclamar, para baixar o volume, para saírem dali. Ficam Jairo e Malu, sonolentos e extasiados, na janela, querendo ter um naco daquela vibração, entregues ao prazer da música e de seus corpos. Diferentes ânimos, de natureza mais exaltada, digamos, também despertam ao som do funk e vão para as janelas correr com o desgraçado filho da puta e pouco se lhes dá que aqueles dois ali, de aparência tão bela e descontraída, estejam ou não amealhando trocos e moedas para sustento próprio e dos filhos, ou se, num ímpeto de ousadia, tenham feito da rua o palco de sua paixão, ou mesmo se, por generosidade ou amor ao próximo, tenham decidido compartilhar o que a todos carece sobremaneira: alegria. Quando as ameaças não surtem efeito, saem os exaltados, ainda de pijamas, quase perdendo os chinelos na descida apressada da escada ou no meio da rua, apontam o dedo para os dançarinos e lançam invectivas e ameaças de apelo à ordem policial, essas coisas que dizem os que se julgam detentores de direitos exclusivos sobre todos. Do que não se dão conta, os donos da razão e do verbo, é que não estão sós, que há uma plateia, formada por uma massa considerável de trabalhadores aguardando os ônibus que, atrasados, acumulam passageiros sob as paradas. A vaia que os resmungões ouvem é fenomenal. A dança segue, sob aplausos gerais e algumas adesões. A turba irada se recolhe. As janelas dos prédios são fechadas. Jairo e Malu aproveitam para fazer um café, sorvido em silêncio. Algo daquela música, aquele fruir a vida do jeito que ela é, sem colete salva-vidas nem anteparo, como os despossuídos do mundo sempre fizeram, calou fundo, despertou consciência, mais que isso, desejo de ação. E é isso que ela externa para Jairo: quer lutar, enfrentar o inimigo, partir pras cabeças, luta armada, o que for. Se é pra se cagar de medo, que seja no embate, não encolhida embaixo da cama. Ele gargalha. Com esse físico, esse corpo tremilica, que não acerta a cesta de lixo a um metro e que precisa de óculos até pra ler outdoor? Ela alega ter outras habilidades que pode botar a serviço, na hora não lembra de nenhuma exceto escrever, coisa que, segundo ele, pode fazer com mais eficácia e alcance nas redes, então deixa de ser tola e volta pro mundo real, que é virtual faz tempo. Malu conhece esse argumento, viveu a embriaguez dessa esfera que faz você se sentir ativo, partícipe das grandes questões, a cidadania a pleno, avante, marche! Só que a marcha não sai do teclado, assim como sua bunda não sai do sofá. Enquanto isso, nas ruas, os ratos, ah! os ratos...

Ela acaba de falar e se desliga novamente. A ausência de reações o impressiona, parece um clone tomando o corpo de um ser humano. Mecânico, sem reconhecimento. A tosse a tira da letargia. Sacode tanto seu corpo que parece convulsão. Ele chega a pegar o telefone para chamar novamente o serviço médico, mas ela se acalma e retoma o discurso, normal, como se nada tivesse ocorrido e se põe a explicar os significados de rede no Priberam: objeto destinado a capturar peixes ou outros animais (olha a gente aí); cilada. Quer dizer, a armadilha já está no nome, não tem escapatória. Jairo não se deixa levar: não tem escapatória se você insistir em ficar sozinha, desplugada, querida.

Um estrondo forte vem da rua, a luz vacila e por fim cai. Ela ri, você é que não pode ficar sem luz, que perde tudo. Eu tenho velas e livros e me conecto muito melhor assim, ponto pra vida analógica. Outro estrondo e eles correm para a janela. Confusão no outro lado da rua. Dois ônibus lotados sendo balançados de um lado para o outro pelos passageiros que não conseguiram entrar. Duas viaturas da PM chegam roncando pneu. São recebidas aos gritos e algumas pedradas. Um molotov cai próximo ao ônibus da linha 634 e os passageiros correm para fora, apavorados. As viaturas trancam a avenida e descem com tudo. Sem se falar, os dois amigos sabem que rola a mesma recordação: greve dos federais, campanha pela anistia, uma pá de bandeiras mobilizando a massa na rua, atravessando o viaduto e as viaturas lá embaixo, só esperando. Tropa de choque nas duas pistas. Os dois, de mãos dadas, cagados de medo. Quando o povo chegou na cabeceira, as duas frentes ficaram se encarando por uma eternidade, o nervoso crescente, até que alguém, não se sabe saindo de onde, caminhou até o pelotão e entregou uma rosa. Devagar abriu-se uma clareira e o povo seguiu em frente, com cânticos e palavras de ordem. Mas não se botava fogo em ônibus naquela época, barbárie não era normal.

    Jairo observa que o casal dançarino se esgueira contra a parede para escapar da massa que corre apavorada pela calçada. Olha para Malu: não queria ação? É agora. Descem para o saguão, apinhado de moradores amedrontados, de onde observam tudo por trás do vidro. Na esculhambação geral, ela vê a dançarina sendo arrastada pela massa. Seu homem vai atrás, mas não chega a tempo de alcançá-la, leva uma cacetada nas costas, que o deixa caído nos degraus do edifício. Jairo abre a porta e o puxa para dentro. Outras pessoas também tentam entrar, o porteiro e alguns moradores impedem. O dançarino, tão magro, mirrado, parece um garotinho. Ele chama por Kenia, Kenia. Jairo vai até a porta. Nem sinal dela. A confusão se alastra. A tropa de choque bloqueia os dois sentidos do terminal de ônibus. A multidão se divide entre os que partem para o enfrentamento e os que procuram abrigo no comércio das proximidades, mas as cortinas são rapidamente fechadas e as pessoas se aglomeram sob a marquise do mercado, em busca de lotações ou outros ônibus. Grupos de mascarados jogam molotovs em direção aos ônibus que se encontram mais próximo da saída para a avenida. Uma tropa de policiais militares consegue impedir o incêndio do outro ônibus, equipes de tevê se aproximam, os moradores do prédio onde Jairo se encontra tentam reforçar a segurança da porta de entrada para impedir o acesso de pessoas que desejam se abrigar no saguão. Jairo se põe a subir os quatro andares, pela escada e no escuro, à procura de Malu, cuja tosse ouve cada vez mais perto e mais forte. Quase tropeça nela quando chega ao quarto andar. Ela treme muito, começa a lhe faltar o ar, ele a ampara como pode. O barulho de um tropel de passos se aproximando a estimula a ficar em pé, percorrer junto com ele a curta distância que os separa do seu apartamento. O dançarino foge escada acima. A tosse não para, ela perde as forças pouco antes de abrirem a porta, entra vacilante em casa e cai sobre o tapete. Um novo estrondo e a luz volta. Jairo corre para seu lado, coloca a cabeça dela em seu colo, dá um beijo na testa, pede que aguente tudo que puder, o socorro está a caminho. Ela sorri e balbucia: viu? A vida é isso, nuvem é pra anjo, nós somos demônios. Com a ponta dos dedos, ela lança-lhe um beijo. Com a ponta da saia, limpa o líquido vermelho que escorre de sua boca. Tem gosto de framboesa. Mas não é.

PURIFICAÇÃO
ALEXANDRA
LOPES DA CUNHA

Ainda sente náusea, um desconforto com a situação, mas ele, o mentor, garantiu: "Vais acabar gostando disso. Vais gostar imensamente". E era verdade, já gostava, a náusea era menos intensa, e pensava: esse desconforto físico a revoltar as suas vísceras não podia resultar de algum freio ou julgamento moral, porque, como havia dito Sade há séculos, não há nada mais nojento que a moral, a igualdade, o respeito. Era apenas necessário acostumar-se. E já se acostumava.

Conheceram-se num evento político. Ouviu-o falar e percebeu: eis aí um grande homem, um ser superior. Alguém como ele próprio. Soube: este é o líder, aquele que vai guiar-nos, que definirá o caminho. Passou a segui-lo, a frequentar todos os eventos para ouvi-lo. Tinham as mesmas ideias, as mesmas crenças, mas o líder tinha algo mais... Um super-homem, alguém acima do bem e do mal. Teve a convicção de que o seguiria até o fim do mundo, se preciso fosse.

Com ele, refinou suas ideias, terminou a sua formação, entendeu ser parte integrante de um movimento capaz de mudar o mundo. Recebeu a sua missão e aceitou-a.

"Escolha alguém para eliminar", disse o mentor. A princípio, parece difícil, mas logo se percebe que a dificuldade está em limitar o número de seres a serem eliminados. "Quando isso acontecer, estarás pronto".

Seu mentor o fez entender e aceitar o que já intuía: a ideia de igualdade não é apenas despropositada; é absurda, obscena. Há seres inferiores. Já pensava assim antes, quando saía à rua e observava as pessoas, antes de assumir as suas ideias sobre a inferioridade e a superioridade entre humanos. Era mesmo muito claro e a observação atenta levou-o à conclusão de que há seres que não devem ser considerados parte da humanidade. Basta ter olhos para ver, basta observar para perceber a fealdade, a doença mental, as deformidades. São bichos asquerosos. Há os doentes e suas pústulas, os aleijados com seus cotos, os retardados com suas enormes cabeças e sorrisos sem dentes e hálito podre.

Entendeu a necessidade de abatê-los, a imposição de tirar-lhes a vida, ato mais que necessário; depurador. Era imperativo que desaparecessem. Sua missão era se tornar um dos executores, um dos super-homens a empunhar a espada.

O primeiro ato foi o mais difícil, porque ainda havia em si um prurido, talvez de natureza religiosa, daquela religião babosa e lacrimejante que lhe haviam impingido durante os primeiros anos de escola, e também a escola, claro, com seus mestres covardes e conformados com o horror em que viviam mergulhados, como que atolados num caldo repugnante que lhes subia pelo pescoço e quase chegava à boca, e o que faziam era tão somente esticarem-se ao máximo, subir à ponta dos pés e rezar para que o lodo não lhes invadisse o corpo, além dos valores familiares daqueles pais fracassados e débeis, felizmente, já falecidos.

Não, não podia vacilar, era-lhe inconcebível ser parte do rebanho dos emasculados, conformar-se com o estado atual do mundo. Os grandes homens foram grandes porque assumiram para si a missão de purificar, conquistar e dominar, porque sabiam ser melhores que a malta, a turba, os ignorantes e imbecis. Foram grandes por não cederem ao medo, sentimento estúpido, e desconsiderarem os julgamentos e os rogos dos covardes. Grandes personalidades recebem apodos superlativos: o "flagelo de Deus", ou o "matador de búlgaros". São grandes como Alexandre, ou terríveis como Ivan. São temidos, respeitados e, em algum momento, eliminados pelos incapazes de compreendê-los. A grandeza de pensamento assusta.

Ele era um dos ungidos, um desses homens superiores. A sua missão era a mesma deles e devia assumi-la.

Saiu à rua cedo pela manhã. Antes, lavou-se, barbeou-se, vestiu roupas limpas. Disse a si mesmo: hoje, inicias o teu caminho em direção à glória.

Vestiu as luvas, seguiu em direção ao rio. Era um dia de inverno, o sol ainda não havia se levantado e a sua respiração acompanhava as passadas. Sentia-se bem, o pulso não acelerara e isto era positivo.

Detectou-a. Um ser andrajoso, descomposto, cujos olhos já não viam, baços pela catarata. Um escombro arrastando sua carcaça pelas ruas, sempre a pedir esmolas. Sabia de antemão: ela passava as noites sob a ponte que ligava as duas partes da cidade. Observou-a por dias para entender as suas rotinas. Na verdade, o primeiro sinal de que se aproximava dela foi o cheiro: ela fedia a uma mistura de imundices. Como se isso não bastasse, estava bêbada, dizendo disparates. Era um monstro. Impingia aos cidadãos de bem o seu semblante desfigurado, o seu hálito pestilento, forçava-os a dar-lhe dinheiro para livrarem-se dela, mas nunca era suficiente; ela voltava, todos os dias, não cessava os seus ataques, exasperava até os mais pacientes e bondosos. Tinha a certeza: não havia quem gostasse dela. Suportavam-na. Nos dias de muito frio, recolhiam-na para o abrigo, mas ela recusava-se a se banhar, injuriava a todos com os piores xingamentos e saía tão imunda como ingressara. Só pararia se morresse e não se apressava para tal.

Aí estava o erro. Não havia salvação para aquilo. Era um lixo, um resto humano. Se não morria por vontade própria, algo deveria ser feito.

Sentiu engulhos. Já esperava que ela viesse em sua direção para achacá-lo, para aborrecê-lo com a sua cantilena asquerosa. Também sabia que não desistiria até arrancar dele algum dinheiro, mas não era isso o que ele ofereceria.

Nada disse. Tomou-a pelo braço e, num movimento firme, jogou-a no rio. Ela não teve tempo de gritar. O peso da roupa, a embriaguez e a água gelada impediram qualquer reação e ele, com a bengala que ficara à beira, empurrou a excrescência para o fundo.

Alguma náusea sobreveio, mas logo a sentiu ceder quando caminhou e foi agraciado com ar fresco da manhã que nascia radiosa.

Depois do primeiro, seguiram-se muitos outros. Ainda é acometido de uma ligeira indisposição quando elimina aleijados, retardados, depravados, prostitutas, pederastas, viciados em álcool ou morfina, figuras obesas, ciganos, mulheres feias e questionadoras, religiosos, homens fracos, enfim, todos aqueles que não se encaixam nos ideais de perfeição que professa, mas percebe que está a gostar do que faz. A gostar imensamente, como tinha assegurado o mentor.

Já não trabalha sozinho. Há muitos como ele. E muitos mais são necessários para limpar do mundo a escória. A purificação apenas começou.

ANUNCIAÇÃO
JULIA DANTAS

Fazia frio na manhã que a levaram. Ela ouviu baterem na porta às seis da manhã e soube o que tinha acontecido. Todo mundo sabia o que significava ser acordado àquela hora. Viu pelo olho mágico o uniforme das forças policiais. Bom dia, ela gritou, posso trocar de roupa antes? Um breve silêncio. Dez minutos, responderam, e depois entramos de qualquer jeito. Seria suficiente, ela não pretendia fugir. Só queria mesmo vestir algo quente e confortável, já que não sabia quanto tempo ficaria fora.

Tinha tomado todas as precauções para não ser enquadrada na lei antiterrorismo. Já fazia mais de um ano que evitava mencionar nomes na coluna do jornal. As últimas eram quase alegóricas, suas críticas ao governo do Comando Seguracional tinham se tornado tão vagas que alguns ex-amigos já a acusavam de lambe-botas: porque não denunciava mais abertamente o banimento de ativistas, porque ela não estava nas ruas, porque nunca fora nem presa nem torturada, não passava da classe média cirandeira que queria fazer a revolução com poeminhas. Isso vinha do seu próprio lado.

No lado de lá, ela era considerada um proeminente membro da guerrilha terrorista. Tinha na sua ficha corrida um histórico de subversão e disseminação de fake news contra o novo Comando, integrava a equipe de colunistas de um jornal de viés comunista e organizava reuniões com outros criminosos disfarçados de escritores. Não podia dizer que estava desavisada. Numa coluna publicada seis meses antes, ela traçara um paralelo entre as leis por decreto do Comando Seguracional e os atos institucionais da época da ditadura militar. Desde então, recebia ameaças regulares e, embora a maioria parecesse fantasiosa e vaga, o conjunto lhe permitia adivinhar que tinha caído no radar de controle do Comando.

> Permita que discorde da tua opinião sobre a chamada ditadura militar . Naquela época eu saía a qualquer hora, em qualquer lugar, e não era assaltado . Hoje nem pensar nisso . Outra coisa : aqueles que na época combatiam a chamada ditadura, hoje a maioria estão presos por corrupção e milionários. Se eu fosse citar mais fatos seria muito longo . O que citei já é o suficiente

> Você é jovem e não conheceu os anos do governo militar. Agora nosso problema é outro e bem mais danoso para o país e que você não está percebendo, nós estamos vivendo num país corrupto, mas há um esforço para desviar a atenção do povo para assuntos ultrapassados. Gostaria de ver você usar o seu dom de escrever para falar da nossa atualidade, o que seria muito melhor e mais produtivo.

Tinha um pouco de dúvida, então, sobre qual lado a teria denunciado. Quando abriu a porta de casa, ela tentou pleitear o direito de chamar um advogado. O oficial riu. Pode esquecer, disse, terrorista não tem direitos. Na rua, esperavam outros homens uniformizados ao redor de um carro branco. Levaram-na para a sala da transparência da delegacia. Ela já tinha assistido a algumas transmissões ao vivo de interrogatórios, mas nunca tinha estado dentro da sala. Foi obrigada a se sentar na cadeirinha capenga de escritório. Havia mais câmeras do que ela tinha imaginado. Pelo menos quatro na parede à sua frente. Mais três de cada lado, todas penduradas nas paredes brancas totalmente nuas, sendo a cadeira e as câmeras as únicas coisas que impediam dizer que estava numa sala vazia. Quando tentou se virar para contabilizar as câmeras às suas costas, foi atordoada por uma tempestade de flashes fotográficos e, no meio das explosões, um feixe de luz passou por cima da sua cabeça e projetou na parede as palavras: não se mova. Pelos céus, a ironia da fonte comic sans. **NÃO SE MOVA** e, logo abaixo, "Respeite as instituições", entre aspas. Apoiou-se no encosto da cadeira e deslizou o corpo um pouco para baixo, mas: novo ataque de flashes e o recado **NÃO SE MOVA** começou a piscar em cores estroboscópicas. Endireitou as costas e logo as luzes estabilizaram.

Esperou.
Como medir o tempo?
Esperou.

> Memória seletiva essa sua!!! E as mortes no paredon dos Castro, milícias na Venezuela , nem uma palavra, parcialidade abjeta, enojado

> Deduzo que a senhora faz parte daquele grupo de fanáticos que afanou o Brasil, que se locupletou com contratos espúrios. Venezuela, Bolívia, Cuba, entre uns poucos outros, lhe esperam de braços abertos.

Será que já seria noite quando o homem entrou? Alisava seu paletó verde-bandeira bem cortado, com calça social um tom mais escuro e sapatos de couro natural.

Então a senhora não está feliz com o novo Comando?
Ela não respondeu.
Ele se aproximou, parou a um ângulo de quarenta e cinco graus do rosto dela. Encarou por um momento a câmera do canto. Foi aí que ela o reconheceu: general Mourisco, famoso na internet pelo olhar de justiceiro que lançava ao público antes de agir. Ela se preparou. Ele puxou do cinto a palmatória e deu um forte golpe sobre as coxas dela.

É uma pena que a senhora tenha estudado ainda nas escolas antigas. Falta educação pra gente da tua idade.
Mais um golpe.
Que malcriada não responder. A senhora não gosta das autoridades?
Ela não respondeu.
A senhora está contra as nossas instituições nacionais?

Três golpes em sequência.

Então o projetor piscou. No lugar do texto em comic sans surgiu a tela do Painel Brasil — A Rede Social da Pátria Livre. Estava sendo exibida uma transmissão ao vivo. A transmissão ao vivo dela. Na maior parte da projeção, o vídeo mostrava a sala da transparência: ela sentada sobre a cadeirinha, olhando para a frente, olhando para a projeção, olhando para ela mesma sentada na cadeirinha olhando para ela mesma olhando. Ao lado, uma coluna de comentários feitos em tempo real pelos Amigos Internautas. Agora essa vadia vai aprender. Sapatão tem que matar. Manda essa terrorista pra Venezuela. E risos, muitos risos ao lado do seu rosto atônito que olhava para seu rosto atônito.

>A esquerda caviar não dá.è muita hipocrisia para meu gosto. A utopia é própria da juventude,faz parte.O pior cego é o que não quer ver.Com a idade a pessoa aprende.Conheço bem a lavagem cerebral imposta nas universidades federais da vida....EXPERIÊNCIA só com muitos anos de vida.

>Militonta. De longe dá para ver o teu viés esquerdopata . articulistas como você, prestação um grande desfavor a nação.. Pessoas como você são parte do problema a ser combatido! Ignorantes e com opinião! Gado de manobra!!! O tempo vai mostrar como estavas errada!

A voz do general trouxe de volta sua consciência para a sala.

Onde estão os filmes de conversão ao gayzismo?

Ela virou os olhos atônitos para ele.

Isso nunca existiu, respondeu.

Um golpe em cada braço.

Não me dá o trabalho de revirar sua casa.

Ele disse em voz mais alta e olhando para as câmeras atrás dela: fique registrado no registro da sessão que a inteligência do Comando se viu obrigada a utilizar o uso da palmatória, conforme autorização extraordinária em caráter especial para uso em prisioneiros não colaborativos.

Depois olhou para ela, fingiu coçar o bigode e, sob a mão,

seus lábios silenciosos apenas se moveram para formar no ar a palavra va-ga-bun-da. E então de novo: Onde esconderam os filmes? O olhar dela foi sugado de volta para o fluxo de comentários que subiam na projeção. Câmeras de vídeo em todo celular e aquele homem em busca de película cinematográfica no porão de alguém.

Senhor, eu acho que, se esses filmes existissem, eles estariam na internet.

Ele empurrou a palmatória contra seu estômago. Na madeira estava escrito: Respeito acima de tudo. Ela certamente sabia que aquilo era desacato, não sabia? A situação dela já era bastante ruim, mas podia ficar ainda pior. Ele queria ajudar, queria liberá-la logo e ir para a sua casa, jantar com a esposa, com as crianças. Então era melhor que ela falasse de uma vez, ninguém queria ter o trabalho de começar mais um processo e juntar desacato na pilha de acusações. Mais respeito. As instituições são soberanas.

> Primeiro sua opinião não corresponde a maioria dos brasileiros e segundo sugiro que aprenda a escrever.

> Chega os Brasileiros acordaram e a sua opinião não interessa. Quer enganar quem? Você é a escória. BOSTA

O general distribuiu mais alguns golpes entre coxas e braços até que puxou do bolso um papel dobrado. Posicionou-se muito ereto de costas para ela, voltado às câmeras em frente. Leu em voz alta:

Em interrogatório público, diante de prisioneira não colaborativa, com o testemunho de ampla rede de cidadãos via plataforma Painel Brasil, e tendo em vista a ausência de qualquer protesto destes, o corpo oficial decide recorrer a práticas mais incisivas de extração de informação, ressaltando-se a constante preocupação com a manutenção da integridade física da prisioneira, a ser firmemente incentivada a colaborar, evitando-se dano grave ou irreparável à sua saúde, conforme determina o Ato Único de Direitos Humanos da Constituição Patriótica Reestruturante.

Ela tentava não chorar. Ouvira muitas histórias contraditórias sobre os interrogatórios: que o pior era quando desligavam as câmeras, que quando desligavam as câmeras a deixavam em paz, que era preciso dar alguma informação, mesmo que mentirosa, que era melhor ficar em silêncio e não entregar nada, que era impossível não aumentar a raiva do torturador: ele estava ali para sentir raiva. O general dobrou o papel e guardou-o de volta. Retirou o paletó, que pousou com delicadeza no chão. Chegou perto, afastou as pernas, ergueu a palmatória e desceu-a no ar em alta velocidade, acertando seu maxilar com toda a força, talvez afrouxando um par de dentes e com certeza enchendo sua boca de sangue ao redor da língua.

Na projeção se multiplicaram as expressões de risos e figurinhas de aplausos. O general anunciou uma pausa aos espectadores. Para recompor a prisioneira. Todas as câmeras apagaram, a luz baixou, dois homens fardados entraram na sala.

Tá doendo a perna?, perguntou Mourisco.

Tá doendo os braços? A putinha machucou a boca?

Os homens amarraram os fios nas suas pernas. Ela já estava zonza quando os choques começaram. Entre uma onda elétrica e outra, os homens se revezavam em socos e tapas no seu rosto. Um deles colocou o pênis para fora da calça e aproximou de sua boca. Ela acha que eles mandavam que ela chupasse, mas não lembra com certeza. Ela acha que eles tiraram a sua roupa, mas talvez tenham ordenado que ela mesma tirasse. Ela tem certeza de que, perto do final, um dos homens saiu da sala e voltou com um rato.

A mocinha não queria ser resistência?

Ele pegou o rato e se abaixou ao lado dela, há tempos tinha caído no chão, mas não se lembra como. Ela não segurou mais e chorou. Por favor, pediu. Não, por favor. E então mentiu: tinha visto os filmes, sim, eles existiam, sim, ela não sabia onde eles estavam, não sabia quem guardava. General Mourisco entregou o rato a um dos soldados. Elas sempre têm medo do rato, já reparou?

Ordenaram que ela se vestisse. Ela não se lembra de recolher as roupas, nem de colocá-las, nem de sentar de novo na cadeirinha capenga. Mas de repente as luzes se acenderam novamente, as

câmeras voltaram a ligar, as paredes brancas pareciam estar mais perto. General Mourisco começou a desfilar na frente dela, de um lado a outro olhando para todas as câmeras. Fingiu ler um papel em branco. A terrorista, após um breve momento de reflexão, solicitou a presença dos oficiais para confirmar a existência dos filmes de conversão infantil à ideologia gay e firmar compromisso de colaboração com o Comando Seguracional em prol da moral e da ordem. Lamentamos que não foi possível transmitir a confissão, mas todos os presentes assinaram declaração de legalidade, inclusive a terrorista confessa. Agradecemos o apoio do cidadão de bem a quem juramos servir e proteger. Os oficiais do Comando têm orgulho de atuar em nome da maioria do povo brasileiro.
    Fim da transmissão.

> Por favor não fale mais em direitos humanos enquanto houver latrocínios. O momento é péssimo para frases a favor da bandidagem. Isto gera muita revolta nos humanos direitos. Você pode ser a próxima vítima!

HORIZONTE ALARANJADO
IRKA BARRIOS

O deserto nunca é como imaginamos. Nunca é tão árido, inóspito, estéril. Não é a visão de uma duna rasgada ao meio por uma fila de beduínos. Em geral desertos contêm um pouco de planta, um pouco de pedra, de nuvem, vapor ou o leito ressequido de algum riacho. Mas este deserto, o de Elba, se aproxima muito de nosso imaginário. Nele o sol castiga, contrai as pupilas, transformando-as em pontinhos minúsculos, cega, tonteia. O horizonte alaranjado ilude a razão. Não há sons. Só um ruído típico, um barulho ancestral que toma o fundo sem percebermos e denuncia algo (um humor, um esquecimento, uma solidão talvez) que sempre esteve presente e assim permanecerá.

E então ouvimos passos. Intuímos as botas antes mesmo de enxergá-las. E realmente são botas, com o bico afunilado e o pequeno salto que eleva Elba a cinco centímetros do chão. São botas de couro com alguns desenhos artesanais, mas sem franjas. Elba até se interessou pelo modelo de franjas, achou-o impositivo e feminino, bem isso, como se a graça da feminilidade impusesse força. Mas o modelo com franjas apertava nos joanetes. E calçar botas confortáveis era imprescindível para o momento do duelo.

Elba caminha, o toque das solas produz uma poeira de açafrão que se dispersa, sobe até a altura do cano, na metade da perna, para depois sofrer evoluções circulares e voltar à terra.

Destemida, Elba caminha devagar, ereta, com o braço direito levemente curvado, a palma da mão quase tocando o culote da calça, como quem está prestes a segurar o cabo da pistola. Não é a hora, ainda falta um pouco, mas Elba sabe da importância de manter a postura. A adversária se demora, diversos motivos podem provocar atraso. Elba reconhece sua superioridade, não teve a má sorte de ser acometida pela catarata que atrapalha a visão de Valkíria. Mas Elba sofreu de outros males, pouco menos de um ano atrás submeteu-se à longa internação para se recuperar de um acidente vascular cerebral, um derrame, conforme a enfermeira explicou após a saída do médico, uma hemorragia que se desfez sem deixar grandes consequências. Não podia imaginar situação pior do que ficar com metade do rosto imóvel, o canto da boca repuxado, como no dia em que a filha a internou na emergência. Não, isso era passado, seu corpo voltara a trabalhar bem, tudo normalizou e apenas uma perna, a esquerda, arrastava um pouco, mas não era sempre, só algumas vezes, quando ela tinha pressa ou se sentia nervosa. Valkíria não, além da catarata, enfrentou uma cirurgia para remoção de tumor maligno. Sobreviveu a meses de intensa quimioterapia, chorou, vomitou, desesperou-se com as unhas quebradiças e os cabelos ralos, um tratamento duro que a fez corajosa:

— Quem sobrevive a esta doença maldita não tem medo de mais nada — sentenciou quando marcaram o duelo.

Vitor é mais importante que qualquer doença. Nem tanto o Vitor sujeito, mas seu coração e a aposentadoria, um órgão a mais, um apêndice a considerar na anatomia de um idoso ou idosa após o período em que as pensões do governo minguaram a ponto de promoverem criminalidade entre velhinhos.

Elba retira a pistola do coldre e confere o pente. A sequência de cliques nos engates e desengates a excita. Sente-se imponente, uma matadora. De súbito, gira o corpo para um alvo invisível. Aponta. Deixa escapar um esboço de sorriso ao imaginar Vitor observando, admirando suas duas mãos que seguram a arma, os braços bem esticados, um joelho semidobrado, servindo como apoio, e a outra perna reta. Idealiza uma fotografia dessa pose, deve ficar parecida com o design da pistola. Quando desfaz a posição de disparo, sente uma leve tontura. Tenta disfarçar, cobre o rosto com uma das mãos. Deve ser o efeito do sol forte. Mas, ao dar o primeiro passo, a perna doente repuxa. Nesse momento, não deseja o olhar de Vitor, menos ainda o de Valkíria.

O corvo, antes de comer o animal, bica seus olhos. Depois passa a destroçar a carne mais mole, da parte de dentro, penetrando a carcaça a partir do cu. Das inúmeras histórias que Vitor contou para Elba, essa era a mais impressionante. Ele assistira, quando menino, a um cãozinho esfomeado avançar contra os corvos, espantando-os para bem longe, para poder se alimentar do boi morto na beira da estrada. Tomava a história como piada, mas Elba não achava graça. Perturbava-se pensando na magreza do bicho, no desespero.

Com uma leve dor no fundo dos olhos, Elba tenta afastar a lembrança que se instalou de repente. Tenta fixar os pensamentos num futuro próximo, na noite de Natal em que ela e Vitor juntarão os filhos e netos em frente a uma grande árvore decorada, no conforto de ter que enrolar menos docinhos, assar menos empadas e se livrar do incômodo de insistir para as clientes levarem mais um perfume da revista quinzenal.

Espera, verifica a pistola, espera. O som do deserto deixa de ser um abrigo e passa a causar irritação. Custa a compreender que algo mudou, há um novo som mesclado ao antigo. Deixa-se levar até o arbusto, o único tom verde naquele lugar estéril. Percorre o caminho que a leva até a origem do barulho não identificado. Arrastando a perna, Elba se aproxima. Afasta alguns galhos espinhosos e vê o ninho. São pequenos pássaros pretos emitindo grasnados fraquinhos, exauridos de tanto clamar por proteção, os bicos abertos, as asinhas quebradiças. Mamãe pássaro deixou o ninho, não teve escolha. O instinto de sobrevivência grita e Elba reconhece o aviso. Usa uma das mãos como viseira, olha para o céu, primeiro contra o sol, depois a favor.

Não enxerga, perturba-se a ponto de perder a concentração. Por uns instantes, esquece da arma e não percebe o vulto que se forma lá longe, no horizonte alaranjado do deserto.

O ZERO CINCO LIMA TRINDADE

Para Sidney Rocha e Marcelo Frazão

A sensação torpe de estar na escuridão quase absoluta, o chão movediço, pedras úmidas ao redor, o odor azedo e a roupa com o limo se fixando. Você está só e sua imagem se multiplica em reflexos de espelhos estilhaçados, inexistentes. O corpo destroçado feito peça de lego, quebra-cabeça ou manequim. O carro avança. É noite. Eu sonho com um café forte, mas a estrada parece não ter fim, não se avista habitação, restaurante, puteiro que seja. Isso há pelo menos umas cinco horas. Tudo poderia ser diferente se eu tivesse continuado em sala de aula, se não tivesse escutado Antônia.

―――

— Renato, o comandante tá te esperando na sala dele.
— E a cara, tá enfezada?
— Não. Até me deu bom dia.
— Então, tem merda.

―――

Estávamos juntos desde 2026. Decidimos dividir apartamento quando o nosso guri não sobreviveu ao parto. Antônia passou a fumar mais de uma carteira por dia. Eu nem suportava mais beijá-la. Fizemos terapia de casal, dei um gatinho charmoso para ela, diminuí minha carga horária na escola e viajamos para Garopaba por uma semana, mas nada parecia suficiente para amenizar sua dor. Eu me aguentava, não reclamava com ela nem incomodava os amigos. Apenas prosseguia.

— Senta aí, seu Renato.
Puxei a cadeira.
— Aceita água?
— Se tiver café.
Ele sorri e liga para a recepcionista, pede duas xícaras e também uma água. A coisa parece grave. Há mais de um ano cortaram o café das repartições. O ar-condicionado nós só podemos ligar num período de duas horas pela manhã e mais duas pela tarde. Se houver excedentes, são descontados dos nossos salários. Até papel higiênico falta vez em quando. E somos obrigados a guardar um rolo trazido de casa na gaveta, para o caso de uma emergência. A gaveta trancada a chave, evidentemente.
— Posso confiar no senhor?

Acaba o asfalto. O GPS deveria indicar um buraco negro no lugar de um mapa.

Após tentar o budismo, Antônia fez aulas de canto e entrou para o coral do bairro. Ela falava pouco quando desempenhávamos nossas rotinas domésticas, por isso eu gostava de ouvi-la exercitar a voz, emitindo trinados pelos quartos, banheiros e apartamento afora. Era bonito. Me preenchia. E fazia com que eu a redescobrisse outra, livre de nossos artifícios. Era o ensaio de uma reação.

— Sim. O senhor pode confiar.

— Trata-se de um caso de segurança nacional — o comandante fez uma pausa e, sem sucesso, esperou que eu esboçasse uma reação emotiva. Beberiquei o café.

— A razão de envolvê-lo nisso foi sua excelente atuação na operação Abafabanca.

Três mortes desnecessárias fizeram que o próprio Monarca me condecorasse diante do pelotão inteiro.

— Continue.

— Exigimos o mais absoluto sigilo. Você não poderá falar sobre isso nem com sua esposa. Se houver vazamento ou falhas, eu e você seremos responsabilizados penalmente.

Pus a xícara vazia em sua mesa.

— Estou dentro.

— Pois bem, capturamos um elemento do Primeiro Círculo da Resistência. A informação que temos é que eles querem tomar o controle total do YouTube e Facebook por um número de likes jamais visto.

— Sem chances.

— Eles têm um trunfo.

Numa noite fria de outubro, o coral se apresentou na praça ao lado da igreja. O público era basicamente constituído pelas famílias de soldados mortos em combate. Havia muitas crianças correndo, tossindo, chorando e fazendo todo tipo de barulho, o que me deixou tenso por Antônia. Quando começaram a cantar, no entanto, meu otimismo em relação ao nosso futuro revigorou-se. Ela não foi simplesmente soberba, mas apagara da face os vincos de nossa tragédia familiar recente, o que, mais tarde, me estimulou a aproximar-me.

— Amor,

Antônia cerrou suavemente os olhos e ficou quieta, pensando. Depois, levantou o queixo e, hesitante, me acariciou.

— Obrigado.

— Fiz por mim também.

Contornávamos as ruínas entre nós. Passado mais de um ano, esse seria o primeiro beijo que trocávamos.

— Quero tentar mais uma vez — sussurrou no meu ouvido.

— Tem certeza?

— Não. Nenhuma.

— Quando veio o primeiro, nós não planejamos nada. Simplesmente aconteceu. Você não sente medo? Se tivermos um filho, ele provavelmente será educado dentro do programa Darios. Não terá conhecimentos de física, biologia, música ou literatura. A história que ele estudará será modelada conforme os interesses do Reino. Sem falar, meu amor, que nós só poderemos tê-lo após os seis anos de idade. Você pensou nisso?

— O tempo todo. Pensei e penso. Mas, Renato, existe uma alternativa.

— Não começa. Por favor.

— Basta você entrar pra Corte.

— Eu gosto de ser professor, Antônia.

— Mesmo tendo de seguir a cartilha de Darios?

— Escuta, eu não me vejo como soldado. Além do mais, se eu fosse admitido, isso só garantiria que nós pudéssemos educá-lo em casa.

— Para mim seria o suficiente. A criança estaria conosco.

— Não sei. Preciso pensar. Soube que uma das provas para admissão no grupamento é esfaquear um prisioneiro desarmado até matá-lo.

— Desde que eu tenha o meu filho.

Haverá um trecho que terei de avançar a pé. Imaginei que fosse encontrar alguma barreira ao passar desse ponto, que, ao atingir a outra margem, me deparasse com grandes muros, seguranças armados e cães, que fosse preciso me identificar. É estranho. O carro sacoleja e isso me faz esquecer a vontade imperiosa de café para pensar algo que não tinha suspeitado: e se a missão for apenas uma armadilha? Se tudo isso não passar de um truque ou jogo com o objetivo de me sacanear? Se pairar uma desconfiança qualquer dos filhos da puta em relação a mim?

———

— Que trunfo? Um dispositivo especial?
— Eles interceptaram conversas da rainha com o pastor Wilson.
— Mas, pelo que sei, o cargo da rainha é honorífico, ela não participa das decisões do nosso monarca, sejam elas políticas ou de guerra. É o que diz o Código de Reafirmação do Masculino. O que ela poderia dizer de tão ameaçador?
— Algo que somente a rainha e o monarca tinham conhecimento. Um assunto estritamente pessoal.
— E com poder de abalar sua hegemonia nas redes de controle social.
— Exatamente. Nosso monarca teve um filho que foi ignorado tanto em sua biografia anterior quanto posterior à Grande Revolução. Trata-se de um homem. Nós o batizamos de Zero Cinco.
— Um outro filho? Mas por que isso seria considerado um trunfo para a resistência? A existência de um bastardo só beneficiará a progressão dos likes. O Reino festejará a notícia.
— Você estaria certo se a rainha não houvesse revelado a natureza do Zero Cinco para o pastor. Segundo o informante capturado, a rainha o descreveu como um monstro. "O ser mais abjeto a ver a luz do sol", foram as palavras dela. A Resistência pretende capturá-lo e, por seu intermédio, induzir a humanidade conectada a acreditar na fraqueza genética de nosso monarca ao gerar uma aberração como aquela. Seria o maior escândalo já visto no YouTube e Facebook.
— Mas por que o próprio monarca não assassinou o Zero Cinco?

— Foi o que Wilson perguntou para a rainha. Tudo indica que o monarca amou muito a mãe do bastardo, tendo prometido a ela que o protegeria, longe de tudo e de todos. Contudo, essa mulher morreu recentemente e, agora, com a Resistência em seu encalço...

— Ele quer que eu faça o serviço!

— Você é o nosso melhor agente. É o homem mais bem preparado, o mais inteligente.

— E quanto ao pastor?

— Cuidamos dele antes da Resistência. Em poucas horas será anunciada sua morte por infarto fulminante. Quanto ao Zero Cinco, o próprio monarca lhe dará a localização dele. Atenção, excetuando eu e você, ninguém da Corte sequer sonha com essa história. Na Família Real, sequer os quatro herdeiros, que nasceram depois, ou a princesa. Assim deve permanecer. Alguma pergunta?

— Sim.

— Diga.

— Ainda tem café?

Penso no monstro a quem chamam de Zero Cinco e me pergunto se terei forças para eliminá-lo, se o nojo e a repugnância não serão impeditivos para que eu realize o serviço. Recordo uma leitura anterior à Grande Revolução, quando o Grão-Mestre Carvalho não banira os livros que mencionavam os Anos de Chumbo, o autor dizia que há sempre um poço dentro do poço, e quando a gente percebe está em poços sem fim. Dá medo, acrescentava ele, mas não dói. Um pouco como se fosse a morte. Essa imagem de um poço dentro de outro poço do poço eu nunca esqueci. Sobretudo em momentos como este, o frio da madrugada turvando a vista e insinuando o mistério da noite. Busco meus próprios olhos no espelho retrovisor. Haverá vestígio de medo neles? De dor? Quando a bala atravessar o corpo do Zero Cinco, escutarei seu suspiro final? Ele lutará por sua vida miserável ou me agradecerá o tiro? E Antônia, se não se reconfortasse no sono e silêncio absolutos, aprovaria esse meu ato? O espelho mostra um bicho acuado por trás do rosto abatido. Viro a chave e desligo o motor.

Eu já passara nos exames da Corte e aguardava minha nomeação quando Antônia sentiu as primeiras contrações. Emanuel era um bebê pequeno, mas bonito e saudável. Antônia não sobreviveu ao procedimento de parto. Desde 2023 o Ministro da Economia proibira a realização de cesarianas para mulheres de civis. Se eu tivesse ingressado quinze dias antes na Corte, eu provavelmente não me tornaria viúvo e eles não teriam tirado Emanuel de mim.

Sigo o caminho indicado no mapa e, após trinta minutos mata adentro, diviso uma clareira cercada de árvores, um jardim em frente a um sobrado, uma edificação menor parecida com uma estufa, mas que pode ser também uma oficina ou depósito. Avanço com cuidado. Uma luz azulada sai da porta principal do sobrado, que está aberta, assim como estão todas as janelas. Procuro por antenas no teto, câmeras externas e marcas no chão que indiquem a presença de um veículo, seja carro ou bicicleta, sem encontrar nada. Aproximo-me lentamente, a arma engatilhada na mão direita e a respiração controlada. A dois passos escuto o som de música. É suave e envolvente. Eu estou muito cansado e temo fraquejar diante do Zero Cinco. A música me remete a uma noite em que eu e Antônia estávamos bem, eu levara um vinho para sua casa e fazíamos planos de uma longa viagem de barco, nós dois atravessando noites e oceanos sem a lembrança cáustica e ferruginosa da violência dos dias, as mãos enlaçadas como no tempo em que o amor não precisava ser escondido ou vigiado. A porta está aberta e a casa abriga um monstro em seu interior. Será muito simples: o Zero Cinco morto e a Resistência perdida em seus sonhos de derrocadas. Com cuidado, projeto-me para dentro da luz azulada, as duas mãos segurando o revólver apontado para o vazio. O estúdio é amplo e a fera está sentada de costas num banco alto do lado direito. Veste um longo camisolão branco com as mangas estreitas dos ombros aos antebraços se abrindo em babados como um sino a envolver os pulsos. Ele permanece sem se virar para mim, absorto. Constato que a música vem de um estranho instrumento sobre o seu colo. "Ei, você!", grito para ele e espero que se volte em minha direção. Não sou covarde. Enfrentarei e matarei o monstro. Olhos nos olhos. Sem titubear. Mesmo que ele toque uma música ainda mais maravilhosa do que essa, mesmo que ele me faça lembrar de um momento tão bom quanto o vivido com Antônia em sua casa. Será isso ou perder minha própria vida e nunca mais ver Emanuel. Basta matar o Zero Cinco. Basta matá-lo e, enfim, retornar para a Corte. "Vire-se devagar", eu digo. Então, eu me deparo com a sua face. Ele sorri candidamente. Talvez sinta pena de mim, talvez compreenda a razão da minha presença. Seus olhos emitem uma radiação única. É um homem de aproximadamente quarenta anos, os cabelos gris distribuídos em cachos delicados, a pele muito branca e os olhos escuros e profundos como se ostentassem estrelas. Atrevo-me a dizer que ele é de uma beleza rara, hipnotizante. Sua visão transmite paz e conforto. E outra lembrança toma meus sentidos, leva-me à infância e a um sorriso sardônico. O Zero Cinco se assemelha ao gênio italiano da Renascença. Abaixo a arma e averíguo melhor o ambiente. Há desenhos e pinturas fixados em todas as paredes. Sinto-me tonto, confuso. Ele se levanta e pergunta se eu aceitaria um café. Não respondo de imediato. Depois, mais calmo, considero prudente aceitar. Afinal, a viagem aos portões da Resistência será longa.

QUEM ESCREVEU ESTE LIVRO

Adriana Lisboa nasceu no Rio de Janeiro, em 1970. Publicou, entre outros livros, os romances *Sinfonia em branco* (Prêmio José Saramago), *Rakushisha*, *Azul corvo* (um dos livros do ano do jornal inglês The Independent), *Hanói*, *Todos os santos*, os contos de *O sucesso* e os poemas de *Pequena música* (menção honrosa, Prêmio Casa de las Américas) e *Deriva*. Seus livros foram traduzidos em mais de vinte países.

Alexandra Lopes da Cunha nasceu em Brasília, em 1970. É formada e tem mestrado em Administração de Empresas e doutorado em Escrita Criativa. Foi finalista do Prêmio AGES em 2013 com seu primeiro livro de contos: *Amor e outros desastres*. Em 2014, venceu o Prêmio IEL 60 anos na categoria Narrativa Curta, Autor Estreante, com o livro *Vermelho goiaba*. Foi finalista do Prêmio SESC 2016 e do Prêmio Açorianos em 2018 com seu primeiro romance, *Demorei a gostar da Elis*. Recebeu premiações nacionais e internacionais em concursos literários. Tem cinco livros publicados, além da participação em antologias.

Altair Martins nasceu em Porto Alegre, em 1975. Deu aulas no curso superior de Formação de Escritores da Unisinos entre 2007 e 2010. É professor da PUC/RS, nos cursos de Escrita Criativa e Letras. Tem textos publicados em Portugal, Itália, França, Argentina e Espanha. Entre outros prêmios, ganhou o São Paulo de Literatura (2009, com o romance *A parede no escuro*) e o Moacyr Scliar (2012, com os contos de *Enquanto água*) e foi finalista do Jabuti quatro vezes. Seu romance mais recente é *Os donos do inverno*.

Arthur Telló nasceu em Porto Alegre, em 1989. É formado em Letras pela UFRGS e tem mestrado em Escrita Criativa pela PUC/RS, onde, além de cursar o doutorado em Teoria da Literatura, dá aulas de Latim, Grego, Literatura e Escrita Criativa. Em 2016, venceu o Prêmio Açorianos na categoria Criação Literária com o romance *O tríptico de Elisa* (ainda inédito). Em 2019, lançou o livro de contos *Os cadernos de solidão de Mario Lavale*.

Carlos André Moreira nasceu em São Gabriel (RS), em 1974. É jornalista formado pela UFRGS. Já atuou no Jornal do Comércio e em Zero Hora — foi, de 2003 a 2020, crítico literário no Segundo Caderno do mesmo jornal. Cursou mestrado em Literatura Portuguesa pela UFRGS. Publicou o romance *Tudo o que fizemos* e já teve contos incluídos nas revistas Coyote e Etc e nas antologias *Ficção de polpa: crime!*, *Ficção de polpa: aventura!* e *O que resta das coisas*. Também atua como tradutor.

Carlos Eduardo Pereira nasceu no Rio de Janeiro, em 1973. Estudou História na UFRJ e Letras — habilitação Produção de Texto na PUC Rio. *Enquanto os dentes* (2017), seu romance de estreia, foi semifinalista do Prêmio Oceanos e finalista do Prêmio São Paulo de Literatura 2018.

Clarice Müller é porto-alegrense, graduou-se em Direito e foi analista judiciária até se aposentar. Fez teatro com os grupos Alternativa e Teatro de Arena de Porto Alegre. Em 2002, publicou, em parceria com Claudio Santana, VEROVERBO, um livro de narrativas breves, vencedor do Prêmio Fumproarte. Colabora para a organização da FestiPoa Literária e participa da oficina de criação literária de Reginaldo Pujol Filho.

Claudia Nina nasceu no Rio de Janeiro, em 1968. É doutora em Letras pela Universidade de Utrecht, na Holanda. Sua tese em inglês sobre Clarice Lispector foi traduzida e editada no Brasil pela editora da PUC/RS. É autora de quatorze livros, entre romances, infantis, juvenil, contos e ensaios. *Paisagem de porcelana* (2014) foi finalista do Prêmio Rio de Literatura. Seu livro mais recente é *Ana-Centopeia* (2020). Assina uma coluna semanal no site da Revista Seleções: www.selecoes.com.br.

Danichi Hausen Mizoguchi nasceu em Porto Alegre e mora no Rio de Janeiro. Autor de *Segmentaricidades: passagens do Leme ao Pontal* (2º lugar da categoria Ensaio da União Brasileira de Escritores/RJ), de *Amizades contemporâneas: inconclusas modulações de nós* (finalista do Prêmio Açorianos de Literatura e do Prêmio Livro do Ano da AGES), de *Cinco ou seis dias* (vencedor do IV Prêmio Edufes de Literatura e finalista do 4º Prêmio Rio de Literatura) e coautor de *Antifascismo tropical*.

Dani Langer nasceu em Porto Alegre, em 1978. É bacharel em Publicidade e Propaganda pela PUC/RS, trabalhou com design e hoje se dedica à literatura. É mestre em Escrita Criativa pela PUC/RS, tem contos publicados em antologias e é autora de *No inferno é sempre assim e outras histórias longe do céu* (2011).

Eliana Alves Cruz nasceu no Rio de Janeiro, em 1966. É escritora e jornalista, com especialização em Comunicação Empresarial. Seu romance de estreia, *Água de barrela*, ganhou o Prêmio Oliveira Silveira da Fundação Cultural Palmares e menção honrosa do Prêmio Thomas Skidmore. *O crime do cais do Valongo* foi escolhido um dos melhores do ano de 2018 pelo jornal O Globo e foi semifinalista do Prêmio Oceanos. *Nada digo de ti, que em ti não veja* é seu terceiro romance. Além disso, publicou um livro infantil e participa de diversas antologias com contos e poemas.

Gabriela Richinitti nasceu em Lajeado (RS), em 1993. Formou-se em Direito pela UFRGS, mas resolveu mudar a rota e hoje faz doutorado em Escrita Criativa na PUC/RS. Possui contos e poemas publicados em antologias e revistas literárias.

Guilherme Smee nasceu em Erechim (RS), em 1984. Atua como designer gráfico e editorial e roteirista de histórias em quadrinhos. Faz doutorado em Ciências da Comunicação na Unisinos. Publicou ao menos um título de quadrinhos por ano desde 2013. É autor dos livros *Loja de Conveniências* e *Vemos as coisas como somos*. Nos quadrinhos, produziu também a autobiografia *Só os inteligentes podem ver*, que foi finalista do Prêmio MIX Literário.

Guto Leite nasceu em Belo Horizonte, em 1982. É linguista pela Unicamp; especialista, mestre e doutor em Literatura Brasileira pela UFRGS, onde leciona. Foi vencedor do Prêmio Açorianos de Criação Literária, categoria Poesia, com o livro *Entrechos ou valas do silêncio* (2012). Vencedor do Prêmio Açorianos de melhor compositor, gênero MPB, com o disco *Dez canções sem as quais você não poderá viver nem mais um segundo* (2018).

Henrique Schneider nasceu em Novo Hamburgo (RS). Advogado e escritor, possui diversos livros publicados. Entre eles, *O grito dos mudos* (Prêmio Mauricio Rosemblatt de Romance), *Contramão* (finalista do Prêmio Jabuti) e *Respeitável público* (finalista do Prêmio Açorianos). Seu romance mais recente, *Setenta*, foi o vencedor do Prêmio Paraná de Literatura em 2017.

Irka Barrios é contista e novelista, mestre em Escrita Criativa (PUC/RS). Premiada no Concurso Brasil em Prosa (Amazon, 2015) com o conto *O coelho branco*, participou de diversas antologias. Atua na organização do coletivo Mulherio das Letras/RS. Em 2019, lançou *Lauren*, seu primeiro romance.

Julia Dantas nasceu em Porto Alegre, em 1985. Estudou Crítica de Arte em Buenos Aires e faz doutorado em Escrita Criativa na PUC/RS. Atua como tradutora, tem contos publicados em antologias e é autora do romance *Ruína y leveza* (2015), finalista do Prêmio São Paulo de Literatura e do Prêmio Açorianos de Criação Literária.

Lima Trindade nasceu em Brasília, em 1966, e mora em Salvador desde 2002. É mestre em Letras pela Universidade Federal da Bahia. Publicou o romance *As margens do paraíso* (2019), o livro de contos *Aceitaria tudo* (2015) e a novela *O retrato ou um pouco de Henry James não faz mal a ninguém* (2014), entre outros. Seus contos estão traduzidos para o inglês, espanhol e alemão.

Leandro Godinho nasceu em 1978, em Mandaguari (PR). É formado em Publicidade e Propaganda pela UFRJ e trabalha com assessoria de comunicação em Porto Alegre.

Leila de Souza Teixeira nasceu em Passo Fundo (RS), em 1979. Estudou Escrita Criativa (certificação adicional na PUC/RS), Teoria e História da Arte (mestrado na UnB) e, desde 2014, mantém oficinas de criação literária na região Sudeste e Centro-Oeste, em especial em Brasília. Tem contos e resenhas publicados em antologias. Seu livro *Em que coincidentemente se reincide* (2012) foi finalista do Prêmio APCA.

Lu Thomé nasceu em Lajeado (RS), em 1977. É jornalista pela PUC/RS e possui pós-graduação em Jornalismo Literário (ABL), além de ter cursado a oficina literária de Luiz Antonio de Assis Brasil. Teve contos publicados nas antologias *Ficção de polpa* e venceu o Prêmio Fato Literário, em 2011, com o projeto Sport Club Literatura. Mora em Porto Alegre e atua como coordenadora editorial, editora e ghostwriter.

Luisa Geisler nasceu em Canoas (RS), em 1991. É escritora, tradutora literária e mestre em Processo Criativo pela National University of Ireland. Escreveu, entre outros, *Luzes de emergência se acenderão automaticamente* (2014), *De espaços abandonados* (2018) e *Enfim, capivaras* (2019). Foi vencedora do Prêmio Açorianos de Narrativa Longa, duas vezes vencedora do Prêmio SESC de Literatura e do APCA de Narrativa Infanto-Juvenil, além de ter sido finalista de diversos outros prêmios nacionais. Tem textos e livros traduzidos para mais de quinze países.

Marcela Dantés nasceu em Belo Horizonte, em 1986. Estudou Comunicação Social na Universidade Federal de Minas Gerais e é pós-graduada em Processos Criativos em Palavra e Imagem pela PUC Minas. Pela PUC/RS, cursou a oficina de escrita criativa de Luiz Antonio de Assis Brasil. É autora do livro de contos *Sobre pessoas normais* (2016), obra semifinalista do Prêmio Oceanos 2017, e do romance *Nem sinal de asas* (no prelo).

Marcelo Spalding é jornalista, professor, escritor e editor, com oito livros individuais publicados e mais de setenta livros editados. Professor de oficinas de Escrita Criativa presenciais e online desde 2007, fundou e dirige a Metamorfose Cursos. É pós-doutor em Escrita Criativa pela PUC/RS, doutor e mestre em Letras pela UFRGS e formado em Jornalismo e Letras. É ex-professor da UniRitter e o idealizador do Movimento Literatura Digital, editor dos sites minicontos.com.br e escritacriativa.com.br e autor do livro *Escrita Criativa para iniciantes*.

María Elena Morán nasceu em Maracaibo, Venezuela, em 1985. Roteirista e escritora, é formada em Cinema na EICTV, Cuba, e faz doutorado em Escrita Criativa na PUC/RS. Ministra oficinas de roteiro dentro e fora do Brasil e é uma das idealizadoras da *Criativas: Oficina de roteiro audiovisual para jovens mulheres*. Tem contos publicados em revistas e antologias e é autora do livro de poemas *Misceláneas del desamparo*. Em 2018, ganhou o Prêmio Cabíria de Roteiro com *Ainda*.

Michelle C. Buss nasceu em Jaguari (RS) e mora em Porto Alegre desde 2007. É mestra em Estudos de Literatura pela UFRGS e possui três livros de poesia publicados, sendo o último *Não nos ensinaram a amar ser mulher* (2018), finalista do prêmio da Academia Rio-Grandense de Letras. Ao lado de Clara Állyegra Lyra Peter, é cocriadora do projeto *Poesia pelo mundo*, no Instagram, destinado a divulgar trabalhos poéticos, traduções e fotografias. Com o poeta Leo Cruz, organiza o *Sarau poetaria* e a live *Lendo poesia*. Além de escritora, é cantora e atriz.

Nelson Rego nasceu em Porto Alegre, em 1957. É autor dos livros de contos *Daimon junto à porta* (2011, vencedor do Prêmio Açorianos de Literatura) e *A natureza intensa* (2016, finalista do Prêmio Livro do Ano da AGES), da novela *Noite-égua* (2015) e de *Tão grande quase nada* (2004), livro de biografias ficcionais. É também autor de livros acadêmicos e professor na Universidade Federal do Rio Grande do Sul. Tem doutorado em Educação, mestrado em Sociologia e, na graduação, estudou Geografia e Filosofia.

Rafael Bassi é escritor e historiador, nasceu em 1988 e vive em Porto Alegre. Doutor em História pela Unicamp, cursa o mestrado em Escrita Criativa na PUC/RS. Tem contos publicados em algumas antologias e lançou, em 2018, *O homem que gostava dos russos & outros contos*, finalista do Prêmio Minuano de Literatura e vencedor do Prêmio Autor 2018, cuja premiação se deu com o lançamento do livro em 2019 em Portugal.

Renata Wolff nasceu em Porto Alegre, em 1980. Formou-se em Direito na UFRGS e cursa o mestrado em Escrita Criativa na PUC/RS. Tem contos publicados em antologias e premiados em diversos concursos. É autora do livro de contos *Fim de festa*, finalista do Prêmio AGES e do Prêmio Jabuti de 2016.

Rodrigo Alfonso Figueira nasceu em Bagé (RS), em 1979. É pós-graduado em Literatura Brasileira e mestre em Escrita Criativa pela PUC/RS. Possui contos premiados em concursos literários e publicados em antologias e revistas no Brasil. Trabalha com práticas de Escrita Criativa para o desenvolvimento de habilidades interpessoais de profissionais do mercado corporativo e de diversas carreiras. Vive em Porto Alegre.

Rodrigo Rosp nasceu em 1975 e vive em Porto Alegre. Especialista em Estudos Linguísticos do Texto pela UFRGS e mestre e doutorando em Escrita Criativa pela PUC/RS, é autor de *A virgem que não conhecia Picasso* (2007), *Fora do lugar* (2009), *Fingidores* (2013, semifinalista do Prêmio Portugal Telecom) e *Inverossímil* (2015); além disso, organizou outras antologias e teve contos publicados no Brasil e na Alemanha. Foi um dos fundadores da Não Editora e da Dublinense.

Sara Albuquerque nasceu em Maceió, em 1990. É advogada, mestra em Escrita Criativa pela PUC/RS. Publicou três livros infantis (editais da coleção *Coco de roda*) e poemas em *Sete centímetros de língua* e *Giz morrendo*. Seu conto *Bartolomeia* figurou em 3º lugar no Prêmio Off-flip (2018) e em 1º lugar no Concurso de Contos Aloísio Costa Melo (2019). Trabalha com escrita e performances literárias no canal *Leitura que sara*, no Youtube.

Taiasmin Ohnmacht nasceu em Porto Alegre, em 1972. Psicóloga e psicanalista, atua na área clínica. Participou da organização do ebook *Da vida que resiste — Vivências de psicólogas(os) entre a ditadura e a democracia* (2014). Em 2016, publicou o livro *Ela conta ele canta*, em parceria com o poeta Carlos Alberto Soares. Foi relacionada no catálogo *Intelectuais negras visíveis*, lançado na FLIP em 2017. Em 2019, lançou a novela *Visite o decorado*.

Tiago Germano nasceu em Picuí (PB), em 1982. É autor do romance *A mulher faminta* (2018) e do volume de crônicas *Demônios domésticos* (2017), finalista do Prêmio Jabuti e do Prêmio Açorianos. Mestre e doutorando em Escrita Criativa pela PUC/RS, é um dos principais resenhistas brasileiros da plataforma de leitura Goodreads e publica seus textos semanalmente no Instagram @paginacorrida e em sua página pessoal do Medium.

Vitor Necchi nasceu em Porto Alegre, em 1970. É escritor, professor, jornalista pela UFRGS, mestre em Comunicação Social pela PUC/RS e doutorando em Letras pela UFRGS. Publicou *Não existe mais dia seguinte* (2018), vencedor do Prêmio AGES Livro do Ano e do Prêmio Minuano de Literatura. Participou das coletâneas *Quatro contos de Porto Alegre e um bônus* (2019) e *Qualquer ontem* (2019).

Yuri Al'Hanati nasceu em Angra dos Reis (RJ), em 1986, e reside em Curitiba desde 2004. Formado em Jornalismo pela Universidade Federal do Paraná (UFPR), é cronista, sommelier e crítico literário. Fundou, em 2010, o *Livrada!*, plataforma multimídia voltada à literatura, e é o autor do livro *Bula para uma vida inadequada* (2019), reunião de crônicas publicadas no portal A Escotilha, onde mantém uma coluna semanal desde 2015.

livraria dublinense

A LOJA OFICIAL DA DUBLINENSE E DA NÃO EDITORA

LIVRARIA.**dublinense**.COM.BR

Composto em MINION e impresso na PALLOTTI, em LUX CREAM 70g/m², em JULHO de 2020.